D1488664

EDICE
SCARABEUS

IVAN KRAUS

MÁ RODINA
A JINÁ ZEMĚTŘESENÍ

povídky

IVAN KRAUS

MÁ RODINA
A JINÁ ZEMĚTŘESENÍ

Ilustroval Adolf Born

ACADEMIA
2002

ISBN 80-200-0678-8

TO NA TOBĚ DOSCHNE

mámě, tátovi, Elišce, Michaelovi,
Janovi a Kateřině

*Osoby a události, líčené v této knize, nejsou zcela smyšlené,
a připomínají-li někomu osoby a události, které znal, nejde
o podobnost čistě náhodnou.*

*Autor měl to štěstí, že v takové rodině žil, a mohl tedy psát
přímo „ze života".*

*To, že dnes nosí prádlo suché, je autorovi sice příjemné, ale
zároveň trochu líto.*

Výchovný systém

Velké rodiny připomínají tak trochu přírodní živly. Nejsou vlastně nikdy v klidu. Proto je obvykle třeba hledat výchovný systém, složený z vhodných metod, s jehož pomocí lze takovou rodinu udržet na přípustném stupni vzájemných vztahů. Nejoblíbenější metodou je dávání za příklad, přičemž jde obvykle jak o dobré, tak o špatné příklady. „Příklady táhnou," říkala vždycky matka a myslela tím patrně obojí. Byly doby, kdy každý z nás byl špatným příkladem pro ty druhé a nebyl mezi námi vlastně nikdo, kdo by byl mohl sloužit za dobrý příklad. Takoví jedinci se vyskytovali jen v jiných rodinách a my se o nich dozvídali z matčina poutavého vyprávění, naslouchajíce jí se zatajeným dechem. Stávalo se však také, že se mezi námi náhle vyskytl někdo, na koho se momentálně „dalo spolehnout", kdo byl „lepší" nebo „poslušnější". To bývalo velmi zřídkakdy a zpravidla šlo o toho, kdo nebyl zrovna přítomen. Jakmile se však dotyčný vrátil, nalézala na něm matka tolik chyb, že to vypadalo, jako by se takový tvor ze dne na den měnil.

Michael tvrdil, že základním pravidlem matčina systému je poučka – ti nejlepší jsou právě pryč. Nejhorší jsou vždy doma. Jediným členem rodiny, který této poučce nepodléhal, byl otec. Z matčina hlediska šlo o vyrovnaného člověka, který měl stále stejně chyb a nedostatků, ať byl právě kdekoli. Matka postupně dosáhla takové dokonalosti, že vytýkala otci jeho nedostatky v jakémsi pořadí, které mělo podivný systém. Dovedla otci vytknout, že si neuklidil ponožky, a vzápětí mu připomněla, že si ho vzala, jako by o tom otec nevěděl. Jindy jednoduše řekla : „S tím na mne nechoďte, to si vyřiďte s otcem!" Chvílemi to vypadalo, jako bychom měli doma otce, s kterým matka nemá mnoho společného a kterého patrně v nestřeženém okamžiku vlákal někdo z nás do rodiny proti jejímu souhlasu. Matka nikdy nedělala rozdíl mezi druhem a velikostí chyby, které se otec dopustil, ale otec bral situaci jaksi celkově a tvrdil, že to „takhle už dál nejde."

Pokud šlo o nás, říkával občas otec matce, že jak si nás vychovala, takové nás má. V takových okamžicích se matka rychle přeorientovala na otázku dědičných vlastností a tvrdila, že jablko nepadne daleko od stromu, majíc tím na mysli pochopitelně špatné vlastnosti, které jsme zdědili po otci. Ale byly i chvíle, kdy se oba udiveně obrátili na nás a ptali se: „Po kom to, prosím tě, máš?" Člověk se cítil samozřejmě zaskočen, protože nemohl jmenovat ani otce, ani matku, a tak to vypadalo, že jsme si některé vlastnosti přinesli od sousedů.

Jednou, když jsem přišel velmi pozdě domů, probudili se oba v ložnici a vedli spolu tento zvláštní rozhovor:

Otec – Tak už je tady...

Matka – Kdo?

Otec – Synáček.

Matka (vzdech)

Otec – Máš tu synáčka...

Matka – Snad je taky tvůj, ne?

Otec – Vyloučeno. Můj syn by takhle pozdě domů nechodil.

Matka – Můj tedy také ne.

Na tomto místě nastala krátká pauza, během níž patrně oba rodiče přemýšleli, jakým způsobem mne adoptovat.

Matka – Ten kluk to zdědil. A víš po kom?

Otec (zvědavě) – Po kom?

Matka – Po tobě!

Otec (vzdech)

Opět krátká pouza, během níž patrně otec uvažoval nad tím, zda je lepší hovořit nebo mlčet, podle známé poučky „cokoli od této chvíle řeknete, může být použito jen proti vám".

Otec – Po mně nic takového nezdědil.

Matka – Zdědil! To jseš celý ty!

Otec (vzdech)

Matka – Jen se na sebe podívej!

Očekával jsem, že otec rozsvítí a podívá se na sebe, ale neudělal to.

Otec – Jak byl vychovaný, takový je.

Matka – Vidí špatné příklady. Včera sis zase neuklidil ponožky!

Otec – Nejde o ponožky, jde o to, že přišel pozdě domů.

Matka – To je totéž!

Otec – No dovol...

Matka – Začíná to ponožkami a končí to takhle, nebo ještě hůř...

Otec (triumfálně) – To znamená, že když si ještě několikrát neuklidím ponožky, bude z kluka alkoholik!

Matka – Jiný otec by na tvém místě vstal a šel si to s ním vyřídit!

Otec – To je možné…

Matka – Slabá žena na tolik dětí nestačí…

Otec (vzdech)

Matka – Vstaň a jdi na něj!

V tu chvíli otec z nepochopitelných důvodů skutečně vstal a šel na mne. Aby nešel celou cestu zbytečně, dal mi pár pohlavků a šel si zase lehnout.

„Tak to je jediné, co umíš!" řekla matka, čímž dala otci najevo, že jeho služební cesta nesplnila ani v nejmenším její očekávání.

Někdy se matka pustila do poutavého vyprávění o manželích. Příběhy byly určeny otci. Hrdiny těchto příběhů byli ideální muži, kteří pracovali, věnovali se rodině, šili, prali, vařili, uklízeli a běhali ochotně do školy ptát se na prospěch svých dětí. Otec pokaždé takovým vyprávěním se zájmem naslouchal a nakonec se jen zeptal, co to bylo za pány. „Takoví jsou muži všech žen, co znám," odpovídala vždy matka a otec obvykle jen zabručel, že v tom případě má matka podivné známosti, od kterých by měla co nejdříve upustit.

Někdy používala matka zvláštní srovnávací metody a říkala: „Tohle by Ivan v tvém věku nikdy neudělal!" „Takovou věc by si Eliška, když byla tak stará jako ty, nedovolila!" a tak dále, až nás vystřídala všechny, a bylo jasné, že by si nikdo z nás to či ono nedovolil a že jsme všichni bez chyby.

Matčin vztah k našemu věku byl také nevypočitatelný.

O Michaelovi například přes deset let tvrdila, že je po žloutence a nesmí se tedy namáhat, až si toho povšiml i sám bratr a varoval všechny ostatní před tím, aby ho jakkoli zatěžovali. „Jsem po žloutence," říkal, když měl dojít pro chleba, dávaje tak najevo, že se mezi námi jistě najde někdo zdravý, který ho ochotně nahradí. Bratr Jan už tajně kouřil, ale občas klidně sdělil druhým, že je ještě moc malý a že by třeba netrefil zpátky domů nebo že by chleba ztratil. „Malá" byla dlouho i Kateřina, které tak říkala matka, protože byla nejmladší, a zůstalo jí to dlouho poté, co už byla velká, stejně jako Janovi.

Otcovy výchovné metody byly ve srovnání s matčinými mnohem jednodušší. Když už si s námi matka nevěděla rady, požádala otce o pomoc a ten nás vzal s sebou do koupelny, kde provedl to, co považoval za nutné. Matka ovšem pak ztratila nervy a po prvém výkřiku či zasténání se vrhala ke dveřím od koupelny a volala na otce: „Lass ihn! Lass ihn!" V takovýchto případech se totiž rodiče vždy domlouvali německy. Činili tak vždycky, když nechtěli, abychom jim rozuměli. Jelikož se to však stávalo často, naučili jsme se těmto výrazům už v raném věku a stávalo se také, že když matka otci něco vytýkala, řekl některý z mladších sourozenců: „Lass ihn!"

Někdy dalo otci hodně práce přesvědčit některé z nás, abychom s ním odešli do koupelny. Největší problémy v tomto ohledu míval s Janem, který už od mládí vykazoval velkou fyzickou sílu a nikdy se nemínil vzdát dobrovolně. Bratr dovedl velice dobře využívat terénu. Zachytával se skříní, stolů, koberců, dveří i závěsů, ba i tak nehmotných věcí, jako jsou například porcelánové sošky nebo knoflík od rádia, a otci dalo často moc práce, než se mu podařilo syna odtrhnout. Později se bratr zdokonalil natolik, že se zvláštním způsobem vzpříčil ve dveřích, rukama i nohama, takže jím otec, který se ho snažil vyprostit, musel cloumat a všelijak páčit po i proti směru chlapcova zachycení, aby ho dopravil na místo určení. Páčení bratra sledovala rodina s napětím. Někteří z nás uzavírali sázky na čas, jiní tipovali, které části nábytku použije tentokrát bratr jako záchytných bodů a jak se tyto předměty osvědčí v tahu či trhu. Někdy bylo snazší vysadit z pantů celé dveře než přinutit bratra k tomu, aby povolil a pustil se kliky. Ale v okamžiku, kdy to otec udělal, vymrštil se bratr a zachytil se příborníku, jsa si vědom toho, že matka bude otce nabádat k opatrnosti, protože trhnout bratrem znamenalo trhnout příborníkem, který byl plný porcelánu. Někdy bylo po takovém boji nutno zavolat i několik řemeslníků, kteří dali byt do pořádku. Časem se ukázalo, že otec musí bratru zabránit v tom, aby se chytil třeba záclony, protože v takovém případě se Jan stával pánem situace a otci se nikdy nepodařilo získat bratra, aniž přitom získal proti své vůli i záclony. Někdy však bratr prchal mimo dům, aniž se na útěk nějak zvlášť připravoval. Otec vybíhal z domu za ním, zatímco matka byla na balkóně a volávala jako náruživý divák: „Nadběhni mu! Zadem! Za ním! Přidej! Chytni ho! Přes plot! Za nohu!" a podobně.

Také sousedé vybíhali na balkón a někteří z nich, hlavně ti mladší, sázeli na bratra, kdežto starší věřili spíše taktickému otci. Někdy, když otec s bratrem vběhli na hřiště, mívali víc diváků, zejména děti, hlídače, ale i penzisty z parku a matky s kočárky. Někteří z nich už otce i bratra znali a byli zvědavi, jak to tentokrát dopadne. Soused, který bydlel hned vedle nás a který si nedal žádný závod ujít, tvrdil, že se otec zlepšil natolik v práci nohou, že by mohl startovat za seniory na delší tratě. Matka byla potěšena, ale pravila skromně, že je ráda, že se otec alespoň dostane na vzduch. Někdy však oba „atleti" vybíhali z hřiště a běželi parkem a pak ještě dál. Jeden takový běh sledoval také bratrův učitel. Tenkrát se oba závodníci lišili i svými dresy. Otec byl v košili a kalhotách a bratr pouze v tričku a v dlouhých spodkách. Jelikož to bylo v zimě, ohodnotil učitel, který si všiml, že je bratr bos, sportovního ducha naší rodiny a dal bratra třídě za vzor.

Řekl bych, že se otec ve snaze přivést bratra k rozumu dost naběhal.

Příhoda na řece

„Dnes by byl hřích nejít na lodičky," pravil otec jednou na jaře, když jsme seděli v parku a dívali se dolů na řeku. Sešli jsme na nábřeží do půjčovny člunů. Muž, který loďky půjčoval, byl starší, vážný člověk, s nímž se život zřejmě příliš nemazlil, jak se dalo vyčíst z jeho tváře.

„Dobrý den," pozdravil ho otec.

„Jo," řekl ten člověk a plivl do vody.

Otec váhal. Myslím, že si v tu chvíli rozmýšlel, má-li vyřknout své přání nebo ne. Nakonec se rozhodl pro to prvé.

„Jeden člun," řekl otec, který neměl rád hrubé lidi. Muž se na otce podíval poněkud nedůvěřivě a pak se zeptal: „Na co?"

Otec se na mne podíval, tak jako by říkal, vidíš, takhle to dopadá s lidmi, kteří neradi přemýšlejí, načež se otočil k tomu pánovi: „Jeden člun, na vodu. Kdybych chtěl prášek proti bolení hlavy, určitě bych nechodil k vám!"

Myslel jsem si, že se ten člověk rozzlobí, ale k mému překvapení ho otcova poznámka i způsob otcova jednání zřejmě potěšily. Muž se zvedl a šel k jednomu z člunů. Otci to nedalo a požádal o dobrý člun. Muž pravil, že všechny čluny, které má, jsou dobré, a pokud on ví, jsou to vlastně nejlepší čluny široko daleko. Pak nás vedl k plavidlu s nápisem Kapitán Nemo. Byla to starší, zelená bárka, na jejímž dně bylo trochu vody. Otec se tentokrát zjevně nechtěl muže dotknout, a proto pouze naznačil, že je v člunu trochu vlhko.

„No a?" podivil se muž. „Na dně je dycky voda, když pršelo, ne?"

Otec nic nenamítal.

Ale pak si uvědomil něco, co ho trochu znepokojilo. Že totiž už dobrých čtrnáct dní nepršelo. Dalo mu trochu práce, než našel vhodný způsob, jímž se snažil naznačit, co si myslel.

Lidé od vody jsou však velmi citliví. Myslím si, že říční lodníci jsou citlivější než mořští. Ale majitel člunů byl nejcitlivější ze všech. A tak když otec ukázal na dno člunu a zeptal se, zda se voda nedostala do plavidla čirou náhodou zespoda, vyplivl muž opět cosi do vody a zeptal se, co tím chce otec říci.

Už sám tón otázky naznačoval, že muž umí být tvrdý. Otec však jako slušně vychovaný člověk musel odpovědět. Učinil tak bez zábran a položil otázku přímo:

„Neteče dovnitř?"

Muž strnul. Chvíli stál bez hnutí a díval se na řeku. Teprve potom se začal nadechovat. V životě jsem už nikdy neviděl nikoho, kdo by se tak dlouho, tak důkladně a soustředěně nadechoval. Pochopil jsem však, že muž, který se rozhodl takto nadechnout, nebude se zásobou vzduchu šetřit celý rok, ale že použije kyslíku v nejbližším okamžiku. Můj odhad byl správný. Muž se rozkřičel. Křičel o dětství i o tom, jak se dostal k vodě. Křičel vše, co věděl o člunech, vše, dokonce tolik, že ho může kdokoli třeba o půlnoci vzbudit a dávat mu otázky. Křičel, že tomu člověku všechno zodpoví. Potom zavřel oči a začal tápat kolem sebe. Polekali jsme se, zda se mu něco nestalo, ale ukázalo se, že muž zavřel oči a tápe jen proto, aby poznal své čluny po hmatu. Postupně rozeznal všech pět člunů a volal je poslepu jménem. „Kapitán Nemo… Bohouš, Lidunka, Jestřáb, Mississippi!" Pak se trochu uklidnil a začal chladně, leč pateticky vyprávět, co má který z člunů za sebou. Když skončil a otočil se k nám zády, řekl otec, který se obával, že říční vlk pláče, že se nám člun moc líbí a že bychom, když se to tak vezme, ani v jiném člunu na řeku nevypluli. Muž cosi zabručel, vylil z člunu vodu a zmizel v budce.

Vstoupil jsem do člunu. Otec se ujal vesel. Všiml jsem si, že muž pohnul záclonkou domku. Pozoroval nás. Neřekl jsem to však otci, protože měl zrovna plné ruce práce.

Vesloval proti proudu, pak odložil vesla, svlékl se do půl těla a začal se opalovat. Následoval jsem jeho příkladu.

Probudil mě jakýsi hluk. Vztyčil sem se, abych zjistil, odkud hluk přichází. Bylo to z mostu. Lidé tam nervózně obíhali sem a tam a ukazovali si na řeku. Také otec se probudil. Ukázal jsem mu lidi na mostě, kteří ukazovali někam za nás.

„Možná že se někdo topí," řekl jsem.

„Těžko," pravil otec, který byl ještě rozespalý.

Lidé na mostě gestikulovali stále vzrušeněji a křičeli. Po mostě však jezdilo hodně vozů, a tak nebylo rozumět. Začal jsem se rozhlížet kolem sebe. Byli jsme ze všech člunů nejdál od půjčovny. Řekl jsem to otci, který pravil, že lidé se drží velice rádi ve skupinách, což prý pochází ještě z doby pravěku. Lidé na mostě spínali ruce a neustále ukazovali tím směrem jako předtím.

„To by mě zajímalo, oč jim jde," řekl jsem a v tu chvíli jsem ucítil chlad na zádech. Sáhl jsem za sebe a ucítil jsem padající vodu. Bleskově jsem se otočil. Vjížděli jsme právě pod vysoký jez.

„Pozor!" vykřikl jsem na otce, který se vymrštil, a když zjistil, co se děje, vrhl se k veslům. Měl jsem ovšem stejný nápad, a tak jsme se srazili uprostřed člunu, do něhož se už začala valit voda.

„Klid!" vykřikl otec, který byl první na nohou a sahal znovu po veslech. Jakmile se však postavil, nahnula se loď na bok.

„Na druhou stranu!" zavelel, ale způsobil tím jen nové nedorozumění, protože jsme na stranu skočili oba a loď se znovu naklonila.

„Na druhou stranu!" vykřikl a zůstal tentokrát na místě a já, jsa z nepochopitelných důvodů přesvědčen, že otec udělá to co předtím, také.

„Nalevo přece!" křičel otec, který si neuvědomil, že jeho levá ruka je má pravá a naopak.

„Napravo!" volal vzápětí, když už bylo v lodi spousta vody.

Poslední manévr se přece jen podařil a otec dostal loď z bezprostředního nebezpečí.

„Taky nás mohli upozornit," řekl, maje na mysli lidi na mostě. Chtěl jsem mu říci, že se o to ti lidé snažili, ale pak jsem si uvědomil, že bude lépe, když budu mlčet. Voda v lodi se přelévala ze strany na stranu.

„Lov věci!" velel otec.

Většina věcí, prádlo, noviny a všechny lehčí předměty, plula po hladině. Pouze zapalovač a otcovy hodinky klesly ke dnu.

Od břehu k nám zamířil člun. Byl motorový a už z dálky bylo vidět, jak před sebou hrne vodu.

Ve člunu byli dva muži.

„Nechcete záchranná kola?" ptal se jeden z nich.

„Ne," řekl otec, „ale nedělejte vlny!"

V tu chvíli se náš člun začal opět kývat. Muž se dal do smíchu.

„Čemu se směje?" zeptal jsem se.

Otec se na mne podíval trochu udiveně:

„Taky bych se smál…," řekl tiše, „kdybych byl na jeho místě."

Člun se otočil a jel zpátky ke břehu. To už jsme se přiblížili k mostu. Teď už bylo také lidem rozumět. Nějaká paní se naklonila přes zábradlí a volala: „Stateční hoši…"

„Do toho, do toho!" křičel někdo a pak se ptal, kolikátí jsme.

„Tak to jsou oni, ano, to jsou oni…" zaslechli jsme, když jsme vypluli na druhé straně mostu.

Majitel půjčovny stál na malém molu, s rukama v kapsách. Když jsme přistáli, seběhla se kolem spousta zvědavců. Všichni se dívali na majitele půjčovny. Vylezli jsme z člunu a snažili jsme se vylít z něho vodu. Člun však byl strašně těžký. Nějací dobrovolníci nám pomohli. Majitel půjčovny přišel k otci a zblízka si ho prohlížel.

Otec se nejistě usmál a nabídl mu promáčenou desetikorunu, polepenou zbytky tabáku. Muž vzal bankovku, zdvihl ji do výše a ukázal ji zvědavcům. Lidé se dali do smíchu. Nějaká paní se přihnala k otci a začala ho uklidňovat:

„Nic si z toho nedělejte, pane, hlavně že jste zachránil dítě. Já jsem jela jednou do Kolína a dostala jsem se až na Slovensko…"

Otec zjevně trpěl.

Majitel půjčovny lodí se rozhlédl kolem sebe a pak řekl zvolna: „A tenhle člověk tvrdil, že do mejch člunů teče…"

Protlačili jsme se s otcem zástupem lidí a vydali jsme se na cestu k domovu. Nějaký pán nás dostihl a podával otci plnicí pero. Kapala z něho voda.

„Děkuju vám, to je od vás moc hezké," řekl otec vděčně.

„Myslíte?" zeptal se ten pán a dal se do smíchu.

Když jsme přišli domů, ptala se nás matka, co se nám proboha stalo.

„Nic." řekl otec suše. „Opalovali jsme se…" A víc z něho matka už nedostala, protože si lehl do postele a schoval se pod peřinu.

Strýc, který to uměl s dětmi

Strýc Karel, ten, který si myslel, že „to umí s dětmi", a teta Herta, jež se domnívala, že to umí se strýcem, k nám přijeli na návštěvu. Jezdi-li k nám zřídka, ale vždycky jsme si jejich návštěvu dobře pamato-vali.

Tentokrát byl strýc ve výtečné náladě. Vyprávěl, jak to bylo ve vla-ku, co všechno zažili (vypadalo to, jako by většinu zajímavých věcí zažil strýc ve vlaku), a taky o tom, jak nalezl na nádraží zcela novou, nepoužitou krabičku zápalek, s kterou by rád něco podnikl. Pak si vzpomněl na nás. Řekl (jako vždycky), že jsme ohromně vyrostli od té doby, co nás neviděl, a že doufá, že nás rodiče příliš nezlobí. Chví-lemi se smál tomu, co řekl, a nakonec se, jako obvykle, zeptal: „A co je nového ve škole?" Sestra se pochlubila novým spolužákem, já uči-telem. Oba jsme za to dostali kousek čokolády, která chutnala po ostrém tabáku. „A ty?" obrátil se strýc na bratra. Ten mlčel. Chví-li sledoval strýce a pak šel na dvůr. Strýc se za ním vydal.

Teta se zeptala, kde máme otce. Matka se rozkašlala, jako vždyc-ky, když musí lhát, a pak řekla udiveně: „Kterého?" Chvilku bylo ti-cho. Pak se matka uhodila do čela a začala rychle a nervózně tetě vy-světlovat, že otce zavolali narychlo do kanceláře a že ho poslali někam na služební cestu. Teta řekla, že je to smůla, protože ho už lé-ta neviděla. Matka se znovu rozkašlala a pravila, že se nedá nic dě-lat, protože povinnost je povinnost.

Šel jsem se podívat na dvůr. Bratr si tam hrál s kamením. Strýc stál vedle něho, jedl čokoládu a hlasitě mlaskal.

„To je ale výborná čokoláda, báječná," říkal a kladl důraz na kaž-dou slabiku. Takovou jsem snad ještě nikdy nejedl," lhal po chvíli.

Bratr si však strýce vůbec nevšímal. „Tak co je nového ve škole? Nestojí to za nic, viď" vyzvídal strýc, který si také sedl na bobek a za-čal sbírat kamínky. „Schválně, kdo z nás udělá větší hromadu," řekl strýc a začal vršit kamení na sebe. Bratr ho chvilku pozoroval, pak se zvedl a šel pryč. Strýc za ním. Bratr se dal do běhu. Pak mi na chvíli oba zmizeli z očí. O několik okamžiků později jsem uviděl bratra, jak utíká k malinovému křoví. Strýc se za ním hnal s otevřeným plnicím perem. Bratr zmizel v křoví. Strýc se zarazil a zůstal bezradně stát. Keře rostly kolem zdi. Bratr se tam občas schovával, když měl dostat výprask.

„Však já vím, kde jsi, Miško, já to dobře vím," volal rozčilený strýc, chodě kolem houštiny s perem.

„To je nádherné plnicí pero! A jak se s ním dá psát!" volal strýc pokoušeje se Michaela přimět k návratu.

„Tímhle krásným plnicím perem může psát každý," volal strýc do malin.

Bratr se neozýval. Strýc stál chvíli na místě, jako by se rozhodoval, zda má ve svém úsilí pokračovat. Pak se vydal na pouť kolem dvora. Vytáhl z kapsy kus papíru a začal na něj psát, přičemž hlasitě říkal, co právě dělá. Že má kus papíru a že na něj píše. Že se mu krásně píše, protože má plnicí pero. Chvílemi to vypadalo, jako by strýc pořizoval seznam malin.

„Takhle to kreslí domeček... a tak zase stromeček, a když s perem takhle zatočím..." v tu chvíli mu pero vypadlo z ruky a spadlo na zem. Strýc je sebral a pokračoval: „... když s ním takhle zatočím, tak udělám kroužek, a teď ještě jeden, a mám co?" ptal se strýc do křoví.

„Mám sněhuláčka!" odpověděl si nadšeně, jako by se mu to povedlo poprvé v životě. Pak se vydal na novou obchůzku.

„Jiná pera skřípou, dělají kaňky nebo nepíšou, ale tohle je to nejlepší pero, jaké jsem kdy měl, a dám ho tomu, kdo mi poví, jaké měl ve škole vysvědčení!" sliboval strýc.

Zase bylo ticho. Pak se ozvalo ode zdi: „Měl jsem tři čtyřky a pět trojek!"

Za zdí se vynořil soused, závozník. Strýc se zastavil a hleděl na něj.

„Vás se přece neptám," řekl po chvíli suše.

„Tak proč tu křičíte, že dáte to pero tomu, kdo vám řekne, jaké měl vysvědčení?" ptal se soused.

„V křoví mám synovce," vysvětloval strýc.

„A co tam dělá?" ptal se soused.

„Utekl tam," řekl strýc nerad, ale hned rychle dodal, že se kluk vrátí co nevidět, protože on to s dětmi moc dobře umí.

Soused popřál hodně štěstí a zmizel za zdí. Strýc si vzal nový papír a dal se do práce. Nakreslil králíčka, sovu, slona (ten mu dost dlouho nešel), nádraží, mraveniště, letadlo, pana doktora, lokomotivu, hodného chlapečka, zlé dítě a měsíc, a obešel sedmkrát dvorek. Pak vypil rychle kávu, kterou mu přinesla teta. Sundal si sako i kravatu a zul si boty. Na další papíry nakreslil v chůzi tyto předměty: tobogan, psa, kočku, medvěda, hrad, řemen, rákosku a vězení. Později už byl tak vyčerpán, že ho musela teta otírat ručníkem a dávat mu za chůze jíst. Když nakreslil a do detailu hlasitě popsal polepšovnu, s dvanácti komínky, padesáti vychovateli a třemi sty okýnky, ochraptěl, a teta musela volat za něho. Vypadalo to jako v nějaké přírodní dražební síni. Strýc postupně nabízel tetiným prostřednictvím hodinky, zapalovač, lupu, peněženku, tabatěrku i prsten, a to vše jen za to, když bratr vyleze z křoví a řekne mu, co je nového ve škole. Bratr však odolal.

K večeru strýc a teta odjeli. Strýc byl zcela vyčerpán.

Michael vylezl z křoví ihned. Otec ještě chvíli počkal pro případ, že by se teta se strýcem vrátili. Až do večera jsme pak sbírali strýcovy kresby, prozrazující skutečně určitý výtvarný talent a zaujetí pro objekt. Potom otec napsal, že litujeme toho, co se stalo, a vysvětlil jim, že Michael začne chodit do školy příštím rokem.

Jak se bratr ztratil

Bratr Jan se ztratil, když mu byly asi čtyři roky. Stalo se to v jedné malebné vesničce, kde jsme tenkrát byli na dovolené. Dodnes není vlastně jasné, jak se mohl ztratit. Otec tehdy čekal před hotelem na bratra, kterého měla matka za ním poslat. Když už to trvalo dlouho a Jeník pořád nikde, zahvízdal otec na matku. Ta se objevila v okně a ptala se, co otec chce.

„Kde je?" ptal se otec.

„Kdo?"

„Kluk!" volal otec zezdola.

Matku dotaz velice překvapil, protože se tvářila velmi udiveně, a pak se zeptala: „On není dole?"

„Ne," řekl otec.

„A kde tedy je?"

„Myslel jsem, že je nahoře v pokoji..." pravil otec.

„Tady není," řekla matka a zbledla.

Otec šel tedy hledat do hotelu. Prohledal všechna patra i jídelnu, ale bratra nenašel. Mezitím jsme přišli my ostatní, já, sestra Eliška a bratr Michael, z vesnice a viděli jsme, jak matka vyběhla před hotel.

„Kde je otec?" ptala se.

Když jsem jí řekli, že jsme otce neviděli, začala se rozhlížet kolem domu a tvrdila, že tam otec před několika minutami byl. Právě jsme chtěli začít otce hledat, když se objevil. Vypadal sklesle, protože Jana nikde nenašel. To už přiběhl nějaký inženýr chemie, který to všechno sledoval z okna, před hotel a řekl, že vzal s sebou fotoaparát, kompas a polní láhev.

„Musíme po chlapci pátrat!" řekl, nasadiv si brýle proti slunci.

Před hotel vyšlo několik hostů a inženýr jim hned vyprávěl, co se přihodilo. Nějaká paní přiběhla k matce a začala ji objímat.

„Já si jen skočím vyměnit boty, hned jsem tady," řekla a běžela do hotelu.

Pak jsme vyrazili. Po cestě se k nám přidal ještě nějaký pán, který tvrdil, že byl na houbách už od rána a že viděl ráno nějakého chlapce v lese.

„Cože?" vykřikla matka.

„Jak ten kluk vypadal?" ptal se otec.

„Byl takovej malej…" začal ten pán s popisem.

„Já myslím vlasy, jaké měl například vlasy?" ptal se otec.

Muž chvíli přemýšlel.

„Černé nebo blond?" ptal se otec.

„Ano. Něco na ten způsob," pravil ten pán a matka zaúpěla a řekla, že to byl určitě náš Jan. Pak se ještě otec toho pána zeptal, kterým to bylo směrem, a ten člověk řekl, že to bylo k rybníku. Inženýr studoval chvíli kompas a pak řekl, že musíme jít buď jak buď na severovýchod. Asi po půl hodině se ten houbař zastavil a ptal se otce, zda je kluk opravdu v takovém nebezpečí, když šel s babičkou.

„S jakou babičkou?" ptala se matka.

„No s tou, co šla s ním…" vysvětloval muž.

Pak se chvíli dohadovali, až vyšlo najevo, že tomu chlapci, kterého muž ráno viděl v lese s nějakou babičkou, je deset nebo dvanáct let a že to tedy nemůže být náš Jan. Na chvíli zavládl zmatek a bezradnost. Inženýrova žena začala matce vyprávět, jak se kdysi ztratila, když jí bylo asi sedmnáct, a jak si jednou, když už byla vdaná, nemohla vzpomenout na jméno hotelu a bloudila po městě sem a tam.

„Já vím, co to je, já to vím…" opakovala neustále.

Inženýr dospěl k názoru, že by bylo nejlépe, kdybychom rozbili tábor u lesa a nechali na místě hlídku. Zbytek by se mohl vydat na cestu po okolí. Nikomu se to moc nezamlouvalo a ten pán, co byl na houbách, řekl, že tohleto už jednou viděl ve filmu a že to pak špatně dopadlo, protože tábor byl přepaden a vypleněn. Inženýra se to asi dotklo, protože pak dlouho nic neříkal, díval se pořád na kompas, ale už neříkal směr, ani nehlásil orientační body. Začalo být horko a všichni se potili. Nejvíc pán, který měl na sobě celou dobu pláštěnku proti dešti a pořád tvrdil, že nepátráme dost systematicky.

Došli jsme k nějakému poli a otec se zeptal sedláka, který tam pracoval, zda bratra neviděl.

Sedlák se opřel o hrábě a začal se otce podrobně vyptávat, jak chlapec vypadal. Pak řekl, že takové dítě neviděl, ale že viděl před patnácti lety kometu ještě s jedním kamarádem, když se vraceli z hospody. Otec chtěl jít dál, ale ten muž si začal stěžovat na počasí a na neúrodu a taky se zmínil o nemocné krávě, a to už si někteří členové výpravy sedli na mez, protože je bolely nohy, a ten pán s pláštěnkou chodil od jednoho k druhému a neustále každého vybízel, aby vstal, jinak že se rozsedí a pak už nevstane.

Nakonec otec sedlákovi poděkoval a šli jsme dál.

Ale jednoho pána, který pracoval v bance, začalo píchat hrozně v boku. Opřel se o strom a povídá: „Jděte dál sami. Já už nemůžu."

„To chce pevnou vůli," řekl inženýr a nabídl mu svou polní láhev. Když se ten pán trochu vzpamatoval, řekl inženýr, že jsme už ušli pěkný kus cesty a že jsme stále ještě nenarazili na žádnou stopu, a že bude tedy nutné, abychom se rozdělili na dvě skupiny.

„Každá skupina bude pátrat samostatně," vysvětloval. „Já povedu první a vy," řekl, ukazuje na otce, „druhou!"

Jeden pán, který měl stopky, byl určen jako spojka. Naše skupina se vydala k rybníku, inženýrova šla k lesu. Když odcházeli, zaslechli jsme ještě z dálky, jak inženýr velí: „Udržujte rozestupy!"

Dorazili jsme až k rybníku, kde bylo velice vlhko, a začali jsme se bořit do bahna. Pak začali štípat komáři a ten pán z banky tvrdil, že někde četl, že je nejlepší hmyz ignorovat, že pak přestane útočit. Jeho žena tomu však nevěřila a dala si na hlavu noviny, aby na ni komáři nemohli. Patrně neviděla moc před sebe, protože se náhle vydala zcela jiným směrem, než jsme šli my. Když jsme obešli asi třetinu rybníka, přiběhl ten pán se stopkami, co dělal spojku, a hlásil, že jejich skupina neobjevila nic zvláštního a že postupují na severozápad. Pak zase běžel zpátky. Mezitím už přivedli tu paní s novinami na hlavě a jeden pán, který celou dobu mlčel, ulomil větev, strčil ji do rybníka a řekl, že zkoumá dno. Na druhé straně jsme potkali hajného se psem.

„Vy jste ta druhá skupina?" ptal se hned.

„Ano," řekl otec.

„Mám vám vyřídit, že první skupina nemá žádné ztráty," řekl ten muž a pohladil svého psa.

Pak jsme se dívali jeden na druhého a nikdo nic neříkal, až hajný hodil hlavou k rybníku a povídá: „Tady se nikdo nikdy neutopil. Bylo by to poprvé…"

Paní s novinami se rozzlobila a řekla hajnému, že je pěkný hulvát.

„Hlavně neplašte potěr," řekl hajný a šel pryč.

Šli jsme dál a najednou někdo vpředu udělal „Pssst" a ukázal před sebe. Seděl tam náš Jan a hrál si s kamínky. Matka k němu běžela a začala ho objímat a pak mu nařezala. Ostatní bratra ohmatávali, nemá-li nějaké zranění, a paní s novinami se ho zeptala, zda chce bonbón, a když bratr přisvědčil, sáhla do kapsy a zjistila, že ho ztratila po cestě, a chtěla ho jít hledat, ale její muž jí to rozmluvil.

Všichni se uklidnili a měli radost, že už máme dítě.

Právě jsme se chtěli vydat na zpáteční cestu, když se objevil ten pán, co dělal spojku, a těžce dýchaje sděloval, že se jim ztratila někde v lese inženýrova žena a že ji nemohou najít. „Jinak žádné ztráty…" končil své hlášení a stavěl se lehce do pozoru.

Bylo rozhodnuto, že se část naší výpravy vrátí do hotelu a část půjde na pomoc hledat. Dostal jsem se do té druhé skupiny, která se vydala hned k lesu. Po cestě nám spojka vysvětlila, že inženýr zakopl o kořen a rozbil si kompas a že se řídí jen a jen podle lišejníků. Když jsme dorazili do lesa, přišli jsme na jakousi mýtinu a ten pán se stopkami, co nás vedl, si dal prst na ústa, takže jsme všichni ztichli, a pak třikrát táhle zahoukal jako sova a šeptal nám, že to je jejich znamení. Pak se ozvalo zahoukání z lesa a objevil se jiný pán a řekl: „Tady jsme."

Inženýr vypadal opravdu zdrceně. Myslím, že mu nešlo tolik o ženu, jako o kompas.

„Musíme udělat řetěz," řekl hned poté, co jsme mu sdělili, že se kluk už našel. Udělali jsme tedy řetěz a inženýr volal, abychom udržovali rozestupy na své krajní a rozhlíželi se kolem sebe. Došli jsme až na nějakou mýtinu, kde jsme chvilku odpočívali. A najednou ten pán se stopkami vykřikl: „Ježišmarjá, vždyť vy jste tady!" A otočil se na inženýrovu ženu, která seděla hned vedle něho a jedla salám.

„No a?" řekla paní inženýrová nechápavě. „A co má být?"

Všichni se začali vyptávat paní inženýrové, kde byla, a ona pořád říkala, že šla hned za tím pánem, co ztratil prstýnek, a že mu ho pomáhala hledat.

Bylo nám divné, že inženýr nic neříká, ale ukázalo se, že říkat nic nemůže, protože mezi námi není.

„Pane inženýréééé!" volal ten pán se stopkami na všechny strany, ale nedostal žádnou odpověď.

„Kdoví kam zase šel," řekla jeho žena nedůvěřivě.

Začali jsme ho hledat. U pily jsme nalezli prázdnou polní láhev. Muž se stopkami ji zvedl a významně pokýval hlavou. „Určitě je už hrozně vyčerpán, když odhazuje věci," řekla ta paní, co měla na hlavě noviny.

Začali jsme křičet na všechny strany a pak někdo zaslechl inženýrův hlas. Hned jsme běželi tím směrem. Byl to skutečně on. Ležel na zemi na mechu a tvrdil, že uklouzl a udělal si něco s nohou. „To bude asi vyvrtnutý kotník," řekl jeden pán, který se celou dobu choval velice nenápadně a mlčel. Teď se zachoval velice duchapřítomně, protože řekl, že musíme sestrojit nosítka, abychom mohli dopravit inženýra do hotelu.

Nalámali jsme tedy větve, dali na ně košile a saka a inženýra na ně položili. Pak jsme se vydali zpátky. Inženýr požádal svou ženu, aby mu nechodila na oči, ale ona šla hned vedle nosítek, držela ho za ruku a každou chvíli se ho ptala, zda netrpí. Spojka se vydala do hotelu napřed. Když jsme šli kolem toho pole, nechal sedlák práce a šel se na inženýra podívat. „No hlavně, že jste ho našli," řekl a zavolal svou ženu, aby se šla taky podívat.

Kousek před hotelem nás už čekal personál s občerstvením a vrchní začal omývat inženýra francovkou.

Před hotelem byl muž se stopkami a zrovna líčil, jak inženýr věnoval poslední hlt vody ze své láhve nějakému členu výpravy, který už omdléval. Číšnice trnuly hrůzou.

U oběda se kdosi nabídl, že bude inženýra krmit, ale inženýr vzkázal po své ženě, že bude jíst sám, že má dosti sil.

Kuchařka běhala mezi pokojskými a vypravovala, jak to vlastně bylo.

„Ten malý kluk dokázal najít toho inženýra a přivolat ostatní!"

„F a n t a s t i c k é d í t ě!" říkali hosté a připíjeli si na bratrovo zdraví.

Teta Anna

Teta Anna je dodnes nejzbožnější osobou, kterou jsem kdy v životě poznal. Má pět synů, z nichž je jeden zbožnější než druhý. Každý z nich chodil do kostela, ministrantoval nebo hrál na varhany, pěl na kůru a všichni dělali ve volném čase dobré skutky.

Teta k nám občas přijela a pokoušela se nás obrátit na pravou víru.

„Musíte se obrátit k Němu," říkala vždycky, obracejíc oči ke stropu, přesně do míst se skvrnou po šampaňském, které bouchlo otci kdysi v ruce. Jednou, sotva dorazila, vytkla Elišce, že se líčí.

„V Jeho očích jsi krásná i bez líčidel," pravila sestře.

„Copak ty ho znáš?" divila se sestra. Pak se ukázalo, že teta měla na mysli Nejvyššího, zatímco sestra myslela na někoho pěkně pozemského. Vždycky když u nás byla teta na návštěvě, byli jsme všichni nervózní. Měli jsme dojem, že na nás teta působí svýma vážnýma, velebnýma očima jako hypnotizér. Jednou jsem zaslechl dokonce bratra Michaela, jak se za záclonou vroucně modlí, což mne velice překvapilo, protože nikdy nic takového nedělal, ale když jsem slyšel, oč bratr Boha prosí, pochopil jsem. Žádal ho totiž o to, aby Bůh povolal tetu zpátky domů a aby u nás byl zase klid.

Někdy se dala teta z ničeho nic do vyprávění o mučednících. Líčila velice sugestivně všechna utrpení těchto lidí a dívala se pak pozorně z jednoho na druhého, jako bychom v té věci měli prsty. Pak odcházela obvykle na pouť po kostelech a vracela se až k večeru zcela vyčerpaná, ale šťastná. Občas s sebou teta přivedla nějakého bohoslovce, neboli „mladíka zaslíbeného Bohu", jak říkala, a skoro vždycky to byl tichý, nenápadný mladý muž, který neustále děkoval, říkal „Zaplať pánbu" a žehnal nám ještě ve dveřích za naše dobrodiní.

Jednou jsem byl u tety na prázdninách. Tenkrát tam se mnou byl ještě pražský bratranec, ten, co chodil všude s ochočenou kavkou a chtěl se stát zoologem. Každý den ráno, sotva jsme vstali a šli do koupelny, potkávali jsme tetiny syny. Někteří chodili sem a tam, jiní stáli někde v rohu a všude bylo slyšet vroucné mručení modliteb.

Když jsme přišli s bratrancem k snídani, chtěli jsme se hned pustit do jídla, ale teta dala znamení lžičkou, načež těch pět sepjalo ruce a dívalo se na nás. Sepjali jsme tedy ruce také a nejstarší z tetiných synů začal velice vroucí modlitbu a my zbylí opakovali cosi jako refrén. Ta modlitba však měla velmi mnoho slok, bylo to poděkování za to, že máme jídlo na stole, také za počasí, za zemřelé i živé, pak za nemocné, za odpuštění hříchů, za všechno možné, a zatímco jsme takto děkovali za všechny ty dary, kterých se nám dostalo, vznikl na mé kávě škraloup. Protože se mi při pohledu na škraloup dělá špatně od žaludku, obrátil jsem rychle oči vzhůru, abych škraloup neviděl, a teta si toho všimla a řekla, že se konečně dávám na pravou cestu.

Většinu času jsme strávili tehdy v kostele. Chodili jsme na ranní i večerní mše každý den a bratranec byl tak vyčerpán, že jednou usnul u zpovědnice, a když se ho kdosi něžně dotkl, skácel se na podlahu chrámu. Zahřmělo to a věřící se otáčeli. Nějaký muž pak běžel pro svěcenou vodu a bratrance pokropil. Časné ranní mše vykonaly své také na mně. Jednou jsem v rozespalosti zašel do chrámu, který však patřil zcela jiné církvi než té, k níž příslušela teta, a musel jsem pak chodit do kostela jen v doprovodu.

Ze všeho nejhorší byl však nápad s ministrantováním. Přišla na to teta. Bratranec i já jsme se tomuhle nápadu bránili, jak to jen šlo, ale nakonec jsme podlehli.

„To přece nic není," říkala stále teta. „Naučíte se to raz dva!"

Noc před mší, na níž jsme měli ministrantovat, jsem nemohl usnout. Zdály se mi pak tak divoké sny, že jsem se probudil zcela vyčerpán a vyděšen. Ráno jsme šli s tetinými syny do sakristie. Převlékli nás do zvláštních úborů, které nám byly velké, ale oni tvrdili, že to nevadí. Vysvětlili nám, že nebudeme dělat nic jiného než zvonit a já že jednou přenesu misál, a jinak že budeme jen klekat a vstávat stejně jako oni a že nemusíme mít strach, že oni nám už včas řeknou.

Pak přišel kněz, bratranci nás představili a řekli tomu muži, že my dva jsme u nich na prázdninách a že bychom velice rádi pomáhali při sloužení mše, čímž se dopustili hříchu, protože to byla lež. A pak jsme vyšli v zástupu ze sakristie. Všiml jsem si, že teta sedí hned v první lavici a usmívá se. Ale hned potom, když jsme šli po schůdkách k oltáři, šlápl jsem si na ten zvláštní oblek, a nebýt jednoho duchapřítomného bratrance, byl jsem na zemi. Dva další tetini hoši mne uchopili nenápadně v podpaží a vlekli mne kupředu. Cestou se mi podařilo vymotat nohy, takže když mne postavili, byl jsem docela stabilní. Pak začala mše. Klekal jsem si a vstával jsem podle znamení a také jsem zvonil. Vždycky když do mne jeden z domácích bratranců strčil, zazvonil jsem jednou, a když do mne strčil třikrát, zvonil jsem třikrát. Ale jednou jsem zazvonil a bratranec na mne nechápavě zíral, a pak se ukázalo, že se mne dotkl omylem, když se bil v prsa a latinsky přiznával, že je to všechno jeho vina. Jednou jsme měli vstát a pražský bratranec, který klečel na druhé straně oltáře, se nějak nemohl dostat na nohy. Tetini chlapci mu hned pomáhali, ale když se jim to nedařilo, vydal se na pomoc ten, co klečel vedle mne, protože byl na pozdvihování začínajících ministrantů zřejmě odborník. Ukázalo se, že přespolní bratranec měl komži na podpatcích a že mu bránila ve změně pozice. Nakonec přišel okamžik, kdy jsem měl přinést tu velkou bibli z jednoho konce oltáře na druhou. Jakmile jsem dostal znamení, vstal jsem a opatrně jsem kráčel ke středu. Tam jsem poklekl, dávaje bedlivý pozor na to, abych měl nohy stále volné. Pak jsem opět vstal a šel jsem po schodech nahoru. Uklonil jsem se a podíval jsem se dolů – na domácího bratrance, který přesně věděl, kdy mám knihu vzít. Když kývl, uchopil jsem oběma rukama podstavec ohromné knihy a začal jsem sestupovat dolů. Ale v tu chvíli se ukázalo, že nevidím před sebe. Ať jsem dělal, co dělal, neviděl jsem nic jiného než listy otevřené bible, která byla neuvěřitelně těžká a kymácela se ze strany na stranu. Sevřel jsem tu knihu oběma rukama a opatrně, velice zvolna jsem ohledával terén nohou. První i druhý schod nebyl problém, jen ten třetí se mi náhle zdál nějak daleko. Chtěl jsem se podívat na zem a pokoušel jsem si dát bibli trochu výš, a právě v tom okamžiku, kdy jsem konečně schod zahlédl, jsem ucítil, že se mi podstavec knihy proti mé vůli otáčí v ruce a kniha padá. V poslední vteřině jsem po knize sáhl rukou, snaže se ji zachytit, jenže jsem si nějakým nedopatřením přišlápl komži. Všiml jsem si ještě, že kniha padá na opačnou stranu než já. Nevím, zda to bylo zvláštní shodou okolností nebo zda muž nahoře na kůru přestal hrát úmyslně, ale buď jak buď nastalo hrobové ticho. Dopadl jsem a ještě jsem se kutálel dál až k takovému zábradlíčku, kde jsem se zastavil. Bratranci byli duchapřítomní. Jeden se vrhl k bibli a rychle s ní běžel na druhou stranu k nervóznímu knězi. Druzí dva mi pomáhali na nohy. Když jsem se dostal opět na své místo, byl jsem tak zmaten, že jsem klesl při klekání na zvonec, a kněz se lekl a odskočil od bible, jako když střelí. Pak už byl klid, až na to, že když jsme se vraceli do sakristie, upadl pražský bratranec na pohyblivém koberci a podrazil nechtě nohy domácímu bratranci, který málem způsobil pád kněze. Všiml jsem si, že tetini hoši už nechtějí nic riskovat. Patrně proto nesli pražského bratrance, každý z jedné strany, do sakristie. Kněze museli svlékat z roucha. Viditelně se chvěl a docela zřetelně zaklel. Od té doby už teta Anna nenaléhala a nenutila nás k ministrantování a byla docela ráda, že sedíme vedle ní v lavici.

O několik let později strávil část prázdnin u tety Anny bratr Jan. Když nám asi po dvou týdnech poslal dopis, v němž nás oslovil jako „drahé v Kristu", a když popisoval jakousi „milost", která co nevidět „oblaží" jeho ducha, rozhodl se otec, že musíme bratra stůj co stůj zachránit, a pod záminkou rodinné dovolené ho přivezl zpátky.

Jana jsme nemohli poznat. Chodil po bytě se sepjatýma rukama, a když mu otec, aby ho nějak rozveselil, daroval plnící pero, řekl dojatě: „Zaplať pánbu!"

Později, když se trochu vzpamatoval, vyprávěl, jak mu jeden z tetiných hochů přiléval do vany při koupání teplou vodu, když si nemohl vzpomenout na jedno boží přikázání. I tak to však trvalo ještě pěkně dlouho, než si odvykl sepisovat hříchy do účetní knihy a dělat pravidelné měsíční uzávěrky.

Skáčeme !

Jednoho letního odpoledne vykřikl otec v tramvaji. Učinil tak velice náhle, naprosto znenadání a k všeobecnému překvapení ostatních cestujících. Nebyl jsem tolik překvapen tím, že otec vykřikl, i když to nedělal často. Překvapil mne však obsah otcova výkřiku, protože křičel: „Skáčeme!" Netušil jsem ani dost dobře, koho měl na mysli, i když mi bylo jasné, že jednou ze skákajících osob byl bezpochyby on sám. Ukázalo se, že jsem se nemýlil, protože hned poté co vykřikl, popadl oba velké, těžké kufry, odrazil se od rychle jedoucí tramvaje a vyletěl do vzduchu. Nejprve maličko stoupal, používaje velkých kufrů jako křídel k plachtění, pak se náhle zastavil a začal prudce padat k zemi.

Bylo to tak rychlé a neočekávané, že mám dodnes dojem, že se to odehrálo v několika vteřinách. Podle povrchu ulice, vydlážděné kamennými kostkami, a podle výrazu otcova obličeje jsem soudil, že dopad nebyl zrovna nejměkčí. Jeden kufr dopadl kus dál, druhý zůstal ležet nablízku. Avšak klobouk, který otci při letu spadl s hlavy, se kutálel až na kraj ulice. Nějaký muž se ho snažil chytit a způsobil tak nebývalý zmatek mezi vozy, kterým už tak, vzhledem k poloze otce a jeho zavazadel, nezbývalo příliš místa k provozu.

V tu chvíli otec zakřičel znovu. „Skákej!" volal, nevšímaje si zvědavců, kteří se shromažďovali na chodníku i na plošinách tramvaje. Mezitím už tramvaj vjížděla zvolna do zatáčky, opačným směrem, než kterým bylo nádraží, kam jsme se původně vydali, a v tu chvíli jsem konečně pochopil, oč otci vlastně šlo. Otec mezi tím znovu volal, abych skákal, a když viděl, že se stále nemám k činu, volal za odjíždějící tramvají: „Mám blbého syna!"

Nějaká paní otci pohrozila a křičela na něj, že je pěkný hrubec. Také v tramvaji se o mne pasažéři živě zajímali. Jiná starší paní ke mně přišla a tázala se, zda to dělá tatínek vždycky. Řekl jsem jí, že se taková věc stala opravdu poprvé, a ona se na mne chvíli zkoumavě dívala a pak řekla: „No jen jestli..."

Ale to už naštěstí tramvaj zastavovala a já se honem hnal zpátky k tomu místu, kde otec vyskočil. Když jsem tam doběhl, byl už otec

na chodníku a kolem stála spousta lidí. Nějaká paní na mne ukazovala a pořád říkala: „To je ten kluk!"

„Který?" ptal se někdo.

„Co nevyskočil."

„Neshodil toho pána on?"

„Kdo?"

„Ten kluk!"

Jiný muž vysvětloval někomu, že jsem chtěl skočit z tramvaje a že otec vypadl při pokusu zabránit mi v tom.

Rychle jsme se vzdálili a šli jsme na nádraží, kde jsme si sedli kupodivu do správného vlaku, a to nám navrátilo dobrou náladu, takže se otec dal dokonce do zpěvu. Od té doby jsem ho však vždycky pozoroval a číhal jsem, zda zase náhodou nevykřikne, až zjistí, že jedeme jinou tramvají, než jsme měli jet.

Když se dnes, po letech, na otcův skok dívám ryze ze sportovního hlediska, musím uznat, že šlo o skvělý výkon, protože ty kufry vážily dobrých padesát kilo.

Sestra hraje divadlo

Bylo to jedno z těch dětských představení, kdy je spousta dětí na jevišti i v hledišti a kdy se obvykle pár dětí ztratí. Nebyla to ovšem žádná besídka se soutěžemi a infantilně hovořícím konferenciérem, nýbrž opravdové představení s kostýmy a vším, co k tomu patří. Ta hra byla o králících. Nevím, kdo ji napsal, ale dodnes cítím k autorovi cosi nevyslovitelného. Myslím, že hru napsal někdy na jaře, kdy pozoroval králíky někde venku na mezi, jak si hrají a skotačí. Jsou okamžiky, kdy je inspirace tak silná, že se jí žádný autor neubrání. Myslím, že něco takového musel prožít i autor hry o králících, kteří mu zřejmě učarovali.

Kateřina nehrála nějakou podřadnou roli králíka-statisty, který sem tam zapanáčkuje nebo hodí ušima a zbytek představení stojí nenápadně v řadě podobných ušáků, kteří neznají nic lepšího než se pošťuchovat a strkat. Má sestra vystupovala jako králík sólový. Byla to role, která vyžadovala bezpochyby hodně talentu a soustředění, neboť sestra hrála mluvícího králíka, což už samo o sobě není snadné.

Ve skutečnosti to vypadalo takhle:

Otevřela se opona a na jeviště malými krůčky přitančili králíci – sbor. Byla to velkolepá přehlídka ušáků, neboť jich bylo brzy plné jeviště, a hlediště hned zatleskalo, protože každý tam měl nějakého svého králíka, na kterého se přišel podívat. Hned za mnou seděl nějaký pán, který volal na toho svého: „Tady jsme, tady jsme!" Asi dva nebo tři králíčky museli rodiče dopravit na jeviště předem, protože se trochu opozdili a neznali cestu. Pak jim ještě museli ukázat, jak se mají chytit za ruce, protože tihleti opozdilí byli poněkud dezorientováni. Jeden králík stál dokonce na místě, hned na kraji jeviště, měl tlapku v puse a rozpačitě couval, až někdo vykřikl, a nějaký pán s páskou, asi pořadatel, ho odvedl dozadu. Sbor zatančil a seřadil se do řady. Pak přistoupil náš králík – sestra. Postavila se doprostřed jeviště a hluboce se uklonila. Potom začala recitovat básničku. Zatím se trochu setmělo, čehož se někteří králíci polekali, ale nedali nic najevo, a vypadalo to, že skutečně naslouchají veršům.

„Zajíček v své jamce ... sedí sám, sedí sám ...“ říkala sestra jistě. Náhle se však zarazila, přešlápla a sklopila hlavu.

„Co se děje?“ lekla se matka, sedící v první řadě. Sestra zdvihla hlavu. Vypadalo to, že nad něčím usilovně přemýšlí. V tu chvíli na ni matka zavolala: „Pokračuj!“ Sestra však znovu přešlápla a neřekla ani slovo. Králící, stojící v řadě, si začali něco šuškat.

„Zajíček v své jamce ...“ napovídala matka hlasitě. Sestra však měla zvláštní povahu. Byla vždycky samostatná. Odmítala pomoc druhého a chtěla dokázat všechno sama. A tak když se matka opět naklonila k jevišti a znovu volala něco o zajíčkovi v jamce, rozzlobila se sestra natolik, že si dupla zlostně svou králičí nohou, až jí poskočily uši.

Matka trpěla. Něco takového nemohla nečinně sledovat. Pohled na vlastního bezradného králíka, který se dostal do nesnází, matku bolel. Proto se ozvala znovu.

„Ubožátko ...“ napovídala s rukama kolem úst.

„Nech mě!“ zasyčela sestra a otočila se k matce zády.

To nebylo zrovna nejvhodnější řešení, protože se otočila zároveň zády i k publiku, a něco takového se prostě nehodí.

Králíci se mezitím začali docela zjevně pošťuchovat a strkat a několik dospělých běželo honem do zákulisí, odkud bylo chvílemi slyšet: „Opona, opona!“

Potom najednou jeden králík odběhl, po chvíli se vrátil a šeptal něco těm druhým. Na jedné straně jeviště se objevil nějaký pán a mával na krajního králíka, který stále nechápal, co ten pán chce. Pán zmizel a objevil se jiný. S lízátkem. To byl dobrý nápad, protože na to se krajní králík chytil a k tomu pánovi šel. Pravda, nebylo to zrovna stylové, protože normálně by pán musel králíka lákat na mrkev, ale šlo vlastně o improvizaci. Ten pán pak ještě úspěšně odlákal z jeviště několik dalších ušáků. A zrovna v okamžiku, kdy zase někdo v zákulisí volal „Opona, sakra, kde je ten knoflík!?“, vzpomněla si sestra a pokračovala v básni.

„Zajíček v své jamce sedí sám, sedí sám. Ubožáčku, co je ti, že nemůžeš skákati? Chutě skoč, chutě skoč a vyskoč!“ A když sestra řekla „chutě skoč“, připojil se sbor a řekl „a vyskoč!“ A pak se celá sloka ještě jednou opakovala a na jeviště se vraceli uprchlíci a jeden z nich si honem, na poslední chvíli, zapínal kůži.

Když sestra skončila, opakoval se ještě jednou ten taneček, co byl už na začátku, načež se všichni uklonili a byl konec. Jeden malý králík, který zřejmě vystupoval poprvé, se tak velice klaněl a mával, že ho museli odvést, čímž ho rozbrečeli. Ale publikum tleskalo, a pak když zatáhli oponu, vběhli králíci do hlediště k rodičům a pili limonádu a jedli cukroví.

Matka se snažila být taktní, ale pak jí to nedalo a zeptala se sestry, jak se mohlo stát, že zapomněla verše.

„Já nic nezapomněla," řekla sestra, „já si jen chvilku nemohla vzpomenout." Matka to ovšem nemohla pochopit a neustále říkala, že to přece sestra doma uměla, a nakonce řekla, že něco takového ještě neviděla.

Myslím, že měla docela pravdu.

Když se to tak vezme, život nám neposkytuje příliš překvapení, a kdy se už stane, abychom viděli králíka, který recituje?

A tak má-li člověk možnost něco takového vidět, neměl by si to dát ujít.

Květiny a zvířata

Vždycky jsme si doma připadali jako v nějaké botanické zahradě. Po celém bytě, za okny, na balkóně, na psacím stole i na skříních, všude se něco pnulo, zelenalo, rostlo. Otec s matkou květiny neustále pozorovali, zalévali a přesazovali a při tom se přeli o to, jak se má která rostlina vlastně pěstovat. V těchto názorech se dokonale rozcházeli. Hlavním tématem sporu bylo zalévání. Když matka zjistila, že otec květiny zalil, okamžitě vylévala z misek vodu a říkala, že musí rostliny zachránit. Jakmile otec zjistil, že matka vodu vylila, zalil květiny znovu. Naštěstí měly vždycky rostliny trochu času v mezidobí na to, aby vláhu zužitkovaly, dříve než přijde otec nebo než se dostaví matka. Zvláštní však bylo, že jsme díky těmto sporům měli nejhezčí květiny v celém okolí. Kdykoli se lidé ptali, jak rostliny pěstujeme, řekl jim otec, že je hlavně dost zaléváme, načež matka pak sdělila témuž člověku, že dbáme hlavně toho, aby rostliny neměly moc vláhy a nehnily. Otec zaléval květiny i tehdy, když byla matka doma. Měl konvičku na vodu schovanou v psacím stole a sledoval dveře do pokoje zrcátkem. Jakmile si byl jist, že vzduch je čistý, spěchal ke květinám, o nichž se domníval, že je třeba je před matkou zachránit. Je samozřejmé, že byl přitom dost nervózní, protože musel počítat s tím, že ho matka překvapí, a tak se stávalo, že vešel do pokoje někdo z nás a otec se tak vyděsil, že upustil konvičku s vodou na parkety. Někdy také dělal, že se dívá z okna. Při tom tajně zaléval kaktusy. Když práci skončil, plížil se k psacímu stolu, kde konvičku ukryl.

Jednou jsem přinesl domů ze školy od kamaráda pár pakobylek. Pěstoval jsem je v zavařovací láhvi a krmil jsem je břečťanem. Otec každý den ráno, sotva vstal, spěchal k láhvi, aby zkontroloval, jak se zvířátkům daří.

Když se narodily mladé, počítal je a pak mi radil, abych některé vyměnil za známky. Ale jednoho dne objevila matka pakobylku v jednom účtu a velmi se vyděsila. Zatelefonovala otci, co se stalo, ale toho zpráva nikterak nevzrušila; jediné, co na něj zapůsobilo, bylo to, že účet nebyl dosud zaplacený. Později, když u nás byl pošťák, chtěla matka podepsat doporučený dopis a vyděsila sebe i pošťáka, když se ukázalo, že tužka vystrčila nožičky. Pošťák si od té doby velice pozorně prohlížel stůl, na který kladl poštu.

Také akvárium poskytovalo rodině hodně radosti. Koupil jsem je já i s rybičkami. Byl to párek pěkných barevných rájovců. Samička byla docela klidná, usedlá ryba, jak se na takového živočicha sluší, ale sameček se velmi často vzdaloval z domova. Když se to přihodilo poprvé, hledali jsme s otcem po celém akváriu, až najednou otec zvolal: „Už ho mám!" a vzal rájovce z polštáře na gauči, kde odpočíval, a hodil ho zpět do nádržky. Sameček zajel klidně za kámen a několik dní se neukázal. Avšak změna vzduchu se mu patrně zalíbila, protože na gauči lehával častěji. Zpočátku nás to překvapovalo a jeho pobyt na gauči nám činil jisté rozpaky, ale časem jsme si všichni zvykli, a jakmile si chtěl někdo na gauč sednout, vzal nejprve rájovce opatrně do ruky a hodil ho do akvária. Věc se stala tak samozřejmou, že i návštěvy a známí nejprve prohlédli gauč, než na něj usedli.

Jednoho dne však otec nedaleko gauče po čemsi uklouzl. Matka se ho ptala, po čem mu ujela noha, a otec řekl, že po rybce, a šel s rájovcem ze zvyku k akváriu. Teprve pak si ho prohlédl a usoudil, že se ryba do akvária prostě už nehodí.

Časem dospěl otec k názoru, že strava, kterou rybičkám dáváme, není zdaleka tak výživná jako ta, kterou se živíme sami. Začal ryby

krmit zbytky od oběda. Dalo mi tehdy moc velkou práci přesvědčit otce, že řízek, knedlík s rajskou omáčkou či játrové knedlíčky nepůsobí rybičkám takové potěšení jako nám. Akvárium mezitím značně zezelenalo, pak zhnědlo a nakonec zčernalo. Krátce poté se po bytě začal šířit nesnesitelný zápach. Teprve když otec uviděl rybičky břichem vzhůru, vzdal se nápadu s výživnou stravou. Rozhodl se však, že akvárium dá do pořádku, vyčistí je, aby bylo průhledné a čisté jako kdysi. Od té doby se začaly objevovat rybičky ve vaně i v prádle a matka se velice zlobila, když jednou máchala svetr a našla živorodku v rukávě.

Potom se už rybky neobjevovaly, ale ukázalo se, že jsou v potrubí u pana Denera o patro níž. Pan Dener je pak dal instalatérovi, který je odnesl svým dětem a měl z dárku nesmírnou radost.

Pokud jde o kočku, nelze říci, že bychom ji pěstovali, protože tu jsme našli. Bylo to pěkné, pruhované zvíře, které se stalo pýchou celé rodiny. Avšak bylo poněkud temperamentní, protože se občas náhle vymrštilo, a odrážejíc se od knihovny, stolu, lustru či obličeje některého z nás, hnalo se kupředu, zanechávajíc za sebou hotovou spoušť.

V noci bývala kočka klidná. Jednou se však matka probudila, protože slyšela jakýsi šramot. Řekla o tom otci.

„Já nic neslyším,“ řekl otec a chtěl spát dál, když se šramot opět ozval. Otec se tedy rozhodl, že rozsvítí a půjde po zvuku. Byl však rozespalý, a tak narazil do stolu a pak do židle a způsobil tak hluk.

„Co se děje?“ ozvalo se z druhého pokoje.

„Něco tu šramotí,“ oznamovala matka.

Z pokoje vykoukla sestra Eliška. Z ložnice se připotácel Michael. Ptal se, kde má prádlo.

„Jaké prádlo?“ divila se matka.

„Musím si ještě navoskovat lyže,“ oznamoval bratr, dávaje se na cestu ke dveřím. V tu chvíli to zašramotilo znovu. Otec šel po zvuku a vylovil docela malé kotě. Pustili jsme se do hledání. Další kotě bylo pod stolem a jedno našel otec v kapse kabátu.

„Hledejte všichni,“ pobízela nás matka. Bratr Michael se dal do prohlížení dopisů.

„Tam to přece nebude!“ řekla mu sestra.

„Já vím,“ řekl bratr a zívl.

Kočka byla v gauči. Vedle ní ležela dvě další maličká koťata. Matka je vzala a dala je k dalším sourozencům do košíku. Pak jsme si šli lehnout. Po cestě jsme vzali bratra Michaela, který spal, opřen o skříň.

„Co tu děláš?" ptala se ho udiveně matka.

„Čekám na ten rychlík," vysvětloval bratr, který měl v ruce lyžařské hole a pár dopisů.

Ukázalo se, že kočka je velmi plodná. Mívala každoročně i dvakrát za sebou spoustu koťat, které jsme museli rozdávat známým. Jan si vedl podrobné záznamy o zájemcích ve škole mezi kamarády a každý z nás měl povinnost sehnat alespoň jednoho zájemce o kočičího potomka. Potom se nás už lidé báli, protože se málokomu podařilo odejít, aniž jsme mu vnutili nějakou tu kočičku. Vzpomínám si, že jsme obdařili dvěma kusy i malíře pokojů, který u nás pracoval, a další dvě si odnesl, nevědomky, pojišťovací agent. Otec vypustil jedno kotě nenápadně v kavárně a matka propašovala kocourka k holiči. Já navštěvoval se stejným úkolem veřejné knihovny a čítárny. Jakmile však někdo přišel a tvrdil, že nám nese naše kotě, byli jsme velice tvrdí. Prostě jsme se k němu neznali. Bylo nám totiž naprosto jasné, jaké nebezpečí hrozilo. Stačilo, aby se z koťátka stala dospělá kočička, jak říkal otec, a měli bychom tolik koťat, že bychom se jich museli zbavovat anonymními balíčky.

„Kde jsi zase byla?" ptávala se matka kočky, když se vracela ze svých toulek. Ale ta nikdy neodpověděla.

Otec v opeře

Otec vždycky tvrdil, že opery nesnáší. Říkal, že mu na opeře vadí hlavně ten zpěv. Jednou se o tom bavili se strýcem Františkem, který neustále tvrdil, že jemu opera hodně dá. Otec to nemohl pochopit a byl toho názoru, že opera nemůže vůbec nikomu nic dát, spíše mu může leccos vzít, například náladu. Strýc však neustále hovořil o tom, co mu takové operní představení přináší, a tak myslím, že otec dospěl k názoru, že se opera k našemu strýci chová jako povodeň, která obvykle boří a bere s sebou vše možné, aby to nakonec přinesla do údolí jiným lidem.

„Nejhorší je, že je to vždy zpívané," stěžoval si otec.

„To je právě opera," poznamenal strýc.

„Jenže právě ten zpěv člověka ruší," řekl otec a pak se bavili o tom, kdo vlastně chodí na opery. Strýc tvrdil, že to bylo vždy výsadou horních vrstev, kdežto otec zastával názor, že opera bývala před válkou místem trapných skandálů a senzací. Pak vyprávěl o atentátu, který byl spáchán také v opeře. Strýc řekl, že to byla zcela jistě náhoda, ale otec nesouhlasil. Měl dojem, že atentát spáchal anarchista možná i proto, že už představení nemohl snést.

Málokdo by asi dovedl pochopit, že otec s názory, které na operu měl, a s odporem, který k tomuto žánru choval, na operu šel. Myslím si, že by otec na operu nikdy v životě nebyl šel, pokud by byl věděl, že na ni jde. Otec však byl na operu vylákán lstí. Tu vymyslela matka, která měla dojem, že i otec na operu musí jednou jít. Matka totiž zastávala názor, že člověk alespoň jednou v životě má prožít všechno. Tenkrát jsem se pokusil matce vysvětlit, že otec už na nějaké opeře jistě byl, když na něj tak hluboce zapůsobila, ale matka mi řekla, že otec nebyl na opeře nikdy, co je ženat a má rodinu. Domnívala se snad, že operní představení v přítomnosti členů rodiny zapůsobí na otce jinak, než kdyby něco takového viděl zcela sám? Tohle mi už dnes sami sotva zodpoví, a upřímně řečeno, nemělo by to dnes, po letech, žádný smysl. Otec byl tehdy pochopitelně přesvědčen, že jde na nějakou komedii, opera mu ani nepřišla na mysl.

Do divadla jsme přišli včas. Vzpomínám si, že otce potěšilo, když zjistil, že jsme se dostali dovnitř s neutrženými vstupenkami.

Biletářka nás uvedla k místům. Byla uprostřed čtrnácté řady.

Na program si otec vzpomněl naštěstí až tehdy, když už začínali. Matka řekla, že si ho koupíme o přestávce.

Začala předehra. Otec byl zpočátku docela klidný. Ale pak se naklonil k matce a šeptal jí: „Asi se to zaseklo!"

„Co?" ptala se udiveně matka.

„No opona přece," vysvětloval otec.

„Psst ..." ozvalo se za námi.

Pak se konečně otevřela opona. Bylo to jeviště s několika papírovými domy a umělými zahrádkami, vzadu se kývalo papírové slunce. Nějaká tlustá paní přiběhla na zahrádku v kroji a dala se do vyčítavého zpěvu. Podíval jsem se na otce. Sledoval tu osobu s přimhouřenýma očima, hodně nedůvěřivě. Teprve po chvíli, když se paní dala do sekání jakési trávy, kterou nebylo vidět, naklonil se k matce a řekl: „Teď se jim hodí i tahleta!"

Nevěděli jsme, co má na mysli. Ale když paní mávala vzhůru do provaziště, kde měl být skřivan, ozval se otec znovu.

„Je to od ní hezké, že zaskočila!"

V tu chvíli mi došlo, že to bude patrně složitější, než jsem si myslel, a bylo mi otce líto, protože v sobě stále ještě živil naději, že uvidí to, co očekával.

„Balet by byl lepší," poznamenal.

Někdo za námi otce napomenul. Ke zpěvačce se přidal zpěvák. Šel do zahrádky a zpěvačku objal. Jeden z domů se zakymácel. Zpěvákům to bylo jedno, chytili se za ruce, poskočili si a pak se opřeli o plot. Zpívali něco o slunci. Dívali se přitom na balkón, jako by slunce bylo nějaký jejich známý a sedělo v prvé řadě.

„Třeba je ten, co hraje hlavní roli, opilý," uvažoval otec, který zřejmě ještě stále hledal příčinu odloženého představení. Matka začala být nervózní. Čím déle byl otec v iluzi, tím to pro ni bylo horší.

Na jeviště přiběhla horda venkovanů.

„Co je to?" zděsil se otec.

„Ticho!" řekl někdo před námi.

„Na tohle jsme přeci nepřišli!" ohradil se otec.

„Tak jste měl zůstat doma!" zněla odpověď toho člověka.

„Nechte si ty rady!" zlobil se otec.

Matka mu šeptala, aby byl zticha. To ho jen podráždilo, protože si myslel, že matce je zcela jedno, co hrají.

„Už to trvá půl hodiny a nenajde se nikdo, kdo by to omluvil!" řekl.

Zprava i zleva na něho začali syčet. Otec se ve tmě rozhlížel a hledal je.

„No a? – Vám je to snad jedno?" ptal se nakvašeně.

Zavrzala sedadla.

Lidé začali nadávat.

Potom nějaký ženský hlas na balkóně zapištěl:

„Vyhoďte ho!"

To otce rozzuřilo. Zaplatil a cítil se ošizen a podveden. Diváci mu připadali jako flegmatičtí idioti, kterým je zcela jedno, nač přišli a na co se dívají.

Jeviště se mezitím proměnilo v jakýsi zpívající nával. Ze všech stran, dokonce z orchestru, se na jeviště valili venkované. Někteří z nich s sebou vlekli i děti. Vypadalo to, že jim nebude stačit jeviště. Čím víc jich bylo, tím mohutnější byl zpěv.

„Propadlo ..." zaslechl jsem říci otce.

„Cože?" ptala se ho matka, která mu patrně nerozuměla.

Otec se pořádně nadýchl a zakřičel, aby mu matka rozuměla. V tu chvíli ho však slyšelo celé divadlo. Otec nemohl tušit, že skladatel napíše své dílo tak, že zrovna v tom okamžiku sbor ztichne a zcela umlkne.

„Aby zapnuli propadlo!" zařval do naprostého ticha. Bylo to ohromující, mohutné, ale krásné zařvání. Těšilo mne, že člověk, který zařval na tak velké divadlo, je náš otec. Mé pocity však ostatní diváci nesdíleli. Nejdřív bylo chviličku ticho. Všiml jsem si dirigenta, který se zřejmě lekl a zmizel mezi hudebníky. Taky sbor couvl viditelně dozadu. Možná že některý z venkovanů spadl, protože to zarachotilo a někdo zastenal. A o vteřinu později křičel kdosi z balkónu, aby toho idiota vyvedli.

Myslím, že by otec tomu člověku dovedl ostře odpovědět, nebýt toho, že byl zrovna jinak zaměstnán. Bez bližšího varování se na něj totiž vrhli asi tři nebo čtyři milovníci opery. Protože bylo v tu chvíli v hledišti tma (na jevišti skuhrali cosi o červáncích, konci pěkného dne a papírové slunce klesalo), byl to boj nepředvídatelný.

Stoupenci opery se dovedou bít velice tvrdě a jsou nelítostní. Po chvíli pozorování jsem rozeznal jakéhosi pána z řady za námi, kterého držel otec za krk. Druhou, volnou rukou držel za vlasy nějakého staršího muže v brýlích, jímž otáčel tak dovedně, že jím srážel další útočníky. Pán, kterého otec držel za krk, neustále něco šeptal. Nebylo mu však rozumět, neboť se mu patrně nedostávalo vzduchu. Potom někdo smýkl celou řadou, takže na kraji vyletěl kdosi ze sedadla a dopadl do uličky. Podle zvuku šlo o někoho, kdo byl středního věku. Ten člověk klel v jakémsi chodském dialektu a cosi přísahal.

Za mnou křičela nějaká paní neustále: „Václave ... klobouk!"

Potom jeden z pánů, kterými otec pohyboval, srazil někomu brýle. Muž bez brýlí, zřejmě silně krátkozraký, se vrhl na svého souseda a křičel: „Dáš je sem!" Nějaká paní volala: „Ježiši, on je na srdce!" Pak se už situace vyvíjela naprosto živelně. Zahlédl jsem ještě někoho, kdo se snažil přehnout soupeře přes okraj balkónu, a chtěl jsem to ukázat matce, ale k svému překvapení jsem ji vedle sebe nenašel. Bylo to podivné, protože ještě chvíli před tím vedle mne seděla a sbírala do náruče spadlé klobouky a brýle.

V tu chvíli mne někdo srazil ze sedadla na podlahu. Dole byla spousta lidí. Nějaká paní nalevo neustále říkala, že se jí něco takového nestalo ani za války. Nějaký muž se jí ptal, zda se neznají ze školy. Vtom jsem zaslechl matku: „Neznič si šaty!" volala. Chtěl jsem jí odpovědět, ale někdo mi sáhl do obličeje a ptal se: „Jste to vy, pane inženýre?" Začal jsem vysvětlovat, že jde o omyl, ale v tu chvíli na mne někdo spadl a přitiskl mě obličejem k plyšovému koberci. Začalo to být pěkně nepříjemné. Nevím, jak dlouho jsem tam tak ležel, ale dostal jsem se nahoru, až když rozsvítili všechna světla a přestali hrát. Když jsem vylezl, uviděl jsem hlediště, které se rvalo. Některým se podařilo dostat se k východu a prchali ven. Vzduchem lítaly klobouky dam a rukavičky. Nějaký pán v natržené bílé košili mával jakousi legitimací a křičel, že je abonent řady A a B. Nikdo mu to nevymouval. Otce jsem zastihl v plné práci. „Kde je matka?" ptal se. Řekl jsem, že jsem ji naposled viděl pod sedadlem. Pátrali jsme v těch místech, ale nenašli jsme ji. Pak jsme se dostali až k šatně. Matka tam stála, jako by se nic nestalo. Pravila, že spolu s nějakým doktorem práv, který má sestru v Kolumbii, lezli po čtyřech až k východu. Prý by nám toho člověka ráda představila, ale on teď hledá někde svou ženu.

„Snad raději půjdeme," řekl otec, který si jako první všiml vcházející policie.

„Půjdeme," řekla matka a podívala se na mne tak, že mi bylo hned jasné, že nesmím otci prozradit ani slovo. Po cestě jsme mlčeli. Ale později, když otec našel v kapse cizí kravatu, dostal opět dobrou náladu.

Hodí se mu totiž k těm modrým šatům a nosí ji dodnes.

Potíže s elektřinou

Nejdřív jsme si mysleli, že to nějak souvisí se stojací lampou, která neustále padala a strhávala s sebou vše, co jí přišlo do cesty, ale otec měl dojem, že to bude někde v rádiu anebo v pojistkách, které bzučely jako včely. Někdy zhaslo světlo a začal hučet lux, a jindy zase zpívali Moravští učitelé nějakou velmi smutnou píseň o tom, že nějaký mladík musel na vojnu, a zrovna když byli u refrénu a ja ja ja ja jáá – rozsvítil někdo v koupelně a učitelé zmlkli.

„Co se stalo?" divila se matka.

„Zkus vypnout žehličku," radil otec. Matka tedy žehličku vypnula a učitelé se opět ozvali. Vypadalo to, jako by se naší žehličky báli. Jindy stačilo rádiem jen lehce zatřást, a už zase hrálo. A jednou jsme přišli na to, že lednička nechladí, nýbrž hřeje, a tak otec zavolal pana Bílka, který se na to přišel podívat. Celé odpoledne se v ledničce hrabal, a když k večeru ulomil nějakou páčku, ukázal nám ji a řekl, že neví, zda něco takového sežene, protože je to moc starý model. Matka z toho byla samozřejmě nervózní a řekla otci, že by už ráda viděla jednou odborníka a ne pana Bílka, který je jako „hrom do police".

„Buď ráda, že vůbec někoho máme," řekl otec, chodící po bytě se svíčkou v ruce.

Pan Bílek byl otcův přítel a bylo jasné, že by otce nikdy nenapadlo dát najevo, že s jeho prací nejsme spokojeni. Matka se ovšem tak lehce odbýt nedala a kladla panu Bílkovi, pokaždé když přišel něco spravit, záludné kontrolní otázky.

„Myslíte, že nám poteče teplá voda?" zeptala se ho, když opravoval sporák.

„Jo, jo," řekl pan Bílek a věnoval se opět své činnosti.

„A co rádio? Bude hrát?" ptala se matka.

„Jo, jo," řekl pan Bílek, ale matka se nedala jen tak utěšit a šla to zkusit.

„Hraje," řekla, když se vrátila.

Bylo vidět, že to pana Bílka mile překvapilo.

Nějaký čas bylo vše v pořádku. Ale pak to začalo zase znovu a dalo nám dost práce vyznat se v tom, která věc na kterou působí.

Vždycky jsme museli nejdřív pátrat a hledat jakési schéma, než jsme dospěli k závěrům. Někdy však docházelo k překvapením.

„Jak to že v kuchyni svítí světlo, když jsem nezhasla v koupelně?" divila se matka.

„To je zvláštní," podivil se otec, který hned poznal, že zpráva nevěští nic dobrého, a šel se na to podívat.

Chvíli prohlížel pojistky, a když vyletěl blesk, ukázal do míst, kde se plamen objevil, a řekl, že tam asi bude něco v nepořádku. Několik dní se nic nedělo a všichni jsme byli jako na trní. Pak začala blikat lampa na psacím stole, kdykoli šel někdo kolem. Začali jsme se jí vyhýbat, ale něco se dělo s gaučem. Stačilo, aby se ten, kdo na něm seděl, jen maličko pohnul, a už zhasla stojací lampa nebo světlo nad stolem. „To nemůžete sedět klidně?" zlobil se otec, když se to opakovalo. Bratr Michael dosáhl brzy takového cviku, že dokázal odhadnout úhel sklonu těla, který lampám vyhovoval, a ještě si při tom četl příručku „Neboj se elektrického proudu". Ale stačilo, aby se člověk zapomněl nebo běžel otevřít, a už bylo zle. Jeden čas jsme se opatrně střídali v sezení, vždy po dvou hodinách, protože otec psal vzkaz panu Bílkovi, aby se k nám přišel podívat, že „to" zas trochu zlobí. Za gaučem to vypadalo jako v elektrárně. Sbíhalo se tam do zástrčky tolik různých šňůr a drátů, že jsme se báli do těch míst sáhnout. Když tam spadlo sestře pero, koupila jí matka raději nové, než aby dítě riskovalo život. Časem jsme přišli na to, že záleží na tom, jak se osoba na gauči sedící opře. Polštář, o který se člověk opřel, působil pak na zásuvku, a to rozhodovalo. Většina z nás se brzy naučila sedět zpříma a nehnutě, ale horší to bylo s návštěvami a s lidmi, kteří neměli trénink. Proto jsme většinou sedávali na gauči sami, aby pokoj byl dostatečně osvětlen.

Jeden známý se velice divil, když jsme mu nabízeli židli a snažili se ho dostat od gauče.

„Kdepak," smál se „já si sednu raději sem!"

„Myslíte, že na našem gauči budete umět sedět?" zeptala se ho matka co nejzdvořileji.

Muž dělal, že otázku přeslechl, a díval se na matku shovívavě. Ale když třikrát nebo čtyřikrát zapomněl na sklon těla a my všichni mu radili, aby se opřel, vzdal to a šel si sednout na židli.

Jednou to už otec nevydržel a šel se podívat na šňůry. Vzal jednu ze zástrčky a po celém bytě bylo najednou tma.

„Asi jsem vzal jinou ..." řekl otec a snažil se věc napravit.

Pak se něčeho dotkl, zajiskřilo to, prsklo, a bylo cítit, že se něco spálilo.

„Cos to udělal?" zeptala se matka přísně.

Otec neodpovídal. Snažil se dostat do haly k pojistkám.

„Co se děje?" křičel bratr Michael z koupelny.

„Jsme vyřízeni ..." řekla matka sklesle. „Otec sáhl na šňůry ..."

Vtom někdo klepal na dveře. Byla to sousedka s baterkou.

„Taky vám to zhaslo?" ptala se otce.

„Právě před chvílí," vysvětloval otec.

„Počkejte na mne! Vezmu si jen baterku!" volal někdo z druhého patra. Byl to doktor Sobotka. V přízemí se objevil pan Dener. „Jsem bez proudu!" volal nahoru.

„My taky, my taky ..." sdělovala mu sousedka.

„Musíme k hlavním pojistkám do sklepa," rozhodl doktor Sobotka. Šli jsme za ním. Nějaká paní z třetího patra se ptala pana Denera, zda si myslí, že to může vyhořet. „V tomhle domě je možné všechno!" řekl.

„Postupovat opatrně! Pošlete to dál!" volal pan doktor vpředu. Muži i ženy si tu zprávu poslušně předávali.

„Tak kde jsou?" ptal se pan doktor někoho vpředu.

„Co?"

„No ty pojistky přece!"

„Copak já vím ...?"

Pan doktor svítil po stěnách sklepa a pátral po pojistkách. Skupina ho následovala. Nakonec došli ti vpředu do slepé chodby a nemohli dál.

„Tak co je?" volal někdo zezadu.

„Jděte zpátky, tady chodba končí!" odpovídali ti vpředu.

„My nemáme baterku," ozvalo se zezadu.

„Postupujte pořád rovně," radil pan doktor.

Z druhé části sklepa se blížila jakási postava v pyžamu. Byl to akademický malíř Sychra. V jedné ruce měl svíčku, v druhé jakýsi zlacený rám.

„Dobrý večer," pozdravil, když přišel až k nám.

„Nevíte, kde jsou pojistky?" ptal se ho nějaký nájemník.

„Počkejte, jednou jsem tu byl s nějakým řemeslníkem ..." začal si vzpomínat pan Sychra, „a tenkrát jsme šli takhle doleva a pak doprava ..." Skupina se vydala za ním. Po chvíli se pan Sychra zastavil.

„Teď nevím přesně ... Možná že jsme nešli doleva, ale nejdřív doprava, a pak ne doprava, ale rovně ..." uvažoval malíř.

Pak mu zhasla svíčka.

„Pusťte mne dopředu," řekl pan doktor Sobotka a tlačil se kupředu, ale zakopl o kočárek a upustil baterku, která zhasla.

„Tak," řekl někdo, „teď jsme tu potmě!"

„Klid, klid, jen neztrácet nervy ..." řekl pan doktor rozechvěle, šátraje po zemi po baterce.

„Musíme se dostat ven," řekla nějaká paní, „abychom mohli přivolat pomoc!"

„Už ji mám."

„Tak rozsviťte."

„Nesvítí."

Nastal zmatek. Lidé do sebe začali strkat a chytali se za ruce. Někde vzadu bloudil pan Sychra a neustále volal: „Uuuůůů ... uů ..."

Pak někdo zapálil zapalovač a uviděl přímo před sebou pojistky.

„Pusťte mne k tomu," volal pan doktor Sobotka a tlačil se kupředu.

„Jen aby vás to nezabilo, pane doktore," zasténala sousedka.

Někdo se dal do smíchu.

Mezitím pan doktor zjistil, že jedna pojistka je spálená.

Nějaký nový nájemník se vydal ke správci pro novou. Vrátil se i se správcem, který měl velkou svítilnu a starou pojistku vyšrouboval. Pan doktor tam dal novou. A v tu chvíli se rozsvítilo a ozvalo se mnohohlasé: „No tak ..."

Všichni se vydali na cestu domů. Nahoře na schodech jsme potkali rozespalého pana Reibera, který šel dolů pro uhlí.

„Vy máte ale štěstí," řekl mu pan doktor.

Pan Reiber se udiveně podíval na pana doktora a zeptal se nechápavě: „Proč?"

„Že to už svítí!"

„Co?" zeptal se pan Reiber.

„No světlo přece," vysvětloval opět doktor Sobotka.

„Kde?" zeptal se pan Reiber.

Také u nás se už svítilo. Bratr si sedl na gauč a pěkně se opřel. Časem si člověk tak zvykl, že se opíral i do cizích gaučů, kde to nebylo vůbec zapotřebí. Ale i tak některým z nás dala elektřina pěknou lekci. Možná že právě proto nerad vidím, když si někdo dá baterku do kapsy. Je to samozřejmě úplně jeho věc, ale pokud jde o mne, vždycky ji mám pěkně daleko od těla.

Otec jde do školy

Do školy chodívala vždycky matka. Byla dokonce členkou několika rodičovských organizací, chodila na schůze a porady, pomáhala učitelům i rodičům, čeho bylo zrovna zapotřebí. Ale stávalo se také, že musela jít do školy kvůli někomu z nás. Jednou například protestovala sestra Kateřina proti čemusi tím, že si položila nohy před sebe na lavici a odmítla se chovat jako slušná žákyně přes opětovné povely i prosby třídní učitelky, která dala nakonec do třídy zavolat bratra Jana, aby své mladší sestře domluvil. Jan však nepochodil, a tak učitelka zavolala Michaela, který v té době chodil do ještě vyšší třídy, aby to zkusil s Kateřinou on. Ale ani jemu se nepodařilo přivést sestru k rozumu, a tak zbyla jediná možnost – matka. To už odmítala Kateřina přistoupit dokonce na podmínky nabízené ředitelem a situace vypadala dost vážně. A teprve matce se skutečně podařilo sestru uklidnit.

Pokud se pamatuji, byl náš otec ve škole jen dvakrát. Jednou musel do gymnázia kvůli mně, když jsem měl dostat dvojku z mravů. Tenkrát ztratil profesor Fiala nervy a bušil do stolu stehenní kostí, kterou naštípl a nemohl ji už dát kolovat. Téhož profesora hodili o několik let později studenti do jezírka v parku a byl o tom velice zajímavý článek v novinách.

Podruhé šel otec do školy proto, že se matka rozhodla, že otce do školy pošle, aby sama stihla jinou schůzku rodičů.

Otec měl jít tehdy do školy kvůli bratru Michaelovi a zeptat se na jeho prospěch.

„Dobrovolně ho tam nedostaneš," řekl Michael matce, když mu řekla o svých plánech.

„Vymyslela jsem si takový malý trik," řekla matka bratrovi, který už cítil, že dojde k nepříjemnostem.

„Řekneš otci, že mám jiné dvě schůzky a že do tvé školy musí jít on, protože je to moc důležité!" vysvětlovala. Bratr řekl, že udělá, co po něm žádá, ale že nemůže ručit za výsledek. Matka se však rozhodla, že bude bratrovi jakousi morální oporou, a tak když se otec vrátil domů, vrhla se rychle pod květinový stolek, kde se skryla a čekala, co se bude dít.

„Kde je matka?" zeptal se hned otec.

„Ve škole ..." řekl bratr nejistě, couvaje zvolna ke květinovému stolku, protože ho matka tahala za nohavici. Bylo to znamení.

Bratr tedy sdělil otci, že musí jít do školy, protože by to matka nestihla.

„A proč nešla do tvé školy, když je to tak nutné?" divil se otec. Bratr se podíval bezradně pod stolek, kde matka ukazovala na hodinky a všelijak při tom gestikulovala.

„Nestihla by to," řekl.

„Hm," zabručel otec, „a co by se stalo, kdybych do té školy nešel?" Bratr se podíval pod stolek. Matka se chytala za hlavu, spínala ruce a dívala se vzhůru. Bratr pochopil a řekl otci, že by z toho bylo boží dopuštění. Otec ještě chvíli bručel a zdráhal se, ale když matka, ležící pod květinovým stolkem, neustále na Michaela naléhala, přesvědčoval bratr otce tak dlouho, až se sebral a šel.

Matka vylezla ze svého úkrytu a stěžovala si, že ji bolí záda. „Ale hlavně že jsme ho tam dostali!" pochvalovala si. Pak šla do školy kvůli Janovi. Když se večer oba vrátili, ptala se hned matka otce, co říkali profesoři.

„Je výborný zejména v ručních pracích," řekl otec, kterého zřejmě zjištění potěšilo.

„V ručních pracích?" divila se matka.

„Ovšem. Velmi pěkně vyšil monogram."

„Monogram?"

„Ano, a prý mu jde dobře i pletení," vysvětloval.

Matka se podívala nechápavě na otce. Pak zavolala bratra. „Jak to, že ani nevím, že máte ruční práce?" zeptala se Michaela přísně.

„Ruční práce vůbec nemáme," řekl bratr.

Matka se podívala na otce a otec na matku. Dívali se na sebe, jako by se viděli poprvé v životě. Pak se matka náhle vzpamatovala a zeptala se otce velice přísně, kde byl.

„Ve škole," přiznal otec.

„Ale v které?" ptala se matka, s rukama v bok.

„Takový veliký dům, hodně oken ..." začal otec nejistě.

Možná že matka byla v domnění, že otec jen předstíral, že byl ve škole, a že byl za školou, protože se tvářila najednou velice podezíravě a začala mu klást nepříjemné otázky. Nakonec se zeptala, jak vypadal profesor.

„Profesor?" podivil se otec. „Snad jsi chtěla říci profesorka, ne?"
Víc se už matka ptát nemusela. Ukázalo se, že otec sice ve škole byl,
ale ne v té, v které být měl. Samozřejmě že se hájil a nechtěl si to dát
vymluvit a tvrdil, že se k němu hned všichni vyučující sami hlásili a že
jim činilo potěšení referovat mu o jeho synovi. Prý ho to pochopitel-
ně potěšilo, a tak naslouchal a o víc se už nestaral.

„Vždyť oni ti říkali o někom jiném!" zaúpěla matka.

Otec pokrčil rameny a řekl, že je to jedno.

„Stejně by si z toho žáka měl vzít příklad!" dodal a už se o celé zá-
ležitosti nebavil.

Od té doby zavládl zase starý pořádek a do školy chodila jen mat-
ka. A když někdo z nás navrhoval, aby zas, pro změnu, poslala do
školy otce, říkávala: „Ani mě to nenapadne. Copak jsem zvědavá na
prospěch cizích dětí?"

Mikuláš

Kdo na ten neuvážený nápad přišel, se už dnes neví. Ani otec, ani matka se k tomu nechce přiznat a oba se tématu raději vyhýbají, přesto že už je to pěkná řádka let. Tenkrát nás dětí nebylo ještě pět, protože Jan a Kateřina přišli na svět později. Vlastně k tomu došlo jen kvůli Michaelovi, který byl ještě malý, a tak rodiče usoudili, že ho překvapí. Mikuláše dělal pan Dener, který dělal po léta Mikuláše vlastním dětem a měl jednak zkušenosti, a jednak to byl soused, který takovou službu naší rodině velmi rád prokázal. Paní Denerová tvrdila, že jejich děti jsou na otce už zvyklé a že scéna vždycky velmi dobře vyjde. Problém spočíval v tom, že si nikdo z dospělých neuvědomil, že náš Michael byl na svůj nepatrný věk nesmírně vyspělý chlapec se značným postřehem a otevřenou povahou.

Je pravda, že se začátek panu Denerovi poměrně vydařil. Lehce bratra pokáral za to, že se ne zrovna rád myje a že sem tam odmlouvá rodičům, a pak trošku improvizoval. Na závěr se zmínil o pekle a o nebi, očekávaje, že takto na bratra zapůsobí. Ukázalo se však, že se mýlil.

Bratr sledoval počínání pana Denera, převlečeného za Mikuláše, s chladem a jakousi odevzdaností, dávaje najevo, že co musí být, musí být. Řekl bych, že bratr zpočátku pana Denera trpěl, ale to jen za předpokladu, že ho Mikuláš nechá napokoji. Tohle právě pan Dener neodhadl. Požádal bratra, aby prosil za odpuštění, avšak ten se k ničemu neměl.

„Přece poslechneš Mikuláše, ne?" pravil pan Dener, lehce otřesen bratrovou reakcí.

Míša si ho nedůvěřivě prohlížel a pak si začal hrát s autíčkem.

„No, hochu, teď se ukáže, jestli jsi poslušný ..." řekl pan Dener změniv taktiku. Ale bratr se k ničemu neměl. Pan Dener tedy pravil co nejvábnějším hlasem, že ví o chlapečcích, kteří také neposlouchali, a dodal, že by mohl vyprávět o tom, co se s takovými dětmi dělo.

V tu chvíli začal bratra příběh zajímat. Matka se pokusila dát panu Denerovi znamení, protože se domnívala, že by právě teď měl využít příležitosti, která se nabízela. Zamávala na pana Denera, který však nechápal, co má matka na mysli, a upřeně na ni zíral. Bratr se podíval na matku, která se rozkašlala.

„Tak dobrá, já ti tedy povím, co čeká nehodné děti," začal soused, kterému svitlo. „Nehodné děti, i děti, které neposlechnou Mikuláše, když se mají modlit, přijdou do pekla! A v pekle to není žádný med, hošíčku, to teda ne ..." pokračoval nejistě Mikuláš, který, jak se zdálo, nevěděl jak dál.

Bratr si dal hlavu do dlaní a byl zřejmě připraven na vyprávění. Jenže pan Dener se nemohl dostat k tématu.

„Tam v pekle ... dole ... tam je vedro ... a horko. A hlídají tam čerti. I já abych se tam bál ..." doznal soused, hledaje pomoc u matky.

Ta mezitím nenápadně napsala cosi na kus papíru a ukázala to, schována za bratrem, panu Denerovi. „SOUVISLEJI A V DETAILECH!" Mikuláš si to přečetl a ztratil nit docela. Znervózněl tak viditelně, že se mu začala třást berla. Matka viděla, že situace je vážná a nabídla mu skleničku vodky.

„Mikulášovi je špatně?" zeptal se bratr.

„Ne, jen se potřeboval napít," vysvětlila matka pohotově.

Mikuláš se po alkoholu vzpamatoval a ujal se iniciativy.

„Tak chlapče, teď se pomodlíš a pak něco dostaneš, anebo zavolám čerta!" oznámil světec.

„Já chci čerta!" řekl bratr hlasem, prozrazujícím radostné očekávání.

„Rozmysli si to ..." pravil Mikuláš, který viděl, že teď jde do tuhého.

„Pan Dener čerta zná?" zeptal se bratr matky.

„Já jsem Mikuláš!" pravil pan Dener podrážděně.

„Nejseš. Ty seš pan Dener!" řekl bratr s naprostou samozřejmostí.

Světec si sáhl do míst, kde nosíval opasek. Matka ukázala nový nápis: „NERADA BYCH DÍTĚTI LHALA." Mikuláš si to přečetl, ale vědomí porážky ho hnětlo. Vzchopil se k novému útoku. „Tak já budu muset čerta zavolat telefonem," oznámil Míšovi, očekávaje, že si to v poslední chvíli kluk rozmyslí a padne na kolena.

„Ano, ať sem přijde," řekl bratr a otočil se radostně k matce s dotazem: „Když pan Dener čertovi zavolá, tak čert přijde?"

Matka přikývla.

„Ale ty přece nechceš, aby sem přišel čert?" ptala se tím nejjemnějším hlasem, připomínajícím unavenou vílu.

„Chci," řekl bratříček.

„Tak ty opravdu chceš, aby sem přišel čert a odnesl tě do pekla?" zaúpěl pan Dener, otíraje si obličej kapesníkem.

„Chci čerta," řekl bratr a radostně zatleskal ručičkama.

„Tak dobře," řekl pan Dener. Vytočil jakési číslo, vzal do ruky sluchátko a pak řekl s námahou: „Haló ... je to peklo? Tady čert ... totiž Mikuláš ... Má sem přijít čert, protože je tu zlobivý kluk. Je to Klášterní ulice 22 ..." Pak si uvědomil složitost situace a otočil se znovu k bratrovi. „Oni se ptají, jestli sis to doopravdy nerozmyslel," řekl a bylo vidět, jak touží po tom, aby bratr své přání odvolal.

„Já si budu s čertem hrát," řekl Michael a šel připravovat autíčko.

Mikuláš zavěsil telefon a zapálil si cigaretu. Třásly se mu ruce.

„Nechte toho!" zaprosila matka šeptem v nestřeženém okamžiku.

„Ale pan Dener je hezkej Mikuláš," řekl bratr, když se vrátil s autíčkem.

„Já jsem svatý Mikuláš!" rozzlobil se muž v kostýmu a uhodil berlou o zem.

„Mami, kdy už přijde čert?"

„Brzo, brzo přijde a odnese tě do pekla!" hrozil pan Dener.

Matka pochopila, že teď už je situace beznadějná, a běžela honem o patro níž k paní Denerové telefonovat. Otec slíbil, že přijede taxíkem. Když se matka vrátila, žádal bratr zrovna Mikuláše, aby si odlepil vousy. Světec se prý po dítěti ohnal berlou. Matka dala Mikuláši ještě jednu vodku a ukázala mu nápis: OTEC NA CESTĚ – VYDRŽTE!" Ale pan Dener byl už natolik poklesý na duchu, že matčině zprávě nevěnoval pozornost. Bratr chtěl vědět, kdy už přijde čert. Pan Dener ho ujistil, že je už na cestě, a zmínil se o metle a řetězu.

Bratra zpráva zjevně potěšila. Soused otřesen chlapcovým chováním a klidem, začal najednou vyprávět a do detailu popisovat čertovo náčiní a jeho schopnosti, vztahující se k zacházení s uličníky. Bratr chtěl vědět, zda čerti hrají fotbal a zda mají rádi bonbóny. Pan Dener propadl hysterii a začal tvrdit, že má dojem, že přijde celá tlupa pekelníků, kteří si to s bratrem vyřídí. Ten se pustil do úvahy o tom, zda se všichni čerti k nám vejdou a kde budou spát. Matka napsala postupně tyto nápisy: „NECHTE TOHO!", „ZMĚŇTE TÉMA!", „CO KDYBYSTE SE ODMASKOVAL?", „NEMOHLI BYCHOM MU TO NĚJAK VYSVĚTLIT?" a „NENÍ VÁM ŠPATNĚ?" A pan Dener na všechny zprávy jen vrtěl hlavou.

Konečně se dostavil otec. Hned u dveří zamrkal na Mikuláše a řekl, že potkal hlavního čerta, který vzkazuje, že mají moc práce a že se zastaví jindy. Pan Dener zřejmě nepochopil otcovo znamení nebo ho prostě přehlédl, protože otci chladně oznámil, že on je Mikuláš a čert přijde co nevidět. Otec tedy znovu zamrkal a pak se pokusil vylákat pana Denera do kuchyně. Nejdřív na obložený chlebíček (nezabralo to), pak na salám (opět bezúspěšně) a nakonec nápisem „SEJDEME SE V KUCHYNI!".

Mezitím bratr začal otci vysvětlovat, že mu pan Dener slíbil, že přijde čertů víc, a řekl otci, že se už hrozně těší. Matka ho pak odvedla do koupelny pod záminkou, že se musí umýt, což bylo bratrovi, který se zrovna před hodinou koupal, nepochopitelné.

Mezitím otec požádal pana Denera, aby se vzdálil. Řekl, že celá věc prostě nevyšla a že si z toho nemá nic dělat, že to bude zřejmě v kostýmu nebo v masce. To se pana Denera velice dotklo, protože právě na svůj kostým a masku byl velice hrdý.

Řekl, že se mu něco takového nikdy nestalo, a projevil přání bratra ztřískat. Otec se ho snažil uklidnit a naznačil mu, že by Mikuláš, který bije cizí děti, mohl skončit před soudem pro ubližování na těle. Potom přiběhla paní Denerová a prosila manžela, aby šel domů. Otec dal Mikulášovi meprobamat pro uklidnění.

V noci jsme slyšeli, jak pan Dener bouchá dveřmi a křičí do světlíku obhroublé výrazy.

Bratr spal klidně. Avšak trvalo ještě hodně dlouho, než se přestal ptát, kdy konečně přijdou slíbení čerti. Nakonec se o ně přestal zajímat, když mu otec řekl, že přijdou jen tehdy, když bude moc hodný.

Na piano

Jsou lidé, kteří hrají na piano, protože jim to dělá jisté potěšení. A jsou lidé, kteří na piano hrají proto, že dovedou hrou potěšit druhé. Jsou však také lidé, které potěší, když se někdo, kdo na piano hrát neumí a nechce, na tento nástroj hrát učí. K těm posledním patří má matka. Když mi bylo asi jedenáct let, koupila matka piano. Myslel jsem si zpočátku, že si je někde jen půjčila, protože chce pozvat někoho, kdo na nástroj zahraje, ale ukázalo se, že jsem se mýlil. Piano bylo koupeno pro mne. Řekl jsem matce, že udělala chybu, protože piano mi nepůsobí žádné potěšení a že bych raději uvítal třeba kolo. Ale matka mi začala vysvětlovat, že na kolo nelze hrát, kdežto na piano lze. Řekl jsem jí, že bych nikdy nepoužíval kola na hraní, ale že bych na něm rád jezdil. Matka pravila, že nemám kolo, nýbrž piano, a to proto, že na tento nástroj budu hrát a že na něm samozřejmě nebudu jezdit. Řekl jsem jí, že mohu-li žít bez kola, mohu stejně dobře žít bez piana. Matka však byla pevně rozhodnuta, že se na piano budu učit hrát. Už tehdy jsem dovedl odhadnout své schopnosti a sdělil jsem jí, že i když se na piano budu učit hrát, zůstanu s největší pravděpodobností nedotčen výukou a nebudu schopen na nástroj hrát, i když se tomu budu učit. Matka byla poněkud jiného názoru, tvrdila, že hře přijdu na chuť a že krom toho nekoupila piano jen kvůli mně. Od té doby jsem přesvědčen, že většina mých sourozenců přišla na svět proto, aby se využilo piana. Já sám neměl nikdy k pianu vztah. Matka tvrdila, že zná lidi, které ovšem odmítala jmenovat, kteří jakmile uvidí piano, neodolají a musí na nástroj hrát. „Jsou to lidé," říkala, „kterým to prostě nedá."

Nebyl jsem takový případ. Mohl jsem kolem piana chodit sem a tam, třeba dvě hodiny, a vždycky jsem odolal. A mám-li být zcela upřímný, nejenže jsem se nástroje ani nedotkl, ale cítil jsem se mnohem lépe, když jsem mohl jít jinou místností, a pokoji, v němž piano stálo, jsem se raději vyhýbal. Mohl bych procházet továrnou na piana a nedotkl bych se jediného z nich, ale jediné, co bych v továrně na tyto nástroje udělal s chutí, by byla projížďka na kole. Když člověk jede kolem pian na kole, zrychlí jízdu natolik, že se od nástrojů co nejdříve vzdálí, a pokud je za takové jízdy míjí, ani je nerozezná. Vidí jen jakési tmavé fleky, a neví-li, kolem čeho jede, nemusí se vůbec zneklidňovat.

Sdělil jsem tyto své úvahy matce, ale ta už byla rozhodnuta. Zavedla mne k paní profesorce Kynclové-Borkovcové-Berwitzové, vyhlášené odbornici na hru na klavír. Později jsem často přemýšlel nad tím, proč má paní profesorka tři různá jména, a doslechl jsem se od jednoho spolužáka, který si raději zlomil ruku, než aby pokračoval ve hře, že paní profesorka zničila tři nevinné muže svou hudbou, protože žádný z nich nemohl slyšet to brnkání.

Hrál jsem tři roky týden co týden „Bayerovu školu pro mládež" a nikdy jsem se nedostal dále než na stranu čtyřicet osm. Paní profesorka vždycky rozhodla, že si to po prázdninách stručně zopakujeme a pak že půjdeme dále a budeme už hrát věci zábavnější, ale vždycky když jsem se na začátku školního roku vrátil, museli jsme začít velmi zvolna od začátku a vyšlo nám to opět na stranu čtyřicet osm. Zkoumal jsem tu stránku, zda není nějak vadná nebo snad poškozená, ale vypadala jako všechny ostatní stránky té příručky. Když jsme dospěli na stranu čtyřicet osm podruhé, pravila paní profesorka Berkovcová-Kynclová-Berwitzová, že je to velice podivné a že jsem první takový žák za její kariéru. A když jsme se příštím rokem opět blížili k tomu místu, byla už paní profesorka značně nervózní, protože se patrně obávala, jak to dopadne.

Čím více jsme se k tomu místu blížili, tím déle mi trvalo hrát předepsané skladby; a pak se stalo zase totéž a paní profesorka si zakryla oči a utekla do vedlejšího pokoje, odkud se po chvíli ozvaly zoufalé vzlyky. Bylo mi té ženy opravdu líto a snažil jsem se ji uklidnit, ale bylo mi jasné, že se mi to nepodaří, protože když dostane profesorka hry na klavír hysterický záchvat, lze ji pravděpodobně uklidnit jen jedním způsobem, tichou, jemnou hrou na klavír. Pianissimo, lento. Toho jsem však nebyl schopen, a tak jsem ji uklidňoval slovy, ale ta dáma bušila pěstmi do vyšívaného polštáře s Mozartem v Praze a sténala, že je to její porážka. „A to se musí stát zrovna mně – žačce Knoblocha a Rainera!" opakovala neustále. Neznal jsem ty pány, o nichž profesorka mluvila, ale napadlo mne, že to měla kdysi paní profesorka snazší, protože ji učili hře na klavír dva lidé, a jestliže se jí stalo něco podobného jako mně, mohli se páni profesoři vystřídat anebo rovnou odnést klavír.

Když začal chodit na piano bratr Michael, opatřila matka novou učitelku, protože ta má se členů naší rodiny poněkud stranila. Bratra učila nějaká paní profesorka z Maďarska a měla to také těžké, protože neměl rovněž žádný vztah k pianu a velice nerad doma cvičil. Jednou když se octl v podobné situaci jako já a uvízl o pár stránek dále ve stejné učebnici, ztratila profesorka nervy a požádala ho, aby laskavě naslouchal jednomu chlapci, který hraje o patro výš. „Začal stejně jako ty, zcela stejně, a podívej, jak hraje, Miško!" Bratr chvíli naslouchal hudbě, vyluzované neznámým konkurentem, pak pochopil a rozloučil se. Později učitelka prohlásila, že bratr na sobě spáchal škodu, ale když se objevil bratr Jan, jemuž Michael učebnici předal, uklidnila se. Ne ovšem nadlouho. Janovi činila hudba i falešný zpěv potěšení. Zpíval nejen v koupelně, nýbrž i v ostatních částech bytu, a činil tak s radostí a chutí. Jednou mne zastavil soused na schodech a ptal se mne, kdo to u nás tak zoufale sténá. Řekl jsem, že jde o bratrův zpěv, a soused mi nevěřil, řka, že by zpěv jistě poznal. Od té doby musel bratr zavírat okno do světlíku nebo pouštět vodu, aby svůj zpěv trochu ztlumil. Bratrova láska k hudbě a zpěvu byla skutečně čistá a spontánní a jeho radost nemohl nikterak oslabit fakt, že se mu nedostalo hudebního sluchu.

Když začal chodit na klavír, telefonovala maďarská profesorka, že je velice houževnatý, pilný, že má chuť a ona že je toho přesvědčení, že se to poddá. Později přestala telefonovat a jezdila i v roce na dovolenou. Avšak všeho do času. Poté co Jan zmazal klávesy, ztratil tři nebo čtyři učebnice a zlomil pedál, byl nenápadně v zájmu rodiny této záliby zproštěn. Myslím si, že se ho to ani nijak nedotklo. Bral klavír jako živel, který už poznal, a krom toho rozbíjel mnohem raději okna, protože to bylo víc vidět a poskytovalo mu to více uspokojení. Také rodině přišel tento koníček levněji než poškozená piana.

Jako poslední přišla na řadu sestra Kateřina. O sestře Elišce nehovořím, protože ta hrála na klavír dobře, a pokud vím, dělala vždy velmi dobře vše, nač sáhla, a byla tedy po této stránce naprostou výjimkou. Vrozená snaživost, píle a odhodlání sestry Kateřiny, vlastnosti zděděné po matce, ji přímo předurčovaly pro klavírní hru. Ještě dávno předtím, než se šla profesorce představit, prostudovala už řadu odborných knih o síle úhozu a údržbě klavírních nástrojů v subtropickém pásmu. Sestra totiž, stejně jako matka, nezačínala nic impulsivně, nýbrž promyšleně teprve poté, co se seznámila se všemi přednostmi a nedostatky nové činnosti. Po večerech četla knížky o historickém výskytu klavíru, a dříve než přišla na první hodinu, měla už v malíčku, co vše může způsobit červotoč a jak jednat s podnapilým ladičem pijanem.

Kateřina byla také jedinou z nás, která byla na svou činnost pyšná. Kdežto sestra Eliška, vždy ve všem úspěšná, brala hru na piano jako krátké zastavení mezi plaveckými přebory, baletem a krasobruslařskými závody, já a Michael jako trest za poklesky a Jan jako zkoušku odolnosti nástroje proti úderu, odcházela Kateřina ve svátečních šatech s hrdě vztyčenou hlavou za paní profesorkou, aby se věnovala hudbě. Jako vždy a ve všem dělala dobrovolně víc, než se po ní žádalo, což jsme my, bratři, považovali za zvrhlost nebo vrozenou duševní vadu. Pouze matka ji vždy hájila a říkala: „Jen ji nechte. Ta je po mně!" Stávalo se však také, že Kateřina cvičila nějakou skladbu, uzavřena v pokoji, a když ji zahrála několikrát a pokaždé udělala chybu, vykřikla a padla na piano, nebo do něho bušila a křičela cosi o kreténské skladbě. Někdy také plakala do kláves, které se tak stávaly měkčí v úhozu. V takových chvílích se otvíraly dveře všech pokojů a my běželi k sestře přesvědčit se, zda si při hře nějak neublížila. Někdy jsme však museli chvilku počkat, až se uklidní, protože po nás házela notami.

Jednou se velice dlouho a pečlivě připravovala, aby nám o vánocích přichystala překvapení. Když jsme se toho večera všichni shromáždili v pokoji, usedla a hrála zpaměti jakousi tklivou píseň. Avšak kdesi v polovině té skladby se zarazila a začala ji hrát znovu. V tu chvíli jsem sestru chápal a velmi jsem s ní cítil. Zejména v okamžiku, když se opět zranila a nemohla dál. Poněkud zbledla a my všichni jsme instinktivně ustoupili ke dveřím. Zkusila to však ještě jednou, a když se blížila k tomu místu, byli všichni velmi napjati a zároveň ve střehu. Opět se nedostala dál. Zavřela piano a k všeobecnému překvapení opustila místnost. Něco takového se dosud nikdy nestalo. Podívali jsme se na sebe, ale v tu chvíli se rozlétly dveře a dovnitř vletěla sestra, které divoce vlály vlasy, a vrhla se na příručku klavírní hry. Začala ji trhat. Byla to stará, ale dobře vázaná kniha a sestra musela vynaložit opravdu velké úsilí k tomu, aby se zmocnila jednotlivých listů a mohla je házet po pokoji. Možná že to byla náhoda, ale jist si tím nejsem. List, který dopadl ke mně, byla strana čtyřicet osm.

I tak bylo obdivuhodné, jak se Kateřina snažila a jak velkou část skladby dokázala zahrát. Neboť jak se později ukázalo, šlo o kompozici pro čtyři ruce, a to je na jednoho trochu moc.

Vánoce

Nebývaly zdaleka tak veselé, jak nám mnozí lidé na vánočních kartách a pohledech přáli. Patrně v tom sehrálo významnou a rozhodující roli matčino přesvědčení o tom, že se na Štědrý den musíme postit. Tímto podivným starobylým obyčejem trpěl vždycky nejvíc otec, který, když měl hlad, ztrácel velmi brzo dobrou náladu. Vůbec u nás vánoce probíhaly jaksi živelně. Ještě na Štědrý den dopoledne jsme všichni horečně leštili kliky u dveří, drhli parkety a všude bylo cítit petrolej, který, vyskytuje-li se ve větším množství, mívá omamné účinky.

Pár let jsme kupovali živého kapra a nechávali ho plout ve vaně, dokud mohl, ale stalo se také, že na něj matka zapomněla a pak jsme ho našli, jak se prodírá rukávem otcovy košile, přes ostatní prádlo až k podkolenkám, kde uvízl a nemohl dál. Otec, který se kapra pokoušel zabít, se obvykle těžce poranil pádem na dlaždičky, a tak jsme později kupovali kapra už zabitého, abychom si uchovali živého otce.

Také strojení stromečku, které řídil obvykle otec, nebývalo jednoduché, a rozhodně to nebyla činnost, kterou bychom se mohli chlubit. Matka vždy vydala otci ozdoby, div ne na potvrzení s podpisem, ty velké, skleněné, které při pádu na zem tak hezky bouchají a tříští se na sto kusů, i ty čokoládové, které nesměly nikdy chybět. Pomáhali jsme otci stromeček zdobit a posilovali jsme se čokoládou, která, jak známo, obsahuje cenné živiny a po níž naše organismy, vysílené půstem, přímo prahly.

Někdy vpadla náhle matka do pokoje a my všichni jsme se jeden po druhém otáčeli k oknu.

„Není těch čokoládových nějak málo?" ptala se.

„Hení ..." odpověděl otec, který skryt za větví polykal právě jednoho velkého čokoládového zajíce.

„Co je ti?" divila se matka.

„Hic ..." řekl otec, který se trochu dusil čokoládovýma ušima.

Později jsme, aniž jsme se vzájemně domluvili, zachovávali jakési pravidlo, které spočívalo v tom, že jsme velké kusy, jako třeba krále, princeznu, vlak nebo slona, nejedli a konzumovali jsme jen malá, nenápadná zvířátka, která se vyskytovala ve větším množství a o jejichž počtu neměla matka přehled. Jednou však snědl bratr Jan tajně asi dvě nebo tři Sněhurky a dvě kompletní sady trpaslíčků a prožil zbytek svátků pobledlý a skrčený.

Matka považovala vždy za důležité, aby hvězda posazená až na špičce stromku byla naprosto rovná, a sebemenší odchylky směru této ozdoby těžce nesla. Bývalo o tom vždycky dost dohadů, otci se to zdálo naprosto malicherné a odmítal používat olovnice.

Jednou jsme ustrojili stromeček v hale a pak ho otec nesl do pokoje. Tenkrát jsme byli velice překvapeni, protože otec odcházel z haly s bohatě ověnčeným a ozdobeným stromečkem, kdežto do pokoje vešel s holou jedlí a řetězem kolem krku.

„Stromek je přece jen pružný,“ konstatoval otec, pokoušeje se odlepit ze dveří jedno čokoládové městečko, které uvízlo mezi panty.

Několik let jsme používali stojanu, k jehož sestrojení bylo zapotřebí nejen zručnosti a značné dovednosti, ale také houževnatosti, trpělivosti a pevných nervů. Stojan se skládal asi ze šesti dílů a k jeho sestavení existoval jen jediný způsob, jediná možnost, kterou jsme si

rok od roku vždycky zapomněli poznamenat, takže se stávalo, že jsem s otcem trávil nad tímto rébusem dlouhé hodiny, zatímco matka chodila kolem a říkala neustále: „Tak to snad sestavíte, ne?" Později jsme zjistili, že jeden či dva lidé na sestavení podivného stojanu nestačí, ale ukázalo se, že čtyři lidé jsou zas moc, protože vzniká moc kombinací, které nelze řešit. Někdy se nám stalo, že už byla konstrukce hotova a že někdo z nás měl ještě jeden díl nebo součástku, a bylo nám to velice divné až do okamžiku, než jsme zjistili, že stojan postrádá vlastnosti takřka nezbytné: stability. Jindy se stojan mstil, neboť byl litinový a dovedl se rozpadat v nejnevhodnějších okamžicích na nejnevypočítatelnější součástky, které způsobovaly neuvěřitelné podlitiny na nohou i rukou.

Jednou přinesl otec domů překvapení v podobě elektrických svíček značky Philips. Toto zařízení na nás udělalo neobyčejný dojem, posílený otcovým ujištěním, že tyto svíčky nemohou způsobit požár. Byla to pravda. Ale ukázalo se, že ani tento vynález není zcela bez nedostatků. Především bylo poměrně nesnadné svíčky, navzájem spojené šňůrami elektrického vedení, rozmotat a upevnit na stromeček. Otec, který vždy miloval improvizaci, se do toho ihned pustil, ale matka, která měla vždy sklon věřit jen odborníkům, začala hlasitě předčítat návod.

„Elektrické svíčky Philips jsou kvalitním výrobkem známé firmy ..." začala, zatímco jsme my s otcem lezli po stole a podávali si vedení. Když se nám to nakonec podařilo, byl stromeček poněkud sešněrovaný a vypadalo to, jako by ho někdo chtěl uchránit před králíky drátem. Pak jsme svíčky rozsvítili a všichni jsme stáli před stromečkem v němém úžasu nad tím kouzlem. Pouze matka se zdála trochu neklidná a obešla stolek několikrát dokola a pak se zeptala, co uděláme s těmi šňůrami.

„S jakými?" zeptal se udiveně otec.

Matka ukázala na kabely, které spojovaly svíčky vzájemně a které byly napájeny elektřinou ze zásuvky.

„Bez nich by to nefungovalo," konstatoval otec.

Matka však měla dojem, že otec nečetl návod a že šňůry na stromeček nepatří, ba dokonce tvrdila, že to působí ohyzdně. Proto přečetla celý návod znovu nahlas a pak po krátké úvaze prohlásila, že má pravdu, protože na reklamním obrázku nejsou šňůry vidět. Ovšem žádná firma nebude zákazníkovi ukazovat nedostatky svého výrobku, naopak, zdůrazní pouze výhody a přednosti. Otec se to také matce pokusil vysvětlit, ale nedalo se říci, že by zrovna uspěl. Matka se šla poradit k inženýrovi, co bydlel o patro výš a rozuměl vodním stavbám, a ten se přišel podívat na stromeček osobně. Když však i on shledal dráty nezbytnými, propočítav z hlavy spotřebu vánočního osvětlení a shledav ji poměrně hospodárnou, musela matka ustoupit. Přesto však neměla ke svíčkám dobrý vztah a tvrdila, že to určitě nějak jde, jen kdybychom se tím trochu zabývali a prostudovali si podrobně jednou návod.

A to už bylo pozdě k večeru a my měli všichni hrozný hlad a chodili jsme sem a tam z místnosti do místnosti a matka říkala, že ona to rozhodně nestihne, ať jdeme leštit dveře. A tak jsme tedy poslechli a leštili jsme dveře, abychom se mohli už najíst, a otec otevřel psací stůl a začal prohlížet všechna rozbitá plnicí pera, kterých měl spoustu, a všechny rozbité zapalovače, kterých měl ještě víc, a občas, když matka odběhla z kuchyně, vběhl rychle dovnitř a hledal rychle něco k jídlu.

Až přišel konečně večer a my se dali do jídla. Jedli jsme hltavě, daleko hltavěji než jindy, protože jsme měli za sebou ten půst, a tu docházelo k všelijakým komplikacím, protože člověk může jíst rychle cokoli, ale rybu ne. A tak skoro pokaždé někdo z nás najednou zmodral a byl takový zaražený, a ti druzí si toho obvykle nejdříve nevšimli, protože si všímali svého, a když si toho konečně povšimli, byl už takový člověk jako křída a všelijak sípal.

„Kostička!" vykřikl někdo a hned ho začal bušit do zad, a jednou se také stalo, že jsme bratru Michaelovi vyrazili nejen kostičku, ale i dech, a on se proto urazil.

Po večeři jsme se uklidnili a každý dopravil do pokoje pod stromeček nějaké dárky, načež jsme se shromáždili u dveří a vrhli jsme se dovnitř. Jednou dostal malý bratr Jan holicí strojek a otec natahovací autíčko a oba se tak divně usmívali, protože z dárků měli samozřejmě radost, ale nebylo to zrovna to, co čekali, a tak matka přiskočila a dárky jim honem vyměnila a oni měli radost větší, protože se jim to takhle lépe hodilo. Jindy našla matka pod stromečkem mrkací panenku a malá Kateřina zase teplé spodní prádlo pro revmatiky, a to zase přiskočil otec a dárky jim vyměnil, ne snad proto, že by se matka se sestrou zlobily, ale aby nebyly takové rozpačité a nezáviděly si.

Tou dobou se už obvykle ozval telefon, protože volal strýc, a otec tedy šel a chvíli s ním hovořil. A byl to každý rok docela stejný rozhovor:

„ ... tak buďte zdrávi ... ano, děkujeme, nápodobně, my vám taky ... i do novýho roku. No jako loni, jako loni. Tak taky tak ... taky tak. Užijte si to, buďte zdrávi, nápodobně."

Načež si otec obvykle vzpomněl, že něco zapomněl, a honem běžel do ložnice a vrátil se s luxem nebo žehličkou a dal to matce a řekl: „To je taky ... ježíšek ..." A jednou si vzpomněl až po vánocích, že na nějaký dárek zcela zapomněl, ale bylo to skoro už na podzim, a tak to nechal do příštích vánoc a byl docela rád, že má už o dárek postaráno.

Kolem půlnoci se obvykle otec zvedl a řekl: „Tak: papíry nalevo, provázky napravo!" Načež jsme kladli papíry nalevo a provázky napravo a otec kontroloval, zda to děláme správně, a bylo na něm vidět, že je rád, že má Štědrý den za sebou.

A pak už nastal opravdu klid, někdy dokonce mír nebo alespoň příměří, a všichni byli klidní a vyrovnaní, protože každý věděl, že příští svátky nás čekají až za rok, a do té doby že je ještě hodně času.

Výlet autem

Bylo to poprvé, kdy jsme jeli na hory autem, protože vůz nám laskavě dal k dispozici otcův šéf, který byl dokonce natolik ochotný, že nám půjčil i svého řidiče. Myslím, že byl však také prozíravý, protože tušil, že by řidičova nepřítomnost mohla znamenat ztrátu vozu i otce. Otec sice několikrát zkusil řídit vůz, ale vždycky když něco urazil nebo ulomil, přišlo mu to líto a řízení nechal.

Tehdy jsme si ještě mohli dovolit jet autem, protože jsem byl na světě jen já a sestra Eliška a nebylo nás tedy sedm jako později, kdy jsme obvykle zabrali větší část autobusu.

Auto, které stálo před domem, byl pěkný kabriolet značky BMW. Matka kolem vozu chodila a prohlížela si ho, až se jí řidič zeptal, zda něco nehledá. Matka pravila, že nehledá nic, ale že jak se tak dívá, bude v autě asi chladno. Řidič se usmál a ujistil matku, že vůz je vybaven dokonalým topením a že uvnitř vozu bude velice příjemně, jak sama bude mít možnost brzo poznat.

„No dobře, když říkáte ..." pravila matka. „Já bych jen moc nerada, aby mi nastydly děti," dodala velmi vážným hlasem. Vždycky když měla matka dojem, že hrozí nějaké nebezpečí, hovořila o nás jako o svých dětech. Nikdy neříkala „naše děti" patrně proto, že jedním z nebezpečí byl velmi často i otec. Matka vycítila nebezpečí daleko dříve než jiní lidé, a zřejmě cosi cítila i tentokrát. Nakonec se však dala uklidnit a začali jsme snášet věci, které jsme vezli s sebou. Troje lyže, sáňky, několik kufrů a tašek. Řidič se na ty věci díval s rozechvěním. Pak obešel náklad a prohlásil, že se všechno do vozu vejde, pokud využijeme prostoru, který vůz skýtá, a za předpokladu, že věci rozumně složíme. Pak se pustil do práce. Otec mu pomáhal.

Kdykoli se dva lidé pustí do nějaké práce, kterou nelze přesně definovat, kdy však jde o to, aby jeden druhému pomohl a aby to oběma šlo dohromady snadněji, vždycky mne nejvíc udivuje, jak se dobrý úmysl promění v řadu podivných nedorozumění a nedopatření, o nichž nakonec nikdo neví, kdo je způsobil.

Když se otec s řidičem pustili do práce, činili tak zajisté s přesvědčením, že věci složí tak, aby se vešly, a neměli ani tušení o tom, že se jim jaksi vymknou z rukou a že oba ztratí časem nervy a budou si práci vzájemně komplikovat. Ale sotva se ukázalo, že sáně nesnesou lyže a lyže odmítají přijmout kufr, propadli oba muži jakémusi impulsivnímu jednání na vlastní pěst a pokoušeli se, každý zvlášť, o úspěch. Tak se stávalo, že otec dal do vozu lyže a rozhlížel se po něčem dalším, kdežto řidič lyže z vozu vynesl a nahradil je kufrem, takže když se otec k vozu vrátil a nenalezl lyže, velice se divil a začal po nich pátrat, a když je našel na chodníku, šel se řidiče zeptat, proč lyže vynesl. Řidič jen zabručel, že to chce systém, a vynesl opět kufr, který otec před tím do vozu dal. Potom řidič uhodil otce lyžařskou holí a otec řidiči položil sáně na malíček. Když se párkrát vzájemně zranili, začali se jeden druhého bát a oba přistupovali k zavazadlům jen s největší obezřetností. Když se otec pokoušel dostat jednu lyži do kufru, bylo už jasné, že ztrácí nervy. Řidič to začal otci rozmlouvat, ale ten zaryté mlčel, a teprve když se o lyži škrábl, nechal pokusů a prohlásil, že sáně nepotřebujeme, protože si je můžeme docela klidně vypůjčit na místě v hotelu.

Matka ovšem otcovu poznámku slyšela a prohlásila, že otec nemá zřejmě ani ponětí, jak vypadají hotelové sáně. Otec ji tedy požádal o stručný popis hotelových saní a zvědavě sledoval její vyprávění.

„Hotelové sáně jsou naprosto zničené, rozlámané nebo neschopné jízdy. Krom toho bývají obsazeny dětmi těch rodičů, kteří uvažují jako ty a sáně nechají doma. Má-li se dítě naučit sáňkovat, musí mít hned od začátku dobré sáně, aby nemělo hned z prvé jízdy nepříjemné pocity a nemělo pak ze sportu strach!“ vysvětlila matka.

Je pochopitelné, že otec nebyl po takovém projevu schopen ani sebemenšího odporu. Něco zabručel a šel pomáhat řidiči, který už byl pěkně do červena a předříkával si nahlas:

„Tohle dáme semhle, tak ... a tohle semhle ...“

Chvíli to zkoušeli spolu, až otec prohlásil, že se nedá nic dělat a že jeden kufr musí zůsat doma. Načež zavazadlo vzal a šel domů. Daleko se však nedostal. Matka mu zastoupila cestu.

„Kam jdeš?“ zeptala se ho.

„Zpátky do bytu,“ řekl otec.

„A co to neseš?“ zeptala se matka.

Tohle byla poměrně divná otázka, zejména proto, že se matka dívala na kufr, který měl otec v ruce. Otec, soudě podle výrazu jeho obličeje, považoval dotaz za krajně nevhodný. Zachránil to řidič. Byl to přece jen zdvořilý, klidný člověk, který neměl ani ponětí o ironii a bral věci tak, jak byly.

„To je ten kufr ... milostivá paní ..." vysvětloval tiše, protože měl patrně komplex. Když se do vozu něco nevejde, mívá řidič komplex.

„Bez toho kufru neodjedeme!" řekla rozhodně a pak dodala, že kdyby se to pořádně srovnalo, tak by se to vešlo.

Teď se začal otec hájit. Měl totiž od začátku pocit, že se všichni musíme k řidiči hezky chovat, protože je to řidič jeho šéfa a protože je to vůbec od toho člověka laskavost, že s námi jede. Vypadalo to, že chce řidiči už předem dát nějakou pozornost. Matka však trvala na tom, že bez kufru nepojedeme, a poznamenala, že kdybychom jeli vlakem, tak bychom neměli potíže. Řidič, který to slyšel, trhl lehce hlavou a pak sedadlem, za které právě cpal kufr. Otec mu šel na pomoc, a když sedadlo vyndali a dali na chodník, zeptala se matka, proč to dělají, ale ani jeden z nich jí neodpověděl. Potom dal otec sedadlo obráceně a pak je dal zase správně, ale kufr se dovnitř stejně nevešel. Otec tedy navrhl, že bude kufr držet za jízdy z okna. Řidiči se však ten nápad nezamlouval jednak kvůli policii, jednak kvůli odporu vzduchu, který kufr držený z okna klade. Nakonec se pánové dohodli, že bude nejlépe, když si matka, já a sestra sedneme dozadu, a oni tam pak kufr dostanou. Sedli jsme si tedy na zadní sedadlo a otec s řidičem se pokoušeli dovnitř dostat kufr. Nejdříve se jim vzpříčil ve dveřích a pak s ním všelijak cloumali, až ho uvolnili a strčili dovnitř.

„Nevidím!" volala matka, která měla zavazadlo těsně před obličejem.

Položili je tedy mezi nás. Od té chvíle jsem matku i sestru ztratil z očí. Matka samozřejmě protestovala proti tomu, jak byl kufr umístěn, ale otec řekl, že rodiny jako my nemohou cestovat lepším způsobem. Matka se ptala otce, jak to myslí, a ten odpověděl, že se nedá nic dělat, protože máme její vinou příliš mnoho věcí. Matka se tedy podívala do tašky. Chtěla se dívat z okna a myslet si své, ale okno bylo zakryto velkou taškou, a tak se do ní dívala. Když jsme vyjeli, řekla mi matka, abych zamával sousedům, kteří se objevili v okně. Zkusil jsem to, ale nešlo to. Pokusil jsem se na sousedy alespoň kývnout, ale ani to se mi nepodařilo, a tak jsem na ně jen zamrkal skrze lyže.

„No tak," řekl otec, když jsme vyjeli, a bylo vidět, že je docela spokojen. Nebyl na tom tak zle, protože měl na klíně jen jeden kufr, a když jím šikovně manipuloval, viděl chvílemi i na cestu. Sestra na štěstí brzy usnula. Když jsme vyjeli z města, což nám řidič sdělil, nabídla mi matka jablko. Divila se, že si je nechci vzít. Řekl jsem jí, že mám jablka rád, ale že není možné, abych jedl jablko ani cokoli jiného, protože mám zaházené ruce. Otec mi slíbil, že jakmile dorazíme na místo, budu mít ruce zas docela volné. Asi v polovině cesty uhodilo něco zespoda do vozu. Matka si toho všimla a ptala se, co to bylo.

„Asi nějaký kamínek," řekl otec.

Po chvíli začal vůz vynechávat. Otec se podíval tázavě na řidiče, ten naklonil hlavu na stranu a řekl: „Vynechává."

„Co to?" ptal se otec.

„Uvidíme," řekl řidič. Vtom se motor zastavil.

„Safra," řekl řidič a šel se podívat, co se stalo. Otec postavil kufr na kraj silnice a šel za ním. Řidič otevřel kapotu a díval se na motor a otec se díval zase na řidiče, protože motor takhle zblízka ještě nikdy neviděl.

„Štěstí že jedete s námi," řekl uznale řidiči, který prohlížel všechno možné a pořád vrtěl hlavou.

„To bych rád věděl, čím to je," řekl po chvíli.

„Já taky," řekl otec.

Matka vzdychla. Pak jsme si honem udělali trochu místa a matka vybalila svačinu. „Jezte, děti," pobízela nás. „Kdo ví, co nás čeká!"

Potom požádal řidič otce, aby si sedl do vozu a zmáčkl plyn. Otec tedy šel do vozu, sedl si na řidičovo místo a cosi zmáčkl.

Vůz zatroubil.

„To není plyn," konstatoval překvapeně.

„Plyn!" volal řidič.

„Hned to bude ...." odpověděl otec, tahaje za ruční brzdu.

„Tam dole," volal řidič.

„Ovšem," řekl otec mačkaje spojku a pak nožní brzdu.

„Ta druhá páka!"

„Aha."

Plyn to nebyl. Řidiče pak napadlo, že by to mohly být svíčky. Otec to přišel říct matce. „Budou to asi jen svíčky."

Matka přijala zprávu chladně. Ale ani svíčky to nebyly.

Pak přišel řidič do vozu, zkoušel nastartovat motor, ale nešlo to.

„To jsem blázen," řekl, když lezl znovu ven.

„Blázen jsem já," řekla matka polohlasně, ale už to nerozváděla.

Zeptal jsem se matky, zda brzo pojedeme. Řekla, že neví, protože jsme v rukou dobrodruhů a osudu. To už řidič otce ujišťoval, že je vůz v bezvadném stavu, že za celý rok ani nezazlobil, že nebyl vůbec v opravě, protože to nebylo zapotřebí. Pak chtěl řidič přísahat, ale otec mu řekl, že mu věří na slovo.

Jel kolem nějaký automobil a zastavil. Z vozu vylezl starší pán, a když přišel k našemu autu, zeptal se, co se nám stalo. Řidič řekl, že zatím neví.

„To znám," řekl muž a pak se díval na motor. Po chvíli ukázal na jakousi součástku a řekl: „Karburátor!" Pak obešel auto kolem dokola a prohodil: „Co takhle chladič?" „Ten je v naprostém pořádku," řekl řidič. „Hm, já mám taky dobrý chladič. Úplně nový," řekl ten člověk. Pak se znovu naklonil nad motor a prohlížel si ho znalecky, sem tam do něčeho ťukl a nakonec řekl: „Pěkné svíčky. Ty jsou nové?" „Ne," řekl řidič. „Já mám skoro nové," poznamenal muž. Pak si všiml otce a zeptal se ho, zda chce jeho svíčky vidět. Otec nejevil příliš zájmu. Myslím, že by otce nepřekvapily ani voskové svíčky, kdyby je v motoru našel. Něco takového ho prostě nemohlo přivést z míry. Neměl ke svíčkám žádný vztah.

„Myslíte, že to ještě pojede?" zeptal se muž řidiče.

„Samozřejmě," řekl řidič, na kterém bylo vidět, že se na muže za tuto otázku hněvá.

„Já nevím," řekl muž a vzdychl. Pak zdvihl klobouk a odporoučel se.

Když muž odjel, vjela do řidiče najednou nebývalá energie. Dokonce si lehl i pod vůz a pak vykřikl. Otec k němu hned běžel, protože si myslel, že se mu něco stalo. Řidič vstal, byl zcela bledý a díval se kamsi do dálky, do polí.

„Něco vážného?" ptal se otec zděšeně.

Muž neodpovídal. Otec se ho tedy zeptal, na jak dlouho odhaduje opravu. A ten člověk vstal, otřepal ze sebe sníh a řekl, že máme proraženou benzínovou nádrž a že situace je velmi vážná. Pak se otočil a šel k matce a začal ji ujišťovat, že se mu něco takového nikdy v životě nestalo, a vyprávěl, co všechno na silnici zažil, jak si vždy věděl rady, jak se z takových situací vždycky dostal a že by ho ani ve snu nebylo napadlo, že ho jednou něco takového na silnici potká. Pak šel kus dál od auta a díval se daleko, hodně daleko takovým zvláštním způsobem. Snad ho vábily ty dálky, ale je možné, že si taky uvědo-

moval, že je to vábení marné, zbytečné. Otec se ho snažil uchlácho-
lit, a když se mu to podařilo, vyrazili spolu hledat pomoc. Když muži
odešli, pravila matka, že si musíme třít končetiny, abychom neomrz-
li. A když jelo kolem jiné auto, poznamenala, že to jsou lidé, kteří se
dívají na cestu a vyhýbají se kamenům. Potom jsem usnul.

Probudil mne otec. Vyprávěl, jak ve vesnici sháněli mechanika
a jak ho konečně našli, opilého v jedné stodole, o jakési dívce, která
tomuhle mladíkovi utekla s jiným a vdala se mu, a o nešťastné matce
mechanikově, která stále pláče. Když dovyprávěl, ukázal za sebe.
Stál tam vůz s párem volů. Na kozlíku seděl sedlák v kožichu.

„Kde je řidič?" ptala se matka.

Otec vysvětlil, že řidič zůstal ve vesnici a telefonuje někam pro ta-
xikáře. Pak se dal do práce. Dlouhým lanem upevnili automobil
k vozu, sedlák si sedl na kozlík, otec za volant a vyrazili jsme. Jeli
jsme velice pomalu a velmi dlouho. Před vesnicí nás uvítali kluci
a obecní blázen, který se smál a vyskakoval do vzduchu. Vypadalo
to, jako když cestovatelé zavítali náhodou ke kmeni, který žije na-
prosto odloučen od civilizace.

Matka začala uvažovat nad tím, co by se bylo stalo, kdyby byla je-
la vlakem nebo kdyby nebyla jela vůbec, a co by právě dělala, kdyby
byla zůstala doma. Pak se zamýšlela nad tím, jaké by to bývalo bylo,
kdyby se nebyla vůbec vdala. Otec delší dobu mlčel. Pak řekl, že to,
co nás potkalo, není ještě zdaleka to nejhorší, co nás potkat mohlo.
Řekl, že ví o případech, kdy se vozy zřítily v horách a kutálely se do
údolí, nebo dostaly smyk, a když vyletěly ze silnice, zůstaly nakonec
viset za blatník na skále či klesly na dno řeky.

Když jsme přijeli do vesnice, vycházeli lidé před svá stavení. Jaká-
si stařenka se křižovala. Pak se objevil řidič. Tvrdil, že se už nemohl
dočkat, až přijedeme, a že měl také strach, zda se nám po cestě něco
nestalo.

Po chvíli přišel muž, který vlastnil taxíka a který nás měl vézt dále.
Muž měl na vesnici pověst neohroženého člověka, jak nám vysvětlil
náš řidič. Ale když byla všechna zavazadla přeložena do jakéhosi
velmi starého auta s velkými koly a širokými blatníky, ukázalo se, že
si to Antonín ještě rozmýšlí.

Díval se na nebe, otáčel se po větru a přemýšlel.

Otec s řidičem a několika venkovany stáli kolem něho a čekali, co
řekne.

„Vítr se divně točí ..." hlesl a zamnul si bradu.

Vypadalo to, že jezdí s vozem jen velmi zřídka.

Potom se objevila Antonínova matka. Utírala si oči do kapesníku.

„Proč ta žena pláče?" ptal se otec.

„To je jeho máma," vysvětlovali sousedé. „Má o kluka strach!"

Matka objala syna a pokřižovala ho. Náš řidič byl dojat a musel se vysmrkat do kapesníku.

„Krásný obyčej," pravil poté.

Po matce přišla k Antonínovi jeho žena a děti. A zase se objímali a loučili, jako kdyby jel na cestu kolem světa. Pak přišli na řadu příbuzní, muži, ženy a děti, a nakonec přinesli i jakéhosi stařečka, který Antonínovi požehnal třesoucí se rukou a zasalutoval.

Když loučení konečně skončilo, sedli jsme si do velkého vozu, Toník nastartoval motor, který kupodivu naskočil, vůz se začal třást a zmítat, pak prudce poskočil kupředu a vyrazili jsme. Kdykoli zařadil rychlost, zařval motor, cukl sebou a pak podivně zachrochtal. Občas to v něm také podivně zachrastilo, jako když se sype železo.

Trvalo nám hodnou chvíli, než jsme si zvykli na to, jak muž brzdil. Ale řekl vždycky naštěstí předem, kdy to bude, a tak jsme se na to stačili připravit. Pokaždé brzdy zapískaly a skřípěly a Antonín občas dodal: „Dobré brzdy. Brzdí ..."

Po rovině vůz ještě jakž takž jel, ale kopce přímo nesnášel. Motor v kopcích tak řval, že nebylo slyšet slova. Lidé u cesty se zastavovali a ukazovali si na nás. Někteří nás i fotografovali, ale myslím, že se jim snímky moc nevydařily, protože vůz zahaloval celou silnici kouřem.

Byla už noc, když jsme se konečně blížili k cíli, a tu se Antonín přiznal, že by nikdy nevěřil, že s vozem dojedeme.

„Až se vrátím do vesnice, bude velká oslava!" chlubil se.

Zda se však skutečně vrátil – to už jsme se nikdy nedozvěděli.

Na horách

Hory působily na naši rodinu zvláštním způsobem. Dalo by se říci, že rodina byla k horám vábena či přitahována přímo magnetickou silou, ačkoli právě na horách jsme zažili nejnebezpečnější dobrodružství, a byly situace, kdy jsme se divili, že nikdo z nás nepřišel o život. Přesto však vždycky znovu a znovu hovořil otec s matkou o kouzelném horském vzduchu, který ozdravuje organismus, i o horském slunci a jeho zdravých ultrafialových paprscích.

Jednou si třeba otec připínal lyže, maje zřejmě v úmyslu podniknout krátký pěší výlet po rovině. Zatímco si je připínal, daly se lyže, k otcovu velkému překvapení, do pohybu. Zvolily ovšem cestu přímo dolů, ze svahu, na němž otec do té doby stál. Otec se za jízdy vztyčil a sledoval vývoj událostí. Lyže zatím, nikým neřízeny, ujížděly po svahu dolů. Myslím si, že otec po cestě jistě přemýšlel, jak lze lyže, které se proti jeho vůli rozjely, směrem, kterým by se on sám nikdy nevydal, zastavit. Lyže zatím nabraly rychlost, neboť svah byl prudký a otec těžký. Lyžaři stoupající vzhůru sledovali otcův pokus. Netušili, že otec sjíždí ze svahu proti své vůli, že ho vlastně unášejí lyže. Mysleli si, že otec je lyžař, který má tolik odvahy, že jede ze svahu přímo a nesnaží se rychlost zmírnit několika kristiánkami. Tito lidé netušili, že se otec při lyžařském výcviku nedostal dále než ke kapitolám chůze a jak nosit lyže v přeplněném vleku. Je samozřejmé, že otec nebyl schopen se stoupajícím lyžařům vyhýbat. Jediné řešení tedy bylo, aby se tito lidé vyhýbali jemu. Jelikož si nestačil vzít s sebou ani praporek ani houkačku, varoval lidi hlasem.

„Pozor! Jedu!" křičel, jakmile mu někdo křížil cestu.

Později když nabral rychlost, omezil se na pouhé: „Z cesty!" To už se řítil dál, údolími a srázy, které jako by si ho samy podávaly, až ho nakonec dostaly tam, kde ho chtěly mít. Myslím si, že měl otec i tak velké štěstí, protože mu osud nepostavil do cesty žádný strom ani pařez. Na strom by bylo zbytečné volat, s pařezem se nelze domluvit. Nakonec přijel na jakousi mýtinu. Minul několik pařezů a objevil se nikým neočekáván před skupinou lyžařů s instruktorem. Zvláštní na celé věci bylo, že ten instruktor zrovna vysvětloval lyžařům, jak se brzdí. Otec ovšem neměl čas sledovat jeho přednášku. A v okamži-

ku, kdy se překvapený instruktor k otci otočil, objal ho otec kolem krku, ačkoli se, jak později přiznal, vůbec neznali.

Hned poté začali oba, otec i instruktor, porážet lyžaře jednoho po druhém a mladí sportovci se káceli, tak jak je to předepsáno, směrem ke svahu. Se shora to vypadalo, jako by někdo hodil mezi kuželky kouli. Když bylo společné dílo hotovo, opustil otec díky jednomu hrbolu instruktora a věnoval se vlastnímu letu. Nakonec dopadl do hluboké závěje, zatímco instruktor čněl ze sněhu o kus dál, vytvářeje tak jakýsi triangulační bod. Sotva se otec postavil na nohy a zjistil, že je celý, šel se instruktorovi představit. Několik mladých sportovců zrovna vytáhlo instruktora ze sněhu a jeden mu třel spánky. Ale muž se zachoval jako hrubec. Vyplivl z úst trochu ledu a otočil se k otci zády. Otec pak tvrdil, že instruktoři žijí stále na horách a nevědí, jak se mají chovat.

Matka byla na lyžích značně opatrnější. Většinou jen stoupala nebo chodila po rovině. Lyže si připínala teprve tehdy, když se předtím přesvědčila, že je v dostatečné vzdálenosti i od nejmenšího svahu.

Ten nebezpečný výlet začal docela klidně. Bylo krásné, slunné počasí a otec tvrdil, že nemůže pochopit, jak někteří lidé dokážou zůstat doma. Výletu se zúčastnila celá rodina, to jest otec s matkou, já a malá sestra Eliška, kterou nesli rodiče v tašce na zeleninu. Ukázalo se totiž, že se takto ani jeden z nich neunaví, a sestra, zvyklá dosud na kočárek, vypadala také spokojeně. Otec měl ještě batoh s potravinami. Šli jsme klidnou lesní pěšinou a otec s matkou si libovali, jak je to krásné jít klidnou přírodou, kde člověk nepotká živáčka. Na počátku cesty objevila matka jakousi tabuli, ale nápis, který na tabuli stál, nebyl k přečtení.

„Co tam mohlo být?" ptala se matka otce.

„Asi – nekouřit," pravil otec, zapaluje si cigaretu.

Cesta zatím klesala dolů, k zledovatělé řece. Všude visely krápníky a ledové stavby, které vytvořila řeka na kamenech, vyvolávaly v rodičích nadšení a obdiv. Když jsme míjeli velký dřevěný kříž, zapadaný sněhem, zneklidněla matka a začala uvažovat, co se na cestě mohlo přihodit. Otec tvrdil, že kříže stavějí věřící kdekoli, ale ne proto, že by na místě někdo zemřel, nýbrž proto, aby si připomněli Boha. Matka se zjevně uklidnila, ale bylo vidět, že stejně pořád o něčem přemýšlí. Když jsme po hodině nenašli odbočku, která byla namalována na mapě, navrhla matka, abychom se raději vrátili. Otec pravil, že by to byla neodpustitelná škoda a že to nevadí, že najdeme jinou odbočku, budeme-li pokračovat v cestě. A tak jsme šli dál. Cesta se viditelně zhoršovala, přibývalo sněhu a povrch začal být ledovatý. Také řeka byla najednou širší a prudší. Matka se chtěla opět vrátit, ale otec řekl, že už máme před sebou jen krátký úsek cesty, pak že se dostaneme od řeky a to už bude lepší.

Bohužel se jeho předpověď nesplnila. Sám se začal bořit do sněhu, kterého bylo pořád víc a víc, a pak najednou upustil tašku se sestrou. Sestra, která spala, padla do sněhu a rodiče ji museli pečlivě očistit.

Dále se cesta zužovala byla čím dál ledovatější.

Otec padal každou chvíli a několikrát se zřítil až k řece, kde se v poslední chvíli zachytil. Potom řekla najednou matka: „Musíme zachránit děti!", a otec na to nic neřekl, protože zřejmě souhlasil. Teď už to bylo tak zlé, že jsme museli lézt i po čtyřech. Sestra byla po celou dobu velmi statečná, zřejmě hlavně proto, že nechápala, oč jde. Otec se snažil určit sever a jih a hledal lišejníky, ale ukázalo se, že všechny stromy jsou zasněžené, a tak otec uvažoval dál a přišel na to, že by mohl rozpůlit ručičku u hodinek, ale matka ho včas zadržela, protože si vzpomněla, že se nepůlí ručička, nýbrž jakýsi úhel, který svírá, ale že to celé je třeba dělat v noci. Potom se zeptala otce, proč hledá sever, a otec ne zrovna jemně řekl, že by se hodilo vědět, kde je co, protože pak bychom věděli, kam jdeme. Načež matka řekla, že západ slunce pozná i malé dítě, jen otec ne, a ukázala na zapadající slunce a pravila: „Tamhle je západ, ale to je jedno, začíná být zima, patrně umrzneme!" Otec chtěl matce odpovědět, ale skutálel se dolů k řece, načež matka, jako vždy, vykřikla a pak se dala do čištění sestry, která jako obvykle padla do sněhu, jakmile se otec zřítil se svahu. Když se otec vrátil, řekl, že ještě není nic ztraceno, ale moc optimisticky to neznělo. Matka se pak chtěla modlit, ale nakonec si to rozmyslela a začala otci připomínat, že si ho vzala a že to byl, jak vidí, omyl. Otec řekl, že se teď už nedá nic dělat, on že taky přišel na to, že byl omyl brát si matku, ale teď je to už zcela jedno. Nakonec se shodli na tom, že spolu nemohou žít, načež vzali opět sestru a lezli jsme dál.

Když jsme se k večeru zcela unaveni dopotáceli zpět na chatu, dohadovali se otec s matkou, kdo nás děti vlastně zachránil. Na chatě nás už pohřešovali a všichni se vyptávali, co se nám stalo. Byl tam taky místní hajný, a když mu otec vysvětlil, kde jsme vlastně byli, řekl, že jsme podle jeho názoru dětmi Štěstěny, protože on sám by tou cestou šel jen v létě. Řekl, že na té tabuli byl kdysi nápis: Pozor! Nebezpečí! A když se ho matka zeptala na ten kříž, který jsme po cestě minuli, rozhlédl se hajný kolem sebe a pak nám sdělil, že ten tam postavili člověku, který chtěl jednou v zimě tu tabuli neprozřetelně obnovit.

Dobře uložené peníze

Jednou jsme přistihli otce při podivné činnosti. Bral z knihovny knihy jednu po druhé, každou vždy prolistoval a pak ji odložil na hromadu, která rychle rostla.

Matka otce chvíli sledovala a pak se ho zeptala, co to dělá.

„Prohlížím si knihy," řekl otec, který právě protřepával nějakou tlustší novelu a čekal, zda z ní něco nevypadne.

Matce se otcův způsob prohlížení knih nezamlouval. Nelíbilo se jí, že otec knihy obrací hřbetem vzhůru a že jimi třepe. Nezdál se jí chvat, s nímž otec tuto činnost provozoval.

„Proč si prohlížíš tolik knih najednou?" zeptala se otce.

„Protože je to nutné," odpověděl otec, mávaje atlasem hub.

Možná že by se matka nikdy nedozvěděla pravý důvod otcova počínání, nebýt toho, že jsem chtěl půjčit kamarádovi nějaké detektivky. Otec mne však zadržel a řekl, že v těchto dnech nemůže nikomu půjčovat knihy. Ptal jsem se proč. Odpověděl, že jsou momenty, kdy knihy půjčovat nelze. Matka, která náš rozhovor zaslechla, se vrhla do pokoje. Otec zrovna protřepával obrázkovou knihu o zvířatech. Tentokrát se ho matka zeptala přímo, co se vlastně děje.

Otec chvíli s odpovědí otálel, ale pak dospěl zřejmě k závěru, že tajit skutečný stav věcí nemá smysl, a řekl, že jsme všichni ve velmi nepříjemné situaci.

„Proč?" ptala se matka.

„Protože v některé z těchto knih jsou uloženy peníze," řekl otec a vrhl se na bibli.

„Opravdu?" podivila se matka, kterou ta zpráva velice mile překvapila.

„A kdo je tam dal?" zeptala se poté.

„Já," řekl otec klidně.

„Ale to jsme naopak ve velmi milé situaci ..." pravila matka s úsměvem.

„Nejsme. Protože nevíme, která kniha to je," řekl otec a matka se náhle přestala usmívat.

„To přece musíš ty vědět, když jsi peníze do té knihy ukládal," řekla matka, ale když otec pokrčil rameny a řekl, že to neví, zírala na něj matka jako na zjevení.

„Tak si přece vzpomeň!"

„Jak si mám vzpomenout na něco, co nevím?" ptal se otec.

Zdálo se, že si matka teprve nyní uvědomila, oč jde.

„Bože, můj Bože ..." zasténala a chytila se za hlavu. V podobných okamžicích byla matka vždy velmi zbožnou osobou a volávala Boha na pomoc.

Myslím si, že se celá věc stala jen proto, že otec odedávna věřil, že určitá částka musí být stranou. Nemyslel tím ovšem ty peníze, o kterých už on i matka věděli, že stranou jsou. Protože tyto peníze bývaly stranou jen velmi krátce. Šlo mu o peníze, které by byly stranou i matky. Nápad s knihou nebyl ovšem z nejlepších. Jednak se peníze mohly dostat do rukou toho, kdo chtěl knihu číst, a mohla to být i osoba nepovolaná, jednak nebylo snadné si zapamatovat, o kterou knihu šlo. Matka se ovšem nikdy lehce nevzdávala a krom toho byla vždy úspěšnou luštitelkou rozhlasové soutěže pro detektivy amatéry. Byla vždy zvyklá postupovat podle určité metody, a proto se i tentokrát začala otce vyptávat na podrobnosti.

„Jaká byla ta kniha?"

„Jak jaká?" divil se otec.

„Brožovaná, vázaná, velká nebo malá?"

Otec chvíli přemýšlel a pak řekl, že si myslí, že to byla velká kniha.

„Tak on dá peníze do tak velké knihy a teď neví, která to je!" zvolala matka ke stropu.

„A kolik v té knize bylo?" ptala se dále.

„Dvacet tisíc," řekl otec sklesle, nahlížeje pod záložku románu pro dívky.

Částka na matku zapůsobila. Jako blesk se vrhla na knihy a začala prohlížet i ty, které už ležely na hromadě.

„Ty už jsem prohlížel," řekl otec.

„To je jedno," prohlásila matka. „Když nevíš, která to byla kniha, tak si nemůžeš být ani jistý, které knihy jsi prohlížel a které ne!"

„Přece si to pamatuji!" zlobil se otec.

„Nic si nepamatuješ!" řekla matka a začala znovu prohlížet knížky, které před okamžikem prohlížela. Když už bylo na koberci několik velkých hromad knih, napadlo matku, zda otec náhodou neuložil peníze do knihy podle určitého klíče, nebo do knihy, která by už svým názvem připomínala, že jsou v ní peníze uloženy. Začala se otce vyptávat.

„Nebyl to Ostrov pokladů?"

„Ne."

„Peníze nebo život?"

„Ne."

„Zlaté tele?"

„Taky ne."

Pak se matka začala probírat knihovnou a hledala další knihy, které by mohly přijít v úvahu pro ukryté peníze. Byly mezi nimi Zápisky pokladního, Sto dukátů za Juana, i tituly jako Pokladnice lásky, Nikola Šuhaj loupežník, Tajemství doktora Storritze, Tajemství krve, i dětské jako Zlatý klíček, Zlatý máj, Zlatý prsten nebo Diamantová sekera. Potom si otec vzpomněl, že kniha měla už v názvu nějaké tisíce, a matka začala znovu pátrat, až nakonec objevila v knihovně mezeru po Vernově díle Dvacet tisíc mil pod mořem.

„To je ona!" vykřikl radostně otec.

„Ale kde je ta kniha?" ptala se matka.

Ukázalo se, že si knihu půjčil strýc. Otec však zapíral, že by ji snad strýci půjčil on. Ještě toho odpoledne zašel k nim do bytu a vrátil se s knihou domů.

„Jak jsi to vysvětlil?" ptala se ho matka.

„Nijak," odpověděl otec, počítaje peníze.

„Nijak?" divila se matka.

„Odlákal jsem je z pokoje a knihu jsem si vzal."

„A proč jsi to udělal zrovna takhle?"

„Protože jinak by to bylo trapné," zabručel otec a už se o celé věci nechtěl zřejmě bavit. Ale matce to nedalo a řekla, že takhle je to ještě trapnější, protože strýc knihu určitě ještě nečetl.

„A proč by ji měl číst?" divil se otec. „Ten přece nikdy nečte knihy!"

Na obědě

Do restaurace jsme chodili všichni velmi rádi. Číšníci z nás však obvykle příliš nadšeni nebyli, protože se skoro vždycky přihodila nějaká věc, která personálu nesedí. Dali nám, když nás viděli, ten největší stůl, který byl zrovna volný, a nedůvěřivě sledovali, jak se dohadujeme o místa. Šlo hlavně o to, aby matka seděla tak, aby viděla na celou restauraci, stejně tak jako ve vlaku, kde musela sedět ve směru jízdy.

Když jsme si pročetli jídelní lístek, přivolal otec číšníka.

„Tak prosím, kolik bude polívčiček?" ptal se číšník.

„Všichni," řekl otec.

„Já ne," pravila Kateřina.

„Ale ano, ty si také dáš polévku," řekla matka.

„Tak prosím pěkně, to bude sedm polívčiček," konstatoval číšník a myslel si chudák, že to má odbyté.

„Šest polévek," řekla sestra Kateřina.

„Prosím tě, co tě to napadá nedat si polévku?" divila se matka.

„Já si dám tu hovězí," pravil Michael.

„Já taky," řekl Jan.

Otec, matka a já jsme chtěli zeleninovou. Starší sestra Eliška se chvíli rozhodovala a pak se rozhodla pro hovězí.

„A ty?" otočila se matka na Kateřinu.

„Já polévku přece nechci," divila se sestra.

„Takže to bude šest polívčiček ..." počítal číšník.

„Prosíme sedm polévek," řekla matka stroze.

„A pro koho tu sedmou?" ptala se Eliška, která nás všechny počítala. Mezitím číšník odešel a zase se vrátil. Byl z něho cítit alkohol.

„Tak prosím, kolik bude těch bujónů?" zeptal se.

„Bujónů?" podivil se otec.

„Bujóny jsme neobjednali," vysvětlila matka.

Číšník se podivil. Pak se rozhodl, že si to přece jen raději poznamená. Připravil si pero a papír a čekal, kdo mu napoví.

„Tři hovězí a tři zeleninové," řekl otec.

„Tři hovězí a tři zeleninové," opakoval číšník, který si to poznamenával do bloku.

„Tři hovězí a čtyři zeleninové," řekla matka, když si to číšník poznamenal, a vyvolala tak na jeho tváři zděšený výraz.

„Tři hovězí a čtyři zeleninové?" divil se číšník.

„Zeleninovou nechci!" protestovala Kateřina.

„Tak tedy čtyři hovězí a čtyři zeleninové," opravila matka.

„Čtyři hovězí a čtyři zeleninové," řekl číšník nejistě.

„Copak je nás osm?" divil se Michael.

„Ne, sedm je nás ..." řekla Eliška.

„Asi jste se přepočítal ..." řekla matka tomu člověku.

Číšník přeškrtal cosi na papíře a napsal něco nového. Zároveň se strašně zpotil. Pak začal psát znovu a vypadalo to jako poslední vůle. Být číšníkem, který obsluhoval naši rodinu, to nebylo nic snadného. V životě takového člověka to znamenalo jistý zlom. Byli takoví, kteří se už nikdy nevzpamatovali. Vzpomínám si na jednoho, kterého jsme přivedli do takového stavu, že ať si člověk objednal cokoli, dostal jen ruská vejce. Ten muž nosil ruská vejce i lidem, kteří je nesnášeli, a byl nakonec přeložen na druhý konec města do jakési zapadlé hospody, kde na tom tolik nezáleželo. Tenhle člověk se z toho nakonec přece jen dostal silou nadlidské vůle a odešel do kuchyně, od-

kud se za okamžik vrátil celý bledý se zprávou, která nevěštila nic dobrého.

„Zeleninová a hovězí už bohužel není," zašeptal a díval se z jednoho na druhého.

„A jaká je?" ptal se otec.

„Nudlová a bujón," řekl číšník sklesle.

Vypadalo to na samé bujóny, ale pak chtěl někdo nudlovou a později si to zase rozmyslel a chtěl bujón, a nudlovou polévku chtěli zase jiní dva. Muž zbledl jako křída, popsal několik papírů, které zase roztrhal, a chvěly se mu ruce. Když odcházel, šeptal si, co má přinést.

Po polévce přišel jiný číšník, který byl velice svěží.

„Tak prosím, jaké bude přání?" ptal se a už měl v ruce papír, protože byl zřejmě informován.

Otec si objednal řízek.

Matka se zeptala, zda je to s kompotem.

„Není," řekl číšník, „ale můžete k tomu samozřejmě kompot dostat."

„Máte švestkový?" ptala se matka.

„Ovšem," řekl číšník a poznamenal si to.

„Já prosím vepřovou s knedlíkem," oznámil Jan, rozhlížeje se pyšně kolem sebe.

„Jedenkrát vepřová," opakoval číšník.

„A třešňový by mohl být?" zeptala se náhle matka.

Číšník se zjevně polekal.

„Ona myslí ten kompot," vysvětlovala Eliška.

„Ale ovšem, kompot, ano; může být," řekl číšník, provádějě jakési škrty ve svých poznámkách.

„A místo toho řízku bych si dala to telecí," řekla matka.

Číšník se podíval na matku, pak do papíru a pak zhluboka vzdychl.

Mezitím přišla řada na mne.

„Řízek, porci brambor navíc a salát," řekl jsem.

„Mně taky brambory navíc," vzpomněl si otec.

„Mně ne!" řekl bratr Jan, který zřejmě nedával pozor.

„Ale ty máš přece vepřovou!" vysvětloval mu Michael.

„No a?" divil se Jan.

„Tak co se pleteš do brambor navíc, když máš knedlíky?" zlobil se Michael.

„Okamžik," řekl číšník a zahleděl se znovu do poznámek.

„Já si dám telecí na houbách, ale ne s bramborem," řekla Eliška.

„Můžete to mít s rýží," nabízel číšník.

„Ano, s rýží."

„A já abych tu rýži prosila také, ale s játrama," hlásila Kateřina.

„S játry," opravila ji matka.

„Jedenkrát rýže s játrama ... játrami ... játry," opakoval číšník nejistě.

Michael si dal roštěnou s rajčatovým salátem.

„Tak já taky, prosím, salát," řekl Jan.

„Dva saláty z rajčat," opakoval číšník.

„Já bych ho taky chtěla," vzpomněla si Kateřina.

„Co prosím?" zeptal se číšník.

„Ten salát," řekla sestra.

„Aha, tak to máme, prosím, ještě jeden rajčatový salát, to máme ..."

„Jenže já bych chtěla ten hlávkový," řekla sestra.

„Aha," řekl číšník a začal škrtat po papíře.

Pak to všechno zopakoval a ukázalo se, že má napsáno o dvě jídla víc. Pozvali jsme ho ke stolu, sedl si a matka mu pomáhala najít chybu. Když se všechno konečně vyjasnilo, požádal nás, zda by se mohl napít vody. Michael mu rychle podal sklenici a ten muž spolkl dva nebo tři prášky. Pak se těžce zvedl a šel do kuchyně. Bratr za ním běžel s poznámkami, které zapomněl na stole.

Pak přišel jiný číšník a ptal se, co si budeme přát k pití.

Otec už toho měl dost, a tak požádal o sedm piv, aby to bylo jednodušší. Matka však zasáhla a změnila objednávku na šest limonád a jedno pivo, ale ten člověk přinesl šest piv a jednu limonádu, a tak jsme si to vyměnili s jednou rodinou, která seděla vedle. Pak nám přinesli guláše a něco s mrkví, a tak jsme si to museli vyměnit se sousedy, ale nevycházelo to, a tak šel Jan do kuchyně vyjednávat s personálem, a když se vrátil, tak vyprávěl, že viděl toho prvního číšníka, jak omývá vlažnou vodou toho druhého, s kterým jsme hovořili před chvílí.

„Jen jestli to nemá z jídla," strachovala se matka, která by byla ráda věděla, zda jedl řízek nebo telecí.

Nakonec nám přinesli to, co jsme chtěli, a až na pár drobností to bylo v pořádku. Kávu přinesla otci a matce nějaká slečna. Číšníci vykukovali z kuchyně a vůbec nevycházeli. Potom otec zavolal vrchního, aby nám to spočítal. Stálo to sto šest korun a nějaké haléře a otec položil stovku na stůl a šli jsme. Ten vrchní za námi běžel přes celou restauraci s účtem a stále opakoval: „Promiňte, ale dělá to celkem sto šest devadesát ..." Jenže otec mávl ledabyle rukou a řekl: „To je dobré, to nechte ..."

Jak se bratr zamkl

Bratr Jan se jednoho odpoledne zamkl na záchodě. Matka, která podobné akce neměla nikdy ráda, se hned vrhla ke dveřím. Ťukala na ně a volala: „Okamžitě pojď ven! Slyšíš?"

Bratr matce odpověděl:

„Zůstanu tady! Alespoň mám od vás pokoj!"

Matka šla tedy telefonovat otci, kterému chtěla sdělit, že je bratr na záchodě a že ona neví, co si má počít.

Otec chvíli poslouchal a pak řekl, že nevidí důvodu, proč by kluk nemohl být na záchodě, když tam být potřebuje.

„Ale on se zamkl. A nechce jít ven!" vysvětlovala matka.

Otec chvíli přemýšlel, co podniknout, a pak řekl: „Dej mi ho k telefonu, já si s ním promluvím!"

„Jak ho mám dostat k telefonu, když je zamčený?" ptala se matka.

„Safra!" řekl otec a zase chvíli přemýšlel a pak rozkázal: „Ať okamžitě odemkne!"

Matka tedy položila telefon a utíkala do haly, kde zaťukala na bratra a vyřizovala mu otcův vzkaz.

„Máš okamžitě odemknout – to ti vzkazuje otec!" volala.

„Ani mě nenapadne!" řekl rezolutně bratr a začal si zpívat nějakou revoluční píseň.

Matka tedy utíkala zpět k telefonu a těžce dýchajíc sdělovala otci, že bratra ani nenapadne.

„Tak já přijedu domů a vyřídím si to s ním!" řekl otec a zavěsil.

Mezitím jsme my ostatní přišli domů a jeden po druhém jsme nacházeli dveře zamčené.

„Obsazeno," ozývalo se zevnitř.

„Co se děje?" ptali jsme se matky.

Vysvětlila nám, co se stalo.

„Okamžitě otevři!" vybízela sestra Eliška bratra.

„Je mi líto," ozval se bratr zevnitř, „ale rozhodl jsem se, že tu zůstanu!"

„Počkej, až vylezeš!" hrozil bratr Michael a pak odešel k sousedům.

„Copak? Nepotřebujete instalatéra?" ptala se sousedka.

„Ne, ale nemůžeme dostat ven bratra," vysvětlovala ochotně sestra Kateřina, která právě přišla ze školy a požádala sousedku, zda by si u ní mohla umýt ruce. Když se vrátil otec, šel hned ke dveřím a začal do nich bušit.

„Otevři! Slyšíš? To jsem já, otec!"

„Poznávám tě po hlase," řekl Jan.

„Ztrestám tě!" volal otec.

„Právě proto bude lepší, když tu zůstanu," řekl bratr.

Otec stál chvíli bezradně přede deřmi a pak řekl, že bude nejlépe, když si toho nebudeme vůbec všímat.

„Však ono ho to přejde, uvidíte!" ujišťoval nás, ale zdálo se, že si sám není moc jistý. Nevšímali jsme si tedy bratra a on si nevšímal nás. Po čase si začal zpívat nějakou písničku a otci to šlo na nervy.

„Přestaň zpívat, ty uličníku!" volal do klíčové dírky.

Bratr však příliš nedbal. Otec začal chodit sem a tam.

Matka chodila opačným směrem a občas se zastavila a řekla: „To jsme dopadli!"

Michael navrhl, abychom bratra vykouřili. Řekl, že kdysi viděl, jak tímto způsobem vyháněl na poli nějaký sedlák sysla a že se zvíře vzdalo po druhé dávce.

Matce se však nápad nezamlouval, protože měla dojem, že bychom mohli něco zapálit.

„Vyplavit ho taky nemůžeme," uvažoval otec, který také hledal řešení.

„A co kdybychom to zkusili po dobrém?" zeptala se sestra Eliška.

„Zkus to," řekla matka, a sestra se tedy přiblížila ke dveřím a začala velice jemným hlasem promlouvat k bratrovi.

„Jendo, tohle přece nemá žádnou cenu."

„Má!"

„Ale Jeníku, přece bys nám nechtěl dělat těžkosti," zapěla sestra. My ostatní jsme stáli kolem a sledovali jsme s napětím, zda se sestře podaří přimět bratra k tomu, aby opustil místnost.

„Jeníku," zkoušela to opět. „Ty jsi přece rozumný kluk a tohle se k tobě vůbec nehodí."

„Hm," zněla odpověď.

„Jeníčku," volala sestra jako nějaká víla, „prosím tě, pojď ven!"

„Nepůjdu," řekl bratr rozhodně.

„Ty lumpe, jen počkej, až tě dostanu do rukou ..." křičela, když si uvědomila, že se snažila naprosto zbytečně. Někdo navrhl, abychom udělali poradu. Sešli jsme se v pokoji a otec zahájil shromáždění několika výstižnými slovy: „Jak všichni víte, rozhodl se jeden z členů této rodiny, že bude okupovat toaletu.

Víme, co to znamená. Je možné, že Jan bude vydírat, a proto musíme být naprosto jednotní, abychom ho nakonec donutili k ústupu. Proto budeme až do odvolání chodit k sousedům!"

Sestru Kateřinu zajímalo, kde si budeme čistit zuby.

„Sníme každý jedno jablko před spaním," navrhoval bratr Michael.

Pouze matka byla stále nějak nesvá a pak ji napadlo, že by na bratra mohla zapůsobit večeře. Pustili jsme se hned do hlasitého prostírání, cinkali jsme příbory a jeden přes druhého jsme volali: „To to voní! Copak to bude?"

„Chleba s máslem," řekl Jan za dveřmi a dal se do smíchu.

Po večeři přišel pan Bílek, který měl spravit v koupelně vodovod.

„Otevři," volal otec, „je tu pan Bílek!"

„To jsem opravdu já," řekl pan Bílek.

„Dobře, dobře, já vás poznávám," řekl bratr, ale neotevřel.

Pan Bílek šel tedy do pokoje, a když otec zavřel dveře do haly, ptal se, jak dlouho už bratr na toaletě je. Otec řekl, že asi dvě hodiny, a pan Bílek řekl, že z toho vodovodu nic nebude, protože takové situace dobře zná.

„Můj syn byl takhle zamčený celý den," vysvětloval, „a dostali jsme ho ven jen pod podmínkou, že mu koupíme kolo."

„Něco takového nás ani nenapadne!" řekl otec rozhodně.

Pan Bílek odešel. Byl jsem zrovna u sousedů, když přišla zpráva, že se sestře Kateřině podařilo s bratrem vyjednávat. Dal si podmínku, že s ním bude hovořit jen ona a že pak může tlumočit nám ostatním podmínky, za kterých by byl eventuálně ochoten přistoupit na příměří.

Podmínky zněly takto: Za prvé, bratr bude mít volnou cestu ven; za druhé, nedojde k žádným represáliím ze strany členů rodiny; za třetí, máme hodinu času, abychom se mohli rozhodnout; jestliže na podmínky nepřistoupíme, je bratr ochoten strávit na toaletě celou noc, případně další den.

Přemýšleli jsme, co udělat. Bratr Michael tvrdil, že Jan nemá šanci, protože nevydrží hlady. Ale Kateřina zjistila, že má nějaké sušenky a vody že má také dostatek.

Nakonec to rozhodla matka, která měla jednak strach o bratrovo zdraví a jednak se bála, že kluk zamešká školu. A tak Kateřina sdělila Janovi výsledek porady a ten opustil vítězoslavně toaletu.

„Že se nestydíš," řekla mu Kateřina opovržlivě. Ale za několik dní se zamkla v téže místnosti sama. Vzkázala nám, abychom jí laskavě nerušili, že se chce v klidu naučit nějakou báseň o jaru.

To na tobě doschne

Určitě nepřeháním, když řeknu, že mé mládí bylo do jisté míry vlhké nebo rozhodně vlhčí než dětství mých kamarádů a spolužáků, kteří si žili proti mně v suchu a teple. Matka právala vždycky až do noci. Ráno, když jsme vstávali, bývala trochu nervózní a otáčela dveřmi pokoje nebo mávala nějakým kusem prádla. Když jsme se s nechutí oblékali, uklidňovala nás: „To nevadí, to na vás doschne!" Není nic nepříjemnějšího, než když se člověk hned po ránu, poté co vstal z teplé postele, musí oblékat do navlhlého prádla. A daleko horší je jakýkoli pokus se v takovém prádle pohybovat. Pamatuji se, jak jsem sedával u snídaně a bál se, že se budu muset natáhnout pro rohlík. Strach z toho, že mne bude košile studit na zádech a v ramenou, mne přivedl tak daleko, že jsem raději nesnídal. Obvykle jsem se opatrně zvedl tak, aniž jsem pohnul rukama, zatřepal jsem lehce nohama, abych odlepil od stehen chladné trenýrky, a pak jsem co nejdelšími kroky, vzpřímený jako pravítko, odcházel do školy.

Ve škole jsem udivil učitele, když jsem, potom co mne vyvolal, jen neochotně usedal do lavice. „No tak si sedněte!" říkal. Já však usedal velice pomalu a rozvážně, protože jsem na sobě měl vlhké prádlo. V zimě to bývalo horší. Jednou se mi na límci košile utvořila jinovatka a já byl po škole, protože jsem nepozdravil svého třídního učitele. Ale necítil jsem se vinen. Tenkrát jsem však byl po škole docela rád, protože jsem v blízkosti ústředního topení rychle proschl.

Zdravější a otužilejší členové rodiny, zejména otec a Eliška, si brzy natolik zvykli, že dokázali přežít i tuhou zimu bez vážnějších následků. Otec schnul v kanceláři, sestra ve škole a mladší Kateřina na hodinách klavíru. Její učitelka se tenkrát svěřila matce s podivným zjištěním. Kateřina hrála lépe na nástroj v létě než v zimě. Ukázalo se, že to bylo kvůli prádlu. V létě hrála Kateřina totiž po celé délce kláves, kdežto v zimě šetřila pohyby a hrála jen tam, kam dosáhla, aby ji nestudilo v podpaží. Využívala také ráda ústředního topení, které měla učitelka hry na klavír v bytě, a někteří z nás jí záviděli, protože bývala suchá už kolem poledne. Myslím, že se otec v té době seznámil s topičem, který se staral o topení v podniku, kde otec pracoval.

Michael odešel jednou natolik vlhký do školy, že uprostřed zeměpisu, kdy učitel zrovna vyprávěl o Londýně, vznikla kolem bratra mlha, která brzy naplnila větší část třídy. Tenkrát se dobrovolně vydal s ostatními spolužáky hledat učitele. Nalezli ho u tabule se zamlženými brýlemi. Řekl jim, že se pro zhoršenou viditelnost ve třídě vyučování přerušuje, a tvrdil, že bude-li se něco takového ještě opakovat, bude muset přistoupit k vybudování systému orientačních bodů ve třídě.

Jednou v létě jel Michael do Francie, do Cannes.

„A nezapomeň si rozvěsit prádlo, až tam dojedeš!" volala za bratrem matka z okna. Nikdy jsme se však nedozvěděli, zda si bratr prádlo v Cannes rozvěsil. Myslím, že by od nás nebylo ani hezké se na něco takového ptát. Většina lidí nerada věší prádlo v Cannes, mezi hotely a na pláži, z ryze osobních pohnutek. Jsou místa, kde člověk prádlo prostě rozvěsit nechce. Nedovedu si představit, že by bratr natáhl šňůru mezi ruletovými stoly a pověsil na ni svá trička. Bratr nikdy nepatřil k těm, kteří by chtěli rozbít či dokonce zamlžit bank. Mohl ovšem požádat kapitána některé z lodí či jacht o malou službičku. Mohl si prádlo rozvěsit na jachtě, ale zůstává otázkou, zda by taková loď nemusela odplout do neutrálních vod. Je ovšem pravda, že právě v Cannes je velmi pěkně a slunno a že tam prádlo zcela jistě hezky schne. Rozhodně lépe než na hodinách klavíru nebo v kanceláři.

Sestra Eliška tehdy tvrdila, že jet do Cannes kvůli vlhkému prádlu není sice špatný nápad, ale že se to dost prodraží, a radila pak bratrovi, aby příštím rokem uvažoval o Bulharsku, kde je levnější pobyt. Sama na tom však nebyla o mnoho lépe. Byla vždy plnoštíhlá a nosila šaty pěkně na tělo. Když jednou odešla do divadla ve večerních šatech a vrátila se ve vypůjčeném pršiplášti svého přítele, věděli jsme, co se přihodilo. Když pak vyprávěla, jak se jí šaty hned v prvním jednání seschly a v druhém a třetím praskaly ve švech, všichni jsme s ní hluboce cítili. Jen matka se tomu divila a říkala, že se jí nezdá, že by to bylo zrovna tímhle. Otec mi jednou o vánocích prozradil, jak jezdí v tramvaji. Tvrdil, že si vždy šikovně sedne mezi dva cestující, pokud možno doprostřed vozu, kde je tepleji. Jednou prý ho potkalo štěstí v podobě pána, který měl horečku. Otec toho samo sebou využil a jel až na konečnou.

Nejhorší to bývalo vždycky před odjezdem na dovolenou.

Začalo to obvykle už ráno, kdy si někteří z nás přivstali, aby pro své prádlo získali lepší místo u kamen. Jiní jím otáčeli, mávali nebo všelijak vláli. Když jsme se nahrnuli do vlaku, bylo v kupé brzo jako na Jávě. Vzpomínám si, že jsme jednou jeli s nějakým pánem, který začal tvrdit, že se počasí v Evropě rok od roku horší a že se stává zvolna tropickým. Otec se na toho pána lehce přitiskl, aby lépe doschl, a dával mu velice za pravdu. Všichni jsme byli ovšem rádi, když ve vlaku bylo teplo, a smluveným znamením jsme si dávali najevo stav svého prádla. Krom všeobecných metod měl ovšem každý z nás nějakou svou vlastní, o které byl přesvědčen, že je nejdokonalejší ze všech. Kateřina byla neustále v pohybu. Když byla chodbička vlaku plná, měla špatnou náladu. Já dával přednost svému osvědčenému způsobu sedět naprosto bez hnutí, pokud možno tak, abych se prádla minimálně dotýkal. Dalo to ovšem pěknou námahu a sebeslabší trhnutí vlaku mi způsobovalo velké potíže. Když jsme dorazili do hotelu, rozvěšovali jsme prádlo, kde se dalo, i tam, kde se zdálo, že prádlo viset nemůže. V létě to bývalo vždycky snazší a matka někdy říkala, že nám alespoň není takové horko. Zato v zimě jsme se vrhali do jídelny k topení a prosili číšníky o čaj a otec velel: „Doschlí udělají místo navlhlým!" Nebo se ptal, jak na tom jsme, a my podle pravdy odpovídali: „Košile se už dá snést. Levá nohavice potřebuje ještě čtvrt hodiny. Ponožky z poloviny ..."

Vždycky když nás někdo slyšel, myslel si patrně ledacos, jenže takoví lidé žili zřejmě celý život v suchu a nemají ani ponětí o tom, jaké to je, když na člověka sedne rosa.

Matka a čas

Čas hrál v naší rodině vždycky důležitou roli. Otec byl zvyklý chodit vždy přesně a matka zas ráda věděla, o kolik se zpozdila. Podle toho upravovali oba také hodiny. Otec je nařizoval vždy přesně a matka je dávala napřed. Každý z nich dbal toho, aby se to ten druhý nedozvěděl. Zbytek rodiny neusátle postával před hodinami a počítal skutečný čas. Protože se hodiny sem a tam ještě předcházely, stávalo se, že šly třeba o padesát minut napřed. To znamenalo, že v době, kdy měl každý občan na svých hodinkách osm, bylo u nás za deset minut devět. Někdy otec posunul hodiny opět na správný čas. V ten den jsme pak všichni přišli o padesát minut později.

Nejhorší však bylo, když jsme měli někam jet. Proto jsme se snažili nikam nejezdit, ale v dobách dovolených nebylo obvykle vyhnutí. Hlavně otec, který se vždycky celý rok z dovolené zotavoval, býval už několik dní před odjezdem nervózní. Proto také sdělil matce hodinu odjezdu tak, aby to bylo ještě hodinu před skutečným odjezdem. Jenže časem si na to matka zvykla a už s tím předem počítala. A když nervózní otec pobíhal po bytě mezi kufry a tvrdil, že nám vlak ujede, ptala se ho matka s úsměvem: „V kolik hodin to jede doopravdy?" Nikdy jsem neviděl nikoho, kdo by se těsně před odjezdem na nádraží choval tak jako naše matka. V okamžiku, kdy už jsme měli odejít, stávala nad otevřenými kufry, v nichž pořád ještě něco chybělo.

„Ještě tu něco chybí," říkala a chodila sem a tam. Mou povinností bylo obvykle psát dlouhé, podrobné seznamy věcí, které se pak lepily do kufrů a od nichž si matka brala k sobě vždy po jedné kopii, druhá zůstávala doma. Matka brala vždy jednu věc po druhé a říkala: „Piš! Jedny ponožky krátké, pánské, jeden svetr vlněný, šest past zubních ..." Někdy na poslední chvíli rozhodla, že na některý svetr vyšije monogram, a když jsme jeden přes druhého hlasitě protestovali, tvrdila, že je to naprosto nutné, abychom si prádlo nepopletli mezi sebou či s někým cizím. Otec obvykle prohlásil, že si raději prádlo splete, než aby nám ujel vlak. Jindy se stalo, že matka hledala nějakou ponožku jen proto, že už byla napsána v seznamu, který tak obsahoval vážný nedostatek. Chtěl jsem, vzhledem k časové situaci, škrtnout jeden pár ponožek bavlněných pánských, ale matka o tom nechtěla ani slyšet a jen opakovala: „Neznervózňujte mě a jděte raději hledat!"

V takových chvílích už otec obvykle přiznal skutečnou hodinu odjezdu, která se však už sotva dala stihnout.

„Je nejvyšší čas k odjezdu!" řekl otec.

„Dobře," řekla matka, „ale kde je jeden plášť bílý, dámský, koupací?"

Pak volal otec taxíka.

Když muž zazvonil a vešel, zeptal se, který kufr může snést do vozu.

„Prosím?" ptala se matka.

Muž se tedy zeptal znovu a matka mu místo odpovědi položila jinou otázku. Zeptala se ho, zda někde nevidí jednu sukni červenou, sportovní. Taxikář se dal ochotně do hledání, a když sukni našel, byl matkou pochválen. A když našel dokonce i hru „Člověče nezlob se" v krabici, kompletní, a jedny trenýrky chlapecké, považovala ho matka zcela za svého člověka. Nakonec když už bylo všechno sbaleno, musel někdo z nás otevřít některý kufr, protože matka vyběhla z koupelny a chtěla, abychom přibalili hřeben nebo kartáč. Někdy se ukázalo; že jsme si zabalili i pláště proti dešti, a museli jsme hledat v dlouhých seznamech, abychom zjistili, kde co je. Zvláštní bylo, že ať jsme hledali cokoli, vždycky se nakonec ukázalo, že věc je uložena až docela na dně kufru, zcela vespod, a museli jsme tedy nejprve vyndat na stůl všechny věci, které jsme nepotřebovali, abychom se k věci, kterou jsme omylem zabalili, dostali. A pak si šel taxikář ještě umýt ruce a ukázalo se, že se nemá do čeho utřít, protože ručník je už taky zabalený, ale už byl opravdu nejvyšší čas, a tak si taxikář na ruce foukal, když jsme běželi po schodech k vozu. Vždycky když jsme běželi po schodech, tvrdil otec, že by bylo nejlépe, kdybychom už nikdy nikam nejeli, protože on na to nervově jen doplácí. Pak jsme se hnali městem a lidé uskakovali, když viděli, že řidič troubí, a sotva jsme přijeli k nádraží, už jsme se hnali na nástupiště. Cestou jsme mívali vždycky už volnou. Obvykle nám pomáhal i výpravčí a muži v modrém, kteří vždycky matku hned poslechnou. Vlak se už buď rozjížděl, nebo se k tomu právě chystal, a tak jsme obvykle házeli kufry do vagónu oknem. Samozřejmě že všichni ti cestující, kteří přišli včas, nás sledovali ze svých oken a někteří z nich uzavírali sázky, kolik členů rodiny zůstane na peróně a kolik nás stačí naskákat dovnitř.

Matka se nakonec obvykle vyklonila z okna a ptala se: „Máme všecko?"

Jednou se jeden velký kufr otevřel a bratr Michael, házeje ho dovnitř, matce odpověděl: „Jeden kufr hnědý, otevřený, a jedna hromada prádla, pánská, letní ..."

Náhlá rozhodnutí

Otec nikdy mnoho řečí nenadělal. Vyjadřoval se poměrně stručně, anebo nehovořil s matkou vůbec. Takový stav nazývala matka „tichou domácností", což poměrně vystihovalo situaci. Otec býval ve svých rozhodnutích velmi důsledný, a tak se stávalo, že nepromluvil třeba týden. Někdy to šlo tak daleko, že odmítal i potravu. Matka se pochopitelně snažila jeho rozhodnutí změnit, ale většinou nemívala úspěch. Ale jednou v noci ho přistihla, jak se tajně plíží do kuchyně, kde pak tiše jí zbytky od večeře. Stál tam prý bos, jen v pyžamu, a chutnalo mu. Taková věc ženu vždycky potěší a myslím, že i matka měla tehdy radost, že otci chutná. Od té doby mu nechávala jídlo v kuchyni vždycky, když spolu nehovořili. Myslím, že při tom měla hezký pocit, jako by sypala ptáčkům. Otec pak v noci, když byl přesvědčen, že ho nikdo nevidí, šel ke krmítku, a ráno opět hrdě odmítl mávnutím ruky snídani.

Několikrát se rozhodl, že nás opustí. Matka byla v takových chvílích zcela klidná, což jsme nemohli my ostatní dost dobře pochopit. Mysleli jsme si, že prchá někam do hor, kde bude žít zcela sám, opuštěn, stranou lidí, ale matka byla vždy jiného názoru.

„Je v nejbližší kavárně," říkala vždycky a ukázalo se, že měla pravdu.

Někdy se rodiče domlouvali naším prostřednictvím. Seděli třeba oba v pokoji a najednou mi matka řekla: „Řekni svému otci, že je opět rozbité rádio!"

Vyřídil jsem otci vzkaz a převzal jsem od něho odpověď.

„Vyřiď matce, že mne to nijak nepřekvapuje!"

Matka sice samozřejmě slyšela, co otec řekl, ale počkala si na mou zprávu. Teprve pak mne požádala, abych se otce zeptal, co měl vlastně svou poznámkou na mysli.

Otec mi předal toto poselství: „Když někdo s rádiem neumí zacházet, musí ho rozbít!" Vyřídil jsem to pochopitelně matce, která mě málem nenechala domluvit a už zas telegrafovala zpátky, že zná otce rodin, dobré, milé otce, kteří vždy opraví rádio, aby tak zajistili svým ženám a dětem nerušený poslech. Otec poslal matce jakýsi seznam. Šlo o všechny rozbité předměty za poslední půl roku. Na závěr připojil své zničené nervy.

Někdy však bylo třeba vyřizovat vzkazy na delší vzdálenost. Běhali jsme z kuchyně přes halu do pokoje a zase zpátky, a když jednou došlo k tomu, že se bratr Michael příliš po cestě vyčerpal, vytvořili jsme s ostatními sourozenci jakousi štafetu a zprávy jsme si vzájemně předávali.

Prakticky to vypadalo asi takhle:

Bratr se objevil ve dveřích kuchyně a řekl mi: „Nedá se s ním žít!"

Kývl jsem na znamení, že jsem zprávu převzal, a předal jsem ji u dveří do pokoje sestře, která zas běžela k Janovi a ten předal zprávu adresátovi a převzal zároveň odpověď. Zejména jemu se hra moc líbila a velice se rozčílil, když jsme ho jednou omylem vynechali. Někdy šlo jen o poznámky nebo dokonce citoslovce a docházelo při tom i k nedorozuměním. Bratr ke mně přiběhl a vykřikl „Hamba!" načež se obrátil a zas běžel zpátky do kuchyně, zatímco já stál zcela zmaten v hale, nevěda, co si počít. Zavolal jsem tedy bratra, který se vrátil a řekl „Hamba! Fuj!", a tu se mi rozsvítilo a honem jsem řekl „Hamba! Fuj!" sestře, která řekla „Hamba! Fuj!" Janovi a ten to sdělil otci. Vzápětí se sestra vrátila a pravila: „Že se nestydíš ..."

Podivil jsem se, že bych se měl stydět, ale ukázalo se, že jde o zprávu, a tak jsem ji honem předal bratrovi, který se ovšem také divil, ale když jsem mu to vysvětlil, hned se vydal na cestu k matce, která narychlo sestavila odpověď do této úvahy: „Měla jsem zůstat svobodná, já hloupá!" Okamžitě jsem řekl sestře, co jsem převzal, a ta to dala dál Janovi, který spěchal k otci a řekl: „Měla jsem zůstat svobodná, já hloupá!"

Někdy šlo o stejné zprávy, které šly od jednoho ke druhému, a člověk si musel dát velký pozor, aby to nějak nepopletl.

Otec poslal třeba matce telegram: „Máš nevychované děti," a vzápětí přišla od matky odpověď: „Ty máš nevychované děti," takže Jan volal na Elišku, že to už tu bylo, a ta mu odpověděla: „Mlč a vyřizuj!"

Jindy to vypadalo jako mezi úředníky banky, kterým se porouchal telefon a kteří si předávali důležité zprávy jako kurýři. „Potřebuje sto korun," hlásil mi udýchaný Michael. Řekl jsem to sestře, která to poslala dál a za okamžik mi sdělovala: „Cha cha cha ..." Udiveně jsem sledoval její počínání, ale když udělala ještě jednou „Cha cha cha", zasmál jsem se stejným způsobem na Michaela a ten na matku.

Brzy jsme dosáhli takové dokonalosti v předávání zpráv, že jsme dokázali bez jediné chybičky vysílat i data a letopočty a později dokonce i podrobné účty s množstvím nejrůznějších údajů.

Vzpomínám si například pyšně na jednu zprávu, kterou jsme si předávali o velikonocích a která vyžadovala ode všech velké soustředění. Zněla takto: „Vajíčka šest korun, máslo osm, maso čtyřicet, ovoce dvanáct, prací prostředky čtyři koruny, olej sedm, boty dětské dvacet tři, telefon osmdesát, elektřina, plyn za kvartál čtyři sta, učební pomůcky čtyřicet a nemám ani halíř!" Myslím si, že by nám tenkrát leckterá telefonistka či sekretářka mohla závidět.

Také matka se občas rozhodla, že nás opustí. Nejdřív jsme z toho byli dost nervózní, ale když se to několikrát opakovalo, zvykli jsme si a vždy jsme jen přihlíželi, jak si balí věci. Brala obvykle tašku, do níž uložila několik rodinných fotografií, které ještě na zadní straně pečlivě popsala a označila, například: táta, Eliška, Jan, Michael, Ivan, Kateřina – léto 1966. Pak většinou znervózněla a vzala si s sebou nějaký účet za elektřinu nebo vosk na lyže, protože chtěla odejít co nejrychleji. Proto brala s sebou, co jí namátkou přišlo do ruky. Myslím si, že kdyby byla někdy chtěla odejít v klidu, musela by nejprve udělat podrobné seznamy věcí, které by nalepila do kufrů, aby si věci třeba s někým, kdo také odešel od rodiny, nepopletla. Pak řekla „Sbohem!", a když se někdo z nás zeptal, kam jde, odpověděla, že ještě neví, že nemá ponětí, ale že půjde někam daleko od nás a bude žít sama kdesi v ústraní a v klidu. Myslím, že byli i takoví mezi námi, kteří jí trochu záviděli a kteří by docela ochotně šli s ní, ale každý nedá najevo, co si zrovna myslí. Pak se matka naposledy podívala po bytě a odešla. Vracela se většinou tak za půl až tři čtvrtě hodiny, takže nebyla zřejmě daleko, ale nikdo z nás nebyl nikdy natolik netaktní, aby se jí ptal, kde byla.

Také my ostatní jsme občas „odcházeli" a bratr Jan si obvykle nebral žádné kufry, ba dokonce se ani příliš nestrojil. Jednou vyběhl z domu opět jen ve spodním prádle, a když se vrátil, vyprávěl nám, že potkal v křoví, kde se skryl, pana doktora Kubičku, což byl psychiatr, který bydlel o dvě patra výš. Ptali jsme se tenkrát, co dělal pan doktor v těch místech. Bratr řekl, že pan doktor byl taky jen v trenýrkách a že dělal, že cvičí, ale že ho spíš vyhodila žena z domu.

I já jsem kdysi byl na odchodu. Měl jsem dokonce sbalený kufr s prádlem a opatřil jsem si na cestu kompas, ale pak jsem nemohl najít klíček od kufru, a to mne natolik otrávilo, že jsem zůstal doma.

Myslím si, že už v životě nenajdu podobný dům, z kterého by se nedalo odejít.

PROSÍM TĚ, NEBLÁZNI!

Nadě a Johaně

Osoby a události, líčené v této knize, nejsou zcela smyšlené, a připomínají-li někomu osoby a události, které zná, nebo znal, ať se laskavě nediví.

Autor se totiž nikterak nepoučil tím, co zažil se svými rodiči, a založil vlastní rodinu. To, že autora ani jeden z rodičů před tímto neuváženým činem nevaroval, vedlo posléze k napsání této knížky.

Žena a nábytek

Mám stěhovavou ženu. Tím nechci říci, že by se snad chovala jako stěhovaví ptáci a odlétala na zimu někam na jih, odkud by se vracela až na jaře. Žena nestěhuje sebe, nýbrž nábytek.

Ale představa, že by opouštěla náš byt na nějaký čas, není zdaleka nepříjemná, protože pak by nemohla stěhovat nábytek tak často.

Možná, že by se této činnosti věnovala tam, kam by odlétala, ale to by mi nevadilo, protože bych zůstal doma s nábytkem tak, jak zůstal po posledním stěhování.

Má žena tvrdí, že stěhuje nábytek jen tehdy, když jeho poloha už není vhodná a když je zapotřebí, aby byl znovu přestěhován. Myslím si, že se mýlí. Soudě podle toho, jak často nábytek stěhuje, nebyl tento nikdy výhodně umístěn, protože pak by musel nějaký čas na místě zůstat.

Jednou jsem ženě při stěhování pomáhal.

Samozřejmě že jsem se už tenkrát bránil a řekl jsem ženě, že na poloze nábytku nevidím nic špatného. Naopak, byl jsem rád, že věci jsou tam, kde jsou. Abych svůj pocit vyjádřil názorně, použil jsem příkladu se skříní. Shledal jsem místo, na němž stála, jedinečným. Vyjádřil jsem přesvědčení, že je to vůbec nejlepší místo pro skříň, jaké si můžeme přát, ba dokonce že na takové místo můžeme být klidně hrdí.

„O skříň nejde," řekla žena a začala vyjmenovávat kusy nábytku, o které jí šlo.

Hájil jsem květinový stolek.

Bránil jsem klavír.

A bojoval jsem o gauč, vloživ do obhajoby skutečné city, neboť šlo o starý gauč, který už nebyl ve věku, kdy je jím možno cloumat. Žena se mnou nesouhlasila. Tvrdila, že gaučem nebudeme cloumat, nýbrž jen pohybovat. Zapomněla, že gaučem nebylo možno pohnout, aniž se jím zacloumalo. Znal jsem tento kus nábytku dobře a věděl jsem, jak se dovede vzpírat a bránit jakémukoli pohybu. Byl jsem u toho, když dva silní muži zkoušeli gauč dostat do pokoje se vší zručností a triky profesionálů.

Viděl jsem tehdy na vlastní oči, jak oba muži s gaučem zamířili do pokoje, aby se polséze octli v hale přimáčknutí ke zdi, odkud jsme je dostávali jen s námahou. Připomněl jsem tuto událost ženě, ale ta si odmítla vzít z celé věci ponaučení.

„S gaučem se to musí umět!" řekla a pravila, že to chce jen pár hmatů a budeme ho mít tam, kde chceme. Řekl jsem, že pokud jde o mne, je gauč už dávno tam, kde ho chci mít.

Pravila, ať se laskavě nestarám a nechám věci v jejích rukou. Naznačil jsem, že bych docela rád nechal v jejích rukou i nábytek.

Sdělila mi, že nebude potřebovat nic jiného než hrubou sílu, ostatní že už dávno naplánovala.

Odevzdal jsem se tedy osudu.

Pak jsme stěhovali jeden pokoj do druhého, kdežto nábytek z druhého pokoje jsme nosili do předsíně. Zpočátku to docela šlo, ale pak si to pokoj náhle rozmyslel a odmítl přijmout knihovnu. Vypadalo to, že severní pokoj nesouhlasí s obsahem knihovny, možná, že neměl rád detektivky jako pokoj jižní. Řekl jsem to ženě, která pravila, že poznámka je nevhodná. Potom mi položila knihovnu tiše na nohu.

Nemám knihovnu na noze rád. Mám rád literaturu jako takovou, ale na noze mi vadí. V takovém případě nedělám dokonce rozdílu mezi lehkou a těžkou četbou. Nesnesu na noze ani poezii, ani prózu. Vydržím stát hodinu před knihovnou, ale ani minutu pod ní.

Proto jsem vykřikl a žena se ptala, proč křičím. Jsou okamžiky, kdy prostě nedovedu dát slušnou a rozumnou odpověď. Tohle byl jeden z nich. Hovořil jsem nespisovně a hlasitě.

Žena pochopila a knihovnu nadzvihla.

První, co jsem ženě řekl, když jsem se trochu vzpamatoval, bylo, že jsem vše tušil.

Nevěděla prý, že jsem si nedal pozor. Řekl jsem, že jsem také mnohé nevěděl, když jsem si ji bral, a že kdybych to byl věděl, nevzal bych si ji. Pravila, že mne chápe, protože jí se vede stejně.

Řekl jsem, že je to naposledy, co stěhuju nábytek, a ona pravila, že je stejného názoru.

Pak jsme zkusili knihovnou pohnout. Kousek to šlo, ale u dveří jsme uvízli. Jedinou výhodou v tu chvíli bylo, že jsme na sebe přes knihovnu neviděli. Je až neuvěřitelné, jak dva lidé, mezi nimiž je náhle nehybná knihovna, mohou ztratit nervy. Cloumali jsme nábytkem, jak to šlo, ale krom toho, že vypadla jakási knížka o emancipaci, se nic nestalo. Potom vypadla na zem bible. Považoval jsem to za znamení. Řekl jsem to ženě a sdělil jsem jí, že si od života už nic nepřeju a že zůstanu v pokoji sám, s biblí, až do chvíle, kdy se můj čas naplní. Popřál jsem jí hezký zbytek života a poprosil ji, aby pozdravovala dceru a rodinu. Zároveň jsem ji požádal, aby se příliš nešířila o tom, jak jsem skončil, protože jsem svou situaci nepovažoval za důstojnou.

Žena neodpovídala. Místo toho jsem zaslechl bušení kladiva. Na okamžik mi svitla naděje. Připadal jsem si jako horník, který je zavalen v šachtě a náhle slyší své zachránce.

„Co děláš?" zeptal jsem se jí, když zvuk kladiva utichl.

„Mažu ji máslem!" řekla žena a já věděl, že se situace stala vážnou. Honem jsem si vzpomínal, co vím o nervových chorobách, a měl jsem strach, aby se žena nepokusila knihovnu rozkrojit, aby do ní mohla vložit kolečko salámu.

Mé obavy se však rozplynuly, když se nám konečně podařilo, dík máslu – knihovnou pohnout a uvolnit ji.

Avšak nikdo z nás nemohl tušit, že kousek másla, jímž žena dole knihovnu namazala, upadne na zem a že to budu zrovna já, kdo na máslo vstoupí. To, co následovalo, se událo velice rychle.

Člověk, který vkročí na kus másla, nemá moc času na rozmyšlenou. Neměl jsem čas sdělit jí, co mi máslo provedlo. Ale pochopila to v příští vteřině, kdy jsme se díky tomu hnali pokojem. Nikdy bych nevěřil, jaké rychlosti může dosíci knihovna, uvedená do pohybu takovýmto způsobem. Myslím si, že by tomu nevěřil ani jeden z těch autorů, jejichž knihy učinily nábytek tak těžkým. A také na máslo pohlížím od té doby s úctou a respektem. A kdykoli si mažu chléb, dávám si pozor, aby nic nespadlo na zem. Až do této chvíle jsem byl přesvědčen, že nejrychlejším dopravním prostředkem je zavináč. Viděl jsem kdysi jednoho číšníka jet na zavináči v jedné kavárně a myslel jsem si, že se rybě nic nevyrovná. Teď jsem věděl své ...

Při všech potížích musím říci, že snesu ženino stěhování nábytku snáze doma než u cizích lidí.

Nejhorší je to v hotelech. Nejsem prostě natolik otrlý, aby mi nebylo líto hotelového personálu. A nemohu zůstat klidným, když vidím, co má žena tropí pokojským. Poznal jsem již mnoho takových, které daly výpověď po týdnu našeho pobytu. Několik těch, které nepoznaly pokoj, který léta uklízely a který každé ráno vypadal zase jinak, tak, jak ho žena přestavěla téhož dne večer, jsem uklidňoval. Žena totiž tvrdí, že hotelové pokoje jsou zařízeny neprakticky a nerozumně. Proto přestaví nábytek hned, jak se do hotelu nastěhuje. Pak přijde pokojská, zděsí se a uvede pokoj do stavu, v jakém byl před tím. Žena pokoj opět změní a tak to jde stále dokola. Zažil jsem i pokojskou, která si myslela, že v hotelu straší a už do něho nevstoupila.

Snad proto jsou vrátní v hotelech, kde bydlíme, tak zaražení a proto je vždycky už předem zvu na skleničku.

Jednou jsme bydleli několik měsíců v jednom malém pařížském hotýlku. Tenkrát tam uklízelo mladé, milé děvče z venkova. Od rána do večera si při práci zpívalo. Ale po několika týdnech našeho pobytu zmlklo. Potom začalo ztrácet prachovky a pouštět na zem kbelík.

Nevím, zda dívka slouží dodnes v onom hotelu, ale jedno vím jistě: od té doby, co poznala mou ženu, si už nikdy v životě nebude při práci zpívat.

Mám dojem, že žena má stěhování v rodině. Poznal jsem všechny její tety, bratrance i jiné příbuzné, a pokaždé, když jsem se s nimi setkal, zrovna něco stěhovali. Někdy celý byt, jindy jen kus nábytku nebo nějakou drobnost, alespoň kamna. Proto se také scházeli, aby si navzájem poradili a pomohli, půjčili auto nebo silného synovce.

Kdykoli k nám přijeli na návštěvu, nikdy nepřijeli s prázdnou. Pokaždé vezli nějaké tetě stolek od jiné tety nebo ledničku, a když se vraceli, brali s sebou hodiny nebo umyvadlo, které už někdo netrpělivě očekával. Když viděli, že mne nezajímá, která teta opatří pračku a zajistí její dopravu a kdo pomůže tetě Růže s dopravou velkého žebříku do Prahy, nechali mne být, protože bych jen kladl zbytečné otázky.

Zejména tety, rozseté po mnoha městech, dovedly nábytek pěkně roztočit. Mnozí synové těchto tet vlastnili auta a dcery si obvykle braly za muže jen lidi, kteří měli alespoň dodávkový vůz.

I já sám jsem si po čase začal klást otázku, zda by nebylo lepší přestěhovat nenápadně někam ženu. Ale brzy jsem zjistil, že tety mají přehled a že by ji zcela určitě zase našly. Daly by pak hned rozkaz bratrancům, aby byla dopravena tam, kam podle dodávkového i oddacího listu patří.

Nebezpečné okamžiky

Poprvé se to stalo na svatbě.

Jedli jsme zrovna nějaký oříškový dort, když se žena náhle odmlčela. Nikdo ze svatebních hostů tomu nevěnoval pozornost až do chvíle, kdy žena náhle zbledla a začala prudce mávat rukama.

Jeden strýc si ženina počínání všiml a sdělil nám, že nevěsta divně chrčí.

Musím říci, že to bylo poprvé, kdy jsem slyšel nějakou nevěstu chrčet.

Protože jsme si všichni mysleli, že žena dělá jakousi legraci, pozorovali jsme ji se zájmem. Potom však jeden bratranec dospěl k závěru, že se žena patrně dusí, a začal ji tlouci do zad, čímž ji zachránil.

Tak se stalo, že jsem se oženil.

Od té doby už ženě zaskočilo nesčíslněkrát. Někdy mám dojem, že by bylo dokonce snadnější spočítat ty dny, kdy ženě nezaskočilo.

Ještě nikdy jsem neviděl nikoho, kdo by měl s polykáním takové potíže jako ona.

Nejčastěji se dusí večer v posteli, tak kolem půl jedenácté, když si čte nějakou knihu a jí jablka. Jíme jablka obvykle současně, protože jsme dospěli k názoru, že jiné řešení není možné. Ani já, ani žena nesneseme ten příšerný zvuk chroupání, který člověk vydává, když jablko jí. Jíme-li jablka najednou, přehlušíme vlastním chroupáním zvuky toho druhého a ani jeden z nás nemá dojem, že mu u hlavy leží nějaký veliký králík.

Kdysi jsem se velice děsil, když se žena náhle začala zmítat a odhazovala prudce romány, jako by nenáviděla autora.

Po letech jsem si však zvykl. Když člověk žije s ženou, která se dusí tak často jako má, získá časem zkušenosti a neunáhlí se.

Dnes už vím zcela jistě, kdy je třeba zakročit a kdy jde jen o jakýsi planý poplach.

Pokud žena pouze kucká, nemusí to ještě nic znamenat a mohu si klidně číst dále a jíst vlastní jablko.

Teprve když se rozkašle, dávám pozor, co bude následovat.

Jestliže se však náhle posadí na posteli a začne sípat, vím, co mám dělat. To ji pak buším prudce do zad, aby se sousto v krku uvolnilo a žena zůstala na živu.

Někdy bije ženu dcera, která se tomu už naučila ode mne.

Ač malé postavy, dosáhla již takového cviku, že dokáže z matky vyrazit jakoukoli potravu.

Když je žena sama a zaskočí jí, skočí si jednoduše k sousedům, kteří rádi vypomohou.

Horší je to mimo dům.

Jednou zaskočil ženě kousek tvrdého bonbonu v biografu a ona začala pískat. Promítač, který měl patrně dojem, že nějaký divák není spokojen s obrazem, se vrhl ke svému přístroji a obraz na plátně dokonale rozostřil. To popudilo ostatní diváky do té míry, že začali také pískat. Je samozřejmé, že v tu chvíli hvízdání mé ženy zaniklo.

Chtěl jsem ženě pomoci a uhodit ji do zad, ale nebylo to snadné, protože mi vadilo opěradlo sedadla. Přinutil jsem tedy ženu, aby se postavila, což se pochopitelně nelíbilo paní, sedící za ženou.

Pak jsem se pořádně rozmáchl, aby měl můj zákrok úspěch.

Bohužel jsem přitom uhodil do obličeje nějakého pána, sedícího v řadě za mnou. Jak se později ukázalo, měl ten člověk zrovna v tu chvíli v ruce kousek hořké čokolády, kterou jsem mu takto nacpal do úst.

Musel to být člověk, který chtěl jíst čokoládu zvolna, protože se ho můj čin velice dotkl.

Nabízel jsem pak tomu pánovi, že mu koupím jinou čokoládu, kterou si bude moci šetřit až do konce filmu, ale nechtěl o tom ani slyšet. Krom toho se také začal čokoládou dusit a jeho žena ho musela tlouci do zad.

Byli jsme tenkrát docela rádi, když jsme byli z kina venku.

Jednou, když se žena dusila na dovolené jadérkem melounu a když jsme do ní bušili s nějakým turistou, který tvrdil, že takového okamžiku je třeba využít, řekl jsem ženě, že by měla jíst rozvážněji.

Také v divadle se už dusila.

Dvakrát na opeře – pokaždé to byl Wagner a jednou na Labutím jezeře.

Dvakrát ji zachránila uvaděčka, protože žena seděla na kraji řady, a jednou nějaký posluchač konzervatoře s absolutním sluchem, který bezpečně rozeznal ženino pískání od zpěvu sólistky.

Do restaurace chodíme raději zřídka. Taková věc vzbudí vždycky hodně pozornosti, protože ostatní hosté jsou zvědaví a chtějí vědět od číšníků, proč ta paní lapá po dechu a poulí oči.

Někteří si myslí, že trpí epileptickými záchvaty, a posílají mi adresu svého lékaře, sanatoria nebo skleničku vína.

Proto dáváme přednost tomu, dusí-li se žena doma, v rodinném kruhu.

Nedávno se však stalo cosi podivného.

Žena za mnou přiběhla do pokoje, otočila se zády a zůstala tak stát. Prohlížel jsem si ji zezadu, a když si ukázala na záda, myslel jsem si, že chce, abych jí očistil svetr, a dal jsem se do jeho prohlídky. Našel jsem pouze dvě smítka a ukázal jsem je ženě. Ta však o smítka nejevila zájem. Začala divoce dupat po koberci. Věděl jsem, že mi tak chce dát něco najevo, ale netušil jsem co. Vypadalo to jako nějaký španělský tanec.

Pak mne napadlo, že bude lépe, podívám-li se na ženu také zepředu. To, že nemluvila, mne nepřekvapovalo. Mívá totiž tak často v ústech hřebík, nebo napínáček, že je lépe, když v takových chvílích mlčí.

Tentokrát tomu tak nebylo.

Když jsem se na ženu podíval zepředu, zjistil jsem, že je zelené barvy.

Krom toho vydávala podivný zvuk, jako by ucházela.

Pochopil jsem, oč jde, a začal jsem do ní bušit.

Když jsem z ní takto dostal kousek chleba s máslem, odměnila se mi řadou výčitek.

Hájil jsem se a namítal jsem, že nemohu vědět, že ji opět zaskočilo, když se chová tak, jako by chtěla, abych jí očistil svetr.

Pravila, že jsem tupec.

To se mne dotklo a řekl jsem ženě, že by mi měla být velice vděčná, protože jsem jí už mnohokrát zachránil život.

Pak jsem jí připomněl, kolikrát jsem ji už dostal ze spárů bonbonu, oříšku, koláče, jablka a jiných nebezpečí.

Zatímco jsem takto hovořil, opustila žena pokoj.

Pokračoval jsem však, abych vyřkl to, co jsem považoval za nutné.

Po chvíli mi bylo divné, že žena nic nenamítá.

Šel jsem tedy za ní do kuchyně, abych zjistil, že nic namítat nemůže.

Dusila se totiž právě slanou mandličkou.

Na schovávanou

Jednoho dne se náhle žena ukryla v kuchyni pod stolem.

Řekl jsem jí, že pod stolem může klidně zůstat, že bych však byl rád, kdyby k večeru vylezla, protože budeme mít návštěvu.

Ukázalo se však, že žena nebyla pod stolem jen tak, nýbrž z výchovných důvodů.

Byla totiž přesvědčena, že přišel čas, kdy je třeba s dítětem začít hrát hru na schovávanou.

Dítě chodilo po bytě a hledalo matku. Protože to bylo poprvé, kdy děvčátko hrálo tuto hru, byl to pro ně poněkud obtížný úkol. Když začalo nahlížet do krabice s panenkami, ozvala se žena pod stolem a zamňoukala.

Holčička se vydala směrem, odkud mňoukání bylo slyšet, a maminku k velké radosti obou našla. Pak obě zatančily jakýsi radostný taneček díkůvzdání a vyměnily si úlohy.

Holčička se měla schovat a maminka ji šla hledat.

Bohužel se dítě schovalo tak nedokonale, že čouhalo spod skříně, a matka je hned našla.

Holčička se rozplakala a ženě trvalo dlouho, než se jí podařilo dítě utišit. Pak žena holčičce vysvětlila, jak se musí schovat, aby nebylo snadné ji najít, a zkusily to hned znovu.

Tentokrát si holčička lehla na gauč a přikryla si obličej polštářem. Myslel jsem si, že se celá scéna bude opakovat, jakmile žena dítě najde, ale mýlil jsem se. Žena dceru totiž nenašla.

Chodila kolem ní, nahlížela pod stůl, hledala za skříní, ale přiblížit se ke gauči, kde dítě leželo, si netroufla.

Holčička si počkala, pak odhodila polštář a vykřikla radostně – BAF!

Během doby získala tato podivná hra řadu variant.

Dítě sedělo klidně na židličce, zakrývalo si nos, nebo obočí a matka je musela hledat. Pokaždé si dala pěkně na čas, chodila naprosto zbytečně po bytě, nahlížela do koupelny i na chodbu, a když se dostatečně vzdálila, vyskočilo dítě a vykřiklo své baf.

Jindy se holčička skryla tak, že stála za záclonou a bylo jí vidět nohy, nebo se prostě ukryla za kávový hrníček.

Hra se dítěti pochopitelně velice líbila, protože matka je nikdy nemohla najít a zdůrazňovala to tím, že to říkala nahlas, vytvářejíc tím jakýsi podivný monolog.

„Kdepak jen ta holčička může být? To bych ráda věděla!

V pokoji není, v druhém také ne, za skříní zrovna tak …

Kdybych já jen věděla, kde je, to bych ji pak hned našla!

Že by byla pod stolem? Taky ne. To už opravdu nevím, kam se mi mohla schovat. To je ale šikovná holčička! Takhle se schovat…!“

Baf vykřikla holčička, schovaná za tabulkou čokolády, a sedící celou dobu uprostřed místnosti.

Potíže nastaly až tehdy, kdy se do hry vmísila tchyně, která neměla ani ponětí o pravidlech hry.

„Kdepak je ta holčička?“ ptala se nahlas žena, chodíc kolem dítěte, sedícího na židli a majícího na hlavě pytlík.

Tchyně, která neměla tušení, oč jde, otevřela udiveně ústa, protože si myslela, že žena patrně dobře nevidí.

Žena na tchyni sice výrazně mrkala, dávajíc jí tak znamení, ale tchyni napadlo, že ženě padlo asi něco do oka, když tak mrká, a ukázala na dítě a řekla: „No tadyhle je přece!“

Děvčátko dostalo hysterický záchvat, že je babička takhle zradila, a tchyně, která pořád ještě nechápala, oč jde, hleděla jen udiveně na tu scénu.

Žena vzala honem svou matku stranou a tam jí vysvětlila, jak hrát s dítětem hru na schovávanou.

Od té doby začala hrát tchyně s dítětem stejnou hru. Zpráva o tom, že naše dítě nesmí být nalezeno, i když je vidět, byla dána i tetě Toničce a dalším příbuzným.

Nastaly těžké časy.

Holčička si časem zvykla na to, že ji nikdo nemůže najít, a po čase přišla na to, že ji nikdo dokonce najít nesmí až do té doby, než se sama ozve. Proto se ozývala, až když chtěla, většinou až za hodně dlouhou dobu.

Někdy si dítě dalo opravdu na čas se svým baf, a ten, kdo je právě hledal, byl už zoufalý, protože někam spěchal, a tak mu nakonec nezbylo, než začít monolog o tom, „že už se snad holčička najde, protože teta musí do práce a nerada by zmeškala jako posledně, když holčička byla tak pěkně k nenajití, jak byla za krabičkou zápalek."

Když to nepomohlo, začal postižený vyjednávat, ba trošku žebrat.

„Babička musí už teď odejít, už nemá čas. Holčička to ví a určitě se už ozve, aby ji babička mohla najít a jít pryč, že?

Když se holčička ozve, tak bude hodná a babička ji něco za to přinese."

Byly i situace, kdy se dítěti jednoduše zalíbilo sedět v pokoji na židličce, držet před obličejem kapesníček a pozorovat, co to s hledající babičkou udělá.

„...Teď už holčička určitě udělá baf, protože už jsou tři hodiny, kristepane, a já tady nemůžu věčně běhat!"

Někdy si ženy pátrání musely předat.

V takových chvílích volala babička hlasitě na ženu, aby šla holčičku hledat, protože ta se zase schovala a babička musí už vypadnout z domu, protože jinak bude mít potíže v práci. A když nová služba převzala úkol najít skvěle schovanou holčičku, sedící za malým květináčkem, začala obvykle hlasitě vychvalovat to, jak se děvčátko schovalo, když je babička nemohla tak dlouho najít, zatímco babička se honem oblékala a tvrdila, že je to pravda, že se holčička schovává čím dál tím líp a že by to byl nikdo nikdy do ní řekl. Při tom museli hledající dávat pozor na to, aby při „hledání" o dítě nezakopli.

Když však už babička přišla několikrát kvůli hře pozdě do práce, a když kdosi předal neuváženě službu instalatérovi, který také nesměl holčičku najít a žádal vysoké spropitné, řekl jsem ženě, že je načase přestat hru hrát.

Žena pravila, že zásadou dobré výchovy je nebrat děcku radost ze hry, kterou musíme hrát tak, aby toho na dítě nebylo příliš.

Odvětil jsem, že pokud je toho na někoho příliš, pak jsem to jistě já, a vysvětlil jsem ženě znovu pravidla hry na schovávanou. Zároveň jsem jí sdělil, že já i všichni mí sourozenci přežili ve zdraví, bez jakýchkoli následků normální hru na schovávanou a že se nikomu z nás nestalo, že by byl nalezen až při jarním úklidu.

Tím jsem se dopustil chyby, neboť žádný člověk nemá dávat za vzor svou vlastní rodinu, pokud je ženatý.

Žena řekla, že si dovede představit situaci mé nebohé matky, a pravila, že být na jejím místě, vůbec by dítě, jako jsem byl já, nehledala.

Řekl jsem jí, že je dokonce možné, že nás rodiče někdy nehledali, ale že u nás nikdo nehledal dítě, které se nedovede schovat.

A řekl jsem také, že si myslím, že by vůbec něškodilo s dítětem hru na schovávanou nehrát až do té doby, než se opravdu schová.

V tu chvíli mi žena začala citovat několik výchovných příruček, zejména kapitoly o dětech, které v mládí rodiče nehledali.

„Děti, které v mládí rodiče nehledali, trpí …,“ řekla žena a chtěla mi toho říci ještě více, když však do pokoje vběhla tchyně a oznámila nám, že se dítě ztratilo, ale tentokrát doopravdy, tak, že je nemůže najít.

Běhali jsme po bytě, zatímco mi žena vysvětlovala, že je docela ráda, když se dítě schová tak, že je má na očích, a že je to rozhodně lepší, než když se ztratí jako teď.

Nakonec se holčička objevila v doprovodu tety Toničky.

Jak se ukázalo, hrály si opět na schovávanou.

„Nemůžu tu naši holčičku najít, ať dělám co dělám,“ sdělovala nám teta zoufale, držíc děvče za ruku a mrkajíc na nás na všechny.

To holčička zase jednou odolala všem prosbám a nabídkám a odmítla včas udělat baf.

O několik dní později jsem se smluvil s matkou své ženy, které už v práci dík hře hrozili výpovědí, a holčičku jsme společně několikrát za sebou zcela bezohledně našli.

Bylo z toho trochu pláče a křiku, ale pak se náhle dítě začalo schovávat tak dokonale, jak to jen děti v tom věku umějí.

Když to zjistila má žena, nesmírně se radovala, že se holčička už sama schovává, a všem nám to sdělovala.

Tvrdila, že to chtělo jen trošku trpělivosti, než dítě na věc samo přijde.

„Člověk musí s dítětem jednat rozumně," řekla mi.

Neodporoval jsem jí, neboť jsem si to právě sám ověřil.

Modrý pokoj

Mám rád modrou barvu. Proto jsem jí věnoval celý pokoj. Strop, zdi, tapety, závěsy, nábytek – vše v tomto pokoji je modré.

Má žena byla pro, když jsem jí řekl, že mne modrá uklidňuje, protože se těšila, že se v modrém pokoji stanu snesitelnějším.

Jsou ovšem lidé, na které náš modrý pokoj takto nepůsobí. Někteří z nich prostě nenašli k našemu modrému pokoji vztah. Pohybovali se po bytě zcela normálně, až do okamžiku, kdy stanuli na prahu mé místnosti. Tam se zarazili a zůstali stát. Přestali hovořit a jen zírali před sebe a pak, jako by nevěřili svým očím, hlesli: „Modrý pokoj??"

Náš daňový poradce, pan Hageman, vešel do pokoje, zarazil se a řekl: „Blau? Alles blau? Das gibt's doch nicht!"

Potom opatrně chodil po místnosti a pořizoval si jakýsi soukromý seznam.

„Knihovna – modrá ... záclony ... psací stůl – modrý ... lampa ..." Dostal jsem strach, že některé předměty nebudu moci odečíst od daní, přestože se jedná o pracovní místnost, jen kvůli barvě. Že modrá barva třeba není přípustná. Naštěstí tomu tak nebylo. Pan Hageman však byl tak rozrušen, že nemohl najít svůj šanon – shodou okolností také modrý – a vůbec se nemohl soustředit. Toho roku jsem zaplatil vyšší daň než obvykle.

Když pan Hageman přijel o rok později, přivedl s sebou i svou ženu. O daně se nestaral. Vodil svou ženu po našem pokoji jako nějaký průvodce a říkal: „Vidíš! Všechno modré!"

Tentokrát vyjmenovávala předměty modré barvy jeho žena.

Muž, který přišel opravit televizi, odložil nářadí a chodil po pokoji, jako by něco vyměřoval. Měl modrý pracovní plášť, což považoval za normální, ale barva našeho pokoje ho šokovala. Když si prohlédl všechny exponáty, usedl do modrého křesla a zeptal se, zda nám to nebude vadit. Řekl jsem, že ne, pokoj je modré barvy, protože ji máme rádi, ale to ho příliš neuspokojilo, protože se ještě zeptal, zda si nemyslíme, že je to příliš modré. Barva pokoje toho člověka zřejmě zneklidnila, protože se zjevně nemohl soustředit na opravu přístroje.

Zástupce firmy, která nabízí naučné slovníky a antologie o umění, mne už v předsíni ujistil, že má rád lidi svobodného povolání a umělce.

Když jsem ho uvedl do pokoje, řekl jen „Ach ..."

Pak se posadil na modrý gauč a uvažoval, kdy u kterého klienta viděl co modrého. Poté vzpomínal na barvy ostatní. Měl velmi dobrou paměť, dostal se až k šedé a nevynechal ani jednoho malíře, který měl růžové křeslo. Modrá barva ho naštěstí přivedla na jiné myšlenky, takže mi už ani nenabízel třináctidílný slovník na splátky.

„Každý člověk má jiný vkus. Někdo má rád klasickou hudbu, někdo jazz ... Někdo má rád bílé zdi, někdo žluté ...," vysvětloval mi. Ale o mé barvě – o modré se nezmínil. Díval se na modrou knihovnu a měl zřejmě pocit, že by se do ní jeho slovník nehodil. Nakonec se zeptal, odkud jsem.

Řekl jsem, že jsem přišel z Prahy. Zeptal se, zda je v Čechách hodně lidí, kteří mají pokoj jako my.

Řekl jsem, že ano a že nám modrá připomíná vlastně domov, protože tam jiná barva není k dostání.

To ho zjevně uklidnilo. Vysvětlil mi, že má tetu ve východním Německu, kde je vše hnědé nebo šedé, a přátelsky, se soucitem mi poklepal na rameno.

Náš modrý pokoj prostě řadě lidí nedal pokoje.

Na domácího dokonce silně zapůsobil citově. Přiznal se mi, že už od mládí touží mít pokoj žlutý, ale že to nemůže udělat, protože to by bylo příliš. Něco takového není v Německu zvykem a on už nechce trápit svou starou matku. Při tom vypil v modrém pokoji půl láhve koňaku a sdělil mi, že přišel záhy o otce a že si myslí, že by mohl mít žlutou místnost, kdyby nežil tolik let jen s matkou. Když odcházel do svého bytu v přízemí, jenž je bílý a připomíná nemocnici, měl slzy v očích.

Nemohu říci, že bychom kvůli pokoji zůstali opuštěni. Naši přátelé s pokojem laděným do zelena a známí s hnědou ložnicí nás nikdy nepřestali navštěvovat. Německé návštěvy vodíme raději do kuchyně nebo do druhého pokoje, s výjimkou nového daňového poradce, pana Bauma, jehož klientem jsem se stal hned poté, co jsem se dozvěděl, že je barvoslepý.

Ale objevil se nový problém.

Jednoho dne nám sousedka přinesla starý modrý noční stolek. Že prý si na nás hned vzpomněla – když máme ten modrý pokoj.

Švec na mne čekal na ulici, před obchodem. S modrým kopytem. Prý je našel ve sklepě.

Pojišťovací agent mi přinesl několik modrých šanonů.

Dostali jsme také modrý hrnec, starou modrou konev, rozbitou lampu, džbán, starou uniformu, děravou vestu, několik židlí, holinky, zástěru, věšák a zrcadlo. Vše modré. Dokonce i zbytek modré barvy v plechovce. Časem si lidé zvykli snášet tyto předměty před dveře našeho domu. Zatímco věci jiných barev házeli rovnou do popelnice, modré dávali stranou, abychom o ně nepřišli.

Také jsme dostali spoustu darů od příbuzných i lidí, které neznáme, kteří se však dozvěděli, co máme za pokoj. Několik těžkých modrých skleněných popelníků, keramiku, ošklivé modré reliéfy měst, nejnevkusnější modrá těžítka, modré lampičky, grafiky a obrázky s abstraktními modrými kaňkami a fleky od neznámých výtvarníků podepsaných modrými iniciálami.

Tak je tomu dodnes.

Kdykoli si na nás někdo opět vzpomene a daruje nám něco modrého, uklidňujeme se vždy zjištěním, že jsme zdrávi a že třeba nemáme skvrnitý tyfus.

Takovou barevnou kombinaci bychom totiž nesnesli.

Klíče

Má ráda drobné předměty. Krabice jí nic neříká, ale krabička ji zaujme. Dovede jít obchodem kolem spousty různých židlí až do okamžiku, než objeví tu pravou. U té se zastaví, změří ji velice malým metrem, který neustále nosí s sebou, sedne si na ni a usmívá se.

V tu chvíli se má žena raduje, neboť sedí na židličce.

Kdykoli se mi ztratí v obchodním domě, vím, kde ji mám hledat.

Sedí na židličce a píše si do velmi malého zápisníčku takřka nepatrnou tužtičkou, drobným písmem, jak je židlička veliká.

Sedí a uvažuje, zda by se židlička hodila do našeho bytečku, neboť ví jako jediná o několika volných prostůrcích.

Pak se zvedne, dotkne se židličky ještě jednou na rozloučenou a jde se podívat po nějakém malém hrníčku nebo lampičce.

Malé předměty mou ženu fascinují.

Jedinou výjimkou jsou klíče.

Nikdy v životě jsem neviděl nikoho, komu by klíče způsobovaly tolik nepříjemností jako mé ženě. Žena je neustále ztrácí.

Někdy mám dojem, že jsou to i klíče, které si začaly a kdysi mou ženu ztratily, ale buď jak buď mohu říci, že vztah těch dvou se v ničem nepodobá tomu, co žena cítí k ostatním drobným předmětům a tyto zřejmě k ní.

Kdykoli má žena klíče ztratí, vezme si jiné, které pro ten účel má a jimž s trochou nadsázky říká – rezervní. Poté co ztratí nebo někde zapomene i tyto, půjčí si dceřiny, neboť dítě se matce neubrání. A pak, když postrádá i ty, přijde a žádá mne, abych jí půjčil svoje.

Protože ženu už dobře znám, bojuju o ně, a žena tvrdí, že jsem sobec. Jednou mi řekla, že jí je půjčit musím, jinak že se už nevrátí. Řekl jsem, že přehání, protože se stejně nebude moci vrátit, pokud jí neotevřu, protože stejně klíče zase ztratí.

Z tohoto důvodu někdy své vlastní klíče schovávám, aby je žena nenašla.

Potíž spočívá v tom, že často zapomenu, kam jsem si je schoval.

Některé máme proto dvakrát, nebo dokonce i třikrát, ale ani to často ženě nestačí. Dokáže roztočit troje, nebo čtvery klíče za týden.

Občas nechá žena udělat zvláštní sérii klíčů, které rozdá známým a přátelům, prostě si je k nim uloží pro nejhorší případ.

Kdykoli však dojde k nejhoršímu, nejsou známí k zastižení, nebo hledají někde klíče vlastní.

Jednou to došlo dokonce už tak daleko, že žena uvažovala zcela vážně o tom, že by si najala někoho, kdo by jí dával na klíče pozor.

Tenkrát jsme si vyrazili na výlet autem. Byl pěkný den, všichni jsme měli skvělou náladu. Všechno se změnilo, jakmile jsme vystoupili z vozu.

„Klíče!" vykřikla žena příšerným hlasem, sotva jsme byli z vozu venku.

„Kde?" ptal jsem se jí zděšeně.

„V autě!" vykřikla a vrhla se k vozu, aby zjistila, zda náhodou nějaké dveře nezůstaly otevřeny.

Nebylo tomu tak.

„Máme přece rezervní," řekl jsem ženě, která byla velice bledá.

„Nemáme!" řekla a klesla do trávy.

„Jak to že ne?" divil jsem se.

„Jsou na kroužku u těch normálních," řekla a začala rozhrabávat nervózně krtinu.

Podíval jsem se do vozu. Skutečně, u motoru viselo pět klíčů.

Dostal jsem chuť říci ženě, že jsem ještě nikdy neviděl takového tvora, jako je ona. Člověka, který nechá rezervní klíče u normálních.

Ale přemohl jsem v sobě tuto touhu protože jsem věděl, jak hluboce sebou v takových chvílích opovrhuje. Jak se nenávidí.

Jak se sama sobě nevýslovně hnusí.

Seděli jsme na mezi a dívali se závistivě na všechny ty lidi, kteří mohli z auta kdykoli vystoupit a zase nastoupit, jak se jim zachtělo.

Jeden pán se nám jevil dokonale nechutným. Poté, co jeho žena vystoupila z auta jedněmi dveřmi, vystoupil druhými a oba za sebou zamkli, protože každý z nich měl klíče vlastní.

Dvojí klíče v jedné rodině v takový okamžik, to nám oběma připadalo jako dokonalé mrhání.

Pak se žena zvedla, obhlížela chvíli auto, načež pravila se zvláštním svitem v očích, že jde pro ramínko.

Dostal jsem o ni strach. Nikdy jsem sice neviděl nikoho, kdo by se věšel na ramínku, ale dovedl jsem si živě představit, že dospěje-li jednou k takovému rozhodnutí má žena, použije jistě prostředků, jež budou odpovídat její kutivé povaze.

Dostihl jsem ji u malého hotýlku a řekl jsem, že bych to nebral tak tragicky.

Ukázalo se, že se chce jen pokusit ramínkem otevřít dveře auta.

Pak zazvonila na dveře hotýlku.

Když se objevil muž, jemuž hotýlek patřil, požádala ho žena o ramínko. Protože však žena musela své přání vyslovit německy, to jest řečí, kterou se nikdy příliš nezabývala, vyvolalo její přání u muže údiv. Nejdříve se tvářil nechápavě, pak se chtěl zasmát, ale když ho žena znovu požádala o jeho ramínko, zneklidněl a přivřel trošku dveře, odkud pak ženu pozoroval.

Žena použila výrazu „Schulter", tedy „rameno", ačkoliv měla na mysli ramínko na šaty a měla správně říci „Kleiderbügel".

Muž se pak zeptal, zda žena si přeje pravé, či levé.

Ta se na něho podívala, jako by byl blázen.

Tou dobou jsem už pozoroval celou scénu z patřičné vzdálenosti, a honem jsem dělal, že si prohlížím jídelní lístek.

Mezitím se objevila hoteliérova žena a ptala se manžela, oč jde.

Ten řekl, že ta paní chce jeho rameno.

Paní se vyděsila a přivinula manžela k sobě, protože o něho patrně dostala strach a nechtěla, aby o rameno přišel. Byla to zjevně žena, která věděla, co jí patří, a nebyla ochotna od svých nároků ustoupit.

Když se má žena znovu pokusila získat hoteliérovo rameno, zeptala se jeho manželka, k čemu by rameno potřebovala.

Má žena řekla, že chce jen zkusit otevřít dveře od auta.

Hoteliér se podíval na manželku a ta na něho.

Požadavek zřejmě oba manžele zneklidnil. Hoteliér dokonce několikrát rameny pokrčil, aby si uvědomil, že obě dosud má, že se nic nestalo a jeho paní přivřela ještě trochu víc dveře, dávajíc tak jasně najevo, že rameno svého muže nedá.

Pak dostala má žena spásný nápad a pravila, že by ráda rameno na šaty, načež to hoteliér pochopil a přinesl jí je. To opět nepochopila hoteliérova žena, která se divila, proč manžel dal ramínko zdarma, když stojí čtyři marky třicet, ale v té době už má žena zkoušela takto získaným nástrojem otevřít vůz. Ukázalo se, že to nepůjde, protože okénko nebylo dostatečně pootevřeno, tak, aby jím ramínko prošlo.

Žena tedy ramínko vrátila. Hoteliérová jí nabízela jiné, o něco dražší, a tvrdila, že je velmi praktické.

Hoteliér začal vlastní ženě vysvětlovat, že má žena už žádné ramínko nepotřebuje, a ta se velice divila, protože měla dojem, že manžel mohl udělat dobrý obchod.

Když jsme tohle všechno měli za sebou, obešel jsem nenápadně hotýlek a u jednoho křoví jsem se k vlastní ženě opět připojil.

Dohodli jsme se, že bude nejlépe, když se žena vrátí taxíkem zpátky do města, vezme doma jiné klíče od vozu a ty opět přiveze.

Když odjela, sedl jsem si na mez a čekal jsem.

Po chvíli mne volal hoteliér.

Dostal jsem strach, že teď bude chtít, abych použité ramínko odkoupil za vyšší cenu včetně horského příplatku.

Rychle jsem si připravil odmítavou řeč, jakož i jméno právníka.

Nebylo tomu tak.

Volala má žena.

„Já se zblázním," řekla mi.

„Proč?" ptal jsem se.

„Nemám klíče," řekla žena.

„To vím,"

„Ne ty od auta, ty od bytu!"

Zaúpěl jsem tak, že se hoteliér lekl.

„Ale víš co?"

„Ne," řekl jsem.

„Já ti pošlu taxikáře, ty mu dáš své klíče od bytu a on mi je přiveze. Já to s ním vyjednám!"

Protože mi nic jiného nezbylo, řekl jsem, že je to dobrý nápad.

Pak jsem si objednal koňak a kávu. Hoteliérová mi sice chtěla dělat nějaké návrhy na koupi ramínka, ale manžel ji zahnal.

Když přijel taxikář, dal jsem mu své klíče od bytu, a on řekl, že je zaveze mé ženě a že jsou zase za chvilku zpátky.

Uklidnil jsem se a šel jsem opět na mez.

Za půl hodiny přiběhla hoteliérová, že mne volá opět žena.

„Já zešílím," řekla do telefonu.

„Není třeba, už se stalo," řekl jsem rozzlobeně.

„Víš, co se stalo?"

Řekl jsem, že nevím a že se už těším, až se to dozvím. Ale prosil jsem ji, ať mi neříká, že ztratila taxikáře. Také jsem vyslovil naději, že není tak malý, aby ho člověk opět nenašel. Pak jsem pravil, že jestli ztratil taxikář auto, je to čistě jeho věc.

Žena mi sdělila, že opět ztratila klíče.

„Jaké?" vyzvídal jsem.

„Ty jeho…"

„Čí?"

„Toho taxikáře. Já šla do bytu, pak jsem vzala klíče od našeho vozu a on mi dal zatím klíče od jeho vozu, že si jen skočí pro cigarety a já ty klíče teď nemám…"

Řekl jsem, že jí blahopřeji.

Pak jsme chvíli mlčeli, a když mi to už připadalo dlouhé, vykřikl jsem, že bych strašně rád věděl, co teď bude dělat.

Pravila, že vše je už zorganizováno, abych si nedělal starosti:

Kolega toho taxikáře už jel s ním domů, pro jeho rezervní klíče.

Teď prý jde jen o to, aby kolega nějakou neopatrností nepřišel o klíče vlastní.

Řekl jsem ženě, že se to nemůže stát za předpokladu, že se klíčů nedotkne ona. Pravila, že by to neudělala, i kdyby ji k tomu nutili. To mne potěšilo.

Pak jsem zůstal v hotelu, kvůli koňaku. Hoteliérová chtěla vědět, co se děje, a manžel jí to vysvětloval. Pak šla počítat ramínka.

K večeru žena konečně s taxikářem přijela.

Zaplatil jsem mu a on skočil do auta, zavřel okno a chvilku se zděšeně díval na mou ženu. Pak dupl na plyn a odjel.

Šli jsme k autu.

V tu chvíli se přiřítil taxikář zpátky, prudce zabrzdil a vyhodil něco z vozu. Pak zmizel.

Byly to klíče od našeho bytu.

„Já je zapomněla v jeho autě," řekla žena.

Zbytek cesty domů hledala jakési rezervní klíče.

Někdy chodíme po bytě, svítíme si baterkami pod nábytek a lezeme po čtyřech.

Občas nám také zatelefonují z některého obchodu nebo z čistírny.

Většinu času však trávíme tak, že se přehrabujeme v popelnicích, prohledáváme šaty a nahlížíme pod koberce.

Často se také vrací žena domů v doprovodu zkušeného zámečníka.

O vánocích jí posílá šéf zámečnické firmy přání šťastného nového

roku, ale my víme, že to nemyslí docela tak, neboť ona je jeho nej-
lepším zákazníkem.

Snad proto máme nejraději ty krásné chvíle, kdy venku prší, či
sněží, padá soumrak, v bytě je teplo, pes leží u nohou, hodiny tikají
a my všichni víme, že žena, která sedí na židličce, má klíče.

Avšak jsou to chvíle krátké a prchavé, a my je proto vychutnává-
me, jak nejlépe dovedeme.

Kdo má pravdu

Kdykoli se podívám po neobvyklé krajině svého dětství, uvidím otce s matkou, jak někomu něco vyprávějí, jak si skáčkou do řeči, přou se a dohadují, a to jen proto, že oba chtějí říci, jak co vlastně bylo.

„Jednou jsme spolu zabloudili v zimě v lese …," slyším matku a hned poté otce, který jí skočí do řeči a říká:

„To se přece pleteš!"

„Jak to?" diví se matka.

„V zimě to nebylo," řekne otec a začne vyprávět sám, jsa přesvědčen, že historku vypráví správně.

„To není pravda!" řekne matka po chvíli a otce znovu přeruší.

A zatímco lidé, jimž otec s matkou příběh vyprávějí, hledí jeden na druhého a soucitně mlčí, začnou se rodiče dohadovat, zda tenkrát, když spolu zabloudili, sněžilo nebo ne. Pak se začnou přít, kdy spolu kde v zimě byli a kde spolu byli v létě, až otec dospěje k závěru, že si ho matka plete s někým jiným, a ta odvětí, že něco takového není možné, protože člověka, jako je otec, si při nejlepší vůli splést nelze.

Nemyslím si, že by otec s matkou byli v tomto směru výjimkou.

Ještě jsem nezažil manžele, kteří by se v takovou chvíli shodli.

Nedávno jsem byl na návštěvě u známých. Vrátili se právě z dovolené a byli nadšeni filmem, který tam viděli. Chtěli mi film doporučit, ale brzy se dostali do sporu, kdo z nich vlastně přišel na to, aby na film šli.

Byl bych těm dvěma velice rád pomohl, už proto, že spor vznikl kvůli mně, ale nebyl jsem s nimi na dovolené, a tak mi nezbylo, než sedět a čekat, jak to dopadne.

„Já si to dobře pamatuji," řekla žena.

„To jsem zvědav!" řekl muž.

„Toho dne zrovna omdlela ta paní v hotelu," vysvětlovala žena.

„To je omyl," řekl muž.

„Není," řekla žena.

„Ona si to plete," řekl muž a sdělil mi, že toho dne, kdy šli do kina, nikdo v hotelu neomdlel.

„Nevěř mu!" radila mi jeho žena, která si to pamatovala a tvrdila, že to ví zcela jistě.

Naznačil jsem oběma, že snad na celé věci ani tolik nezáleží, ale ani jeden z manželů mi nevěnoval pozornost.

Známý tvrdil, že paní omdlela už o týden dřív, hned poté, co se pohádala se svým manželem, známá řekla, že tomu tak nebylo, že paní nejdříve omdlela a pak se teprve pohádala. Krom toho se prý nepohádala se svým mužem, nýbrž s nevlastním bratrem. Pak se začali přít, kdo byl ten muž, s nímž se neznámá paní pohádala, a při té příležitosti došlo k další nesrovnalosti, protože známý tvrdil, že ta paní přijela z Holandska, a známá se mu smála, že si to plete, protože prý ta paní teprve do Holandska chtěla jet.

Později se do vyprávění o filmu dostal jakýsi číšník, který měl být svědkem toho, že paní, která buď jela do Holandska nebo odtamtud přijela, zrovna omdlela. Známý tvrdil, že číšník byl opilý, a jeho žena mi řekla, že se manžel mýlí, protože číšník opilý nebyl, a jediný kdo byl opilý, byl on.

Známého se to dotklo a začal se hájit a pak si vzpomínal, kdy byl naposled opilý.

Také jeho žena vzpomínala, ale nemohli se dohodnout.

Když jsem odcházel, přeli se zrovna o to, kdo z nich si chtěl koho vzít a kdo chtěl zůstat svobodným.

Znám člověka, který nemluvil dva roky se svou ženou, protože ho nikdy nenechala vyprávět o tom, jak se topil.

Také já a má žena máme v podobných situacích potíže.

Jednou jsem vyprávěl dítěti pohádku o Budulínkovi.

„Byl jednou jeden chlapeček, jménem Budulínek …," začal jsem.

„To není správně!" řekla má žena.

„Jak to že ne?" divil jsem se.

„Byl jednou jeden dědeček a babička…," opravila mne žena.

Řekl jsem, že bych byl k této informaci jistě také dospěl, kdyby mne nepřerušovala. Pak jsem pokračoval:

„Byl jednou jeden dědeček a babička a jejich chlapeček, který se jmenoval…"

Dál jsem se nedostal.

Žena řekla, že jsem to nevyprávěl dobře, a vyprávěla dál sama:

„Byl jednou jeden dědeček a babička a ti měli chlapečka, který se jmenoval Budulínek!"

Hájil jsem se, že jsem pohádku vyprávěl dobře, a žena tvrdila, že ne.

Řekl jsem, že jsem toho názoru, že „jejich chlapeček" je totéž, jako když řeknu „měli chlapečka". Pak jsem dostal chuť vysvětlit to na příkladu.

„Je to přece totéž, řeknu-li on a jeho žena, nebo když řeknu jeho žena Marie."

„Jaká Marie?" ptala se žena.

Řekl jsem jí, že jsem chtěl dítěti vyprávět pohádku o Budulínkovi, stručně, možná trochu věcně, ale rozhodně pravdivě. Že jsem nechtěl nic přikrášlovat, ale ani nic zatajovat. A že mám dojem, že se žena obává, abych snad příběh nějak nepřekroutil nebo snad dokonce pochybně nezneužil.

„Jaká Marie?" zeptala se dcera, které nic nikdy neujde.

„Té si nevšímej!" řekla žena.

Pak jsem začal vyprávět znovu. V roztržitosti jsem se zapomněl zmínit o tom, že liška škrábala třikrát na dveře.

Žena mi to hned vytkla.

Trochu mne to rozzlobilo, protože jsem trojí zaškrábání nepovažoval za velmi důležité. Krom toho došlo ke sporu kvůli tomu, kdy vlastně Budulínek otevřel.

Žena, která miluje detail a pro niž je důležité, v jaké košili jsem se ženil, tvrdila, že Budulínek dvakrát odolal a pak otevřel.

Tvrdil jsem, že je docela dobře možné, že Budulínek lišku předtím neslyšel, protože třeba škrábala na dveře slabě.

Žena však trvala na trojím zaškrábání.

Nabízel jsem jí kompromis v podobě dvojího, ale odmítla to.

Dopustil jsem se chyby, protože jsem před dítětem řekl, že to žena asi musí vědět přesně, což znamená, že tehdy u nory byla osobně.

„Maminka zná Budulínka?" ptala se holčička zvědavě.

Žena se na mne podívala tak, jako kdyby právě rozbalila letitý sýr, a pak vysvětlila dítěti, že Budulínek je pohádková bytost.

„A Marie Budulínka zná?" zeptalo se dítě.

Žena, aby zachránila situaci, pokračovala ve vyprávění sama.

Nehnul jsem se z místa, abych mohl příběh kontrolovat.

Když se dopustila omylu a zmínila se o mladé lištičce, řekl jsem jí, že bych byl rád, kdyby se vyjádřila přesněji. Pak jsem ji vyzkoušel z lištiček. Ukázalo se, že žena označila lištičky jako nejmladší, mladou a nejstarší.

To byla ovšem voda na můj mlýn.

Žádal jsem, aby se opravila a použila správného termínu prostřední lištička.

Tvrdila, že je to jedno.

Nesouhlasil jsem. Připomněl jsem jí své vlastní vyprávění a sestavil jsem pohotově dokonce jakousi tabulku lištiček podle důležitosti.

Zatímco jsme se dohadovali o významu prostřední lištičky, sebralo se dítě (které se patrně už nikdy nedozví plnou pravdu o Budulínkovi) a šlo si hrát pod stůl.

Na princeznu, prchající ze zámku.

Princezna jela na koni, což byl polštář.

Jmenoval se Marie.

Tak je hodný

Když se v rodině objeví malý pes, je to velká událost.

Tak tomu bylo i u nás, když jsme si přinesli Filipa.

Vlastně Filípka. Žena mu také říkala Filipejsku, a jelikož byl štěnětem, vlastně štěňátkem, začali jsme s ním hovořit tak, jak člověk hovoří s malými, ať už jsou lidského, či zvířecího rodu.

„Kdepak je to naše zvířátko?" volala žena z kuchyně a já odpovídal, kde pejsek je.

A protože měl psík pacičky a ocásek a také fousky, nemluvě o kožíšku, zmenšil se náhle náš svět do rozměrů tohoto zvířátka, aniž jsme si to uvědomovali.

V kuchyni měl Filip mističku na papáníčko, ale také vodičku, na kterou ho žena neustále upozorňovala, a košíček, v němž občas spal.

Košíček byl jednoho dne vystlán polštářkem, a když to nestačilo, přibyla dečka.

Bránil jsem se dlouho té nové řeči, déle než dcera i žena, avšak jednoho dne mě obě přistihly, když jsem psovi vytýkal, že mi šlápl na nožičku.

Žena i dcera se smály a žádaly mne, abych si svou nožičku laskavě prohlédl.

O několik dní později jsem přistihl ženu, jak zvíře vybízí, aby šlo na balkónek.

Snažili jsme se pak dát bytu i věcem normální rozměr, ale docela se nám to nikdy nepodařilo, neboť z pejska se nestal vlčák ani bernardýn, nýbrž jezevčík a tomu se, i když vyroste, jeví svět tak jako tak nejméně o číslo větší.

Největším problémem bylo odnaučit ho dělat loužičky.

Zvykl si vykonávat pravidelně potřebu pod mým psacím stolem, protože měl zřejmě dojem, že to je to pravé místo, kam se má odebrat. Mne naopak jeho volba netěšila. Snažil jsem se mu to dát najevo, jsa upozorněn ženou, jež odpočátku bedlivě dbala na jeho výchovu, že musím být důsledný, aby pejsek pochopil, co po něm chceme.

Navíc tvrdila, že zvířátko nesmím rušit, když už náhodou potřebu vykonává, protože by pak byl pejsek neurotický.

Musel jsem tedy sledovat psa, jak zavlažuje koberec, a musel jsem stát uprostřed pokoje a ani se nehnout, aby pejsek dokončil v klidu, co započal. Pokud jde o psa, byl klidný, neurotický jsem byl já, čím víc takových jezírek vzniklo.

Vyhuboval jsem ho, řekl jsem mu fuj a někdy i fuj, fuj, podle velikosti louže.

Žena naopak začala se psem hovořiti jemně, ale vědečtěji.

Vysvětlovala mu, že doma potřebu vykonávat nesmí, neboť je to fuj, že musí jít ke dveřím a tam udělat škráb, škráb na dveře nebo zakňučet. A kňučela, jak si myslí, že psi kňučí. Pejsek ji sledoval udiveně. Bylo to poprvé, co viděl nějakou paničku takhle kňučet, a zřejmě se mu to líbilo.

Potom jsem začal zvíře vynášet. Pokaždé, když udělal loužičku, sdělil jsem mu, pokud možno rozhořčeně, že je to velice fuj a vynesl jsem ho před dům. Později jsem ho nosil ven i po každém jídle, potom hned ráno, odpoledne a večer a nakonec jsem s ním trávil většinu času mimo dům. Byly to velmi dlouhé, nekonečné chvíle, kdy jsem se těšil na okamžik, kdy zvíře konečně vykoná potřebu venku a já ho budu moci velmi hlasitě pochválit, pohladit ho a odměnit specielním psím bonbonem.

Avšak pejsek se vždy radostně proběhl, a sotva přišel domů, udělal tam to, co měl učinit venku. Brzy jsem přestal vnímat okolní svět. Zapomněl jsem na přátele, starosti, přestal jsem se zajímat o to, jak vypadá situace v Kambodži, co hrají v kině, či kolik máme platit daní.

Můj svět se postupně zmenšil na kus ulice, s několika rohy a zákoutími, na jednu dvě lucerny a kousek parku.

Mým jediným přáním, ba touhou, s níž jsem usínal i vstával, bylo, aby pes zvedl kdekoli venku nohu a já mu mohl říci TAK JE HODNÝ.

Učinil tak sice několikrát, ale to jen proto, jak se pak ukázalo, aby se podrbal. Byly to neuvěřitelně napínavé okamžiky, kdy jsem ho sledoval na bobku, se zatajeným dechem, jako to činí matky, při prvních vrávoravých krůčcích dítěte.

Závistivě jsem sledoval ostatní psy, kteří ledabyle zvedali nohy u tulipánů či na trávníku, a zavile jsem pozoroval jejich pány, kteří, jak se mi zdálo, předstírali naprostý nezájem o činnost svých zvířat.

A jednoho dne jsem dostal strach, že vlastním psa, který se nikdy nenaučí tomu, čemu se naučí ostatní psi. Zděsil jsem se, že ho budu muset celá léta vynášet, že po něm budeme muset uklízet po bytě, že s ním nikdy nebudeme moci jet na výlet nebo na dovolenou. Představil jsem si tu scénu u zvěrolékaře, který zkoumá psa a pak nás s ženou vede stranou, jako se to dělá u těžkých pacientů, aby si hluboce povzdychl a pak nám – na chodbě – tak aby to neslyšeli majitelé ostatních psů a pes sám, říká: „Je mi líto, ale nemohu nic dělat…"

Uviděl jsem sebe sama i ženu, která si utírala slzy, jak vezeme zvíře na vozíčku, které je jakousi vaničkou, a jak jedeme parkem, kde pobíhají stovky zdravých a normálních zvířat.

A zaslechl jsem dokonce šepot ostatních majitelů psů, jak si na nás nenápadně ukazují a jak si říkají:

„To jsou ti chudáci s tím hovádkem…"

Toho dne, z večera, jsem v parku učinil něco, čehož bych se byl za normálních okolností nikdy nedopustil.

Přistihl jsem se, jak jdu zvířeti příkladem, jak náhle, jat jakousi nevysvětlitelnou pohnutkou, vykonávám u lucerny sám potřebu, zdvihaje levou nožičku, pro názornost.

Nebyl jsem, bohužel, se psem sám.

Jakási paní stála opodál a čekala, zřejmě aby mne nerušila a já nebyl později neurotikem. Sledovala udiveně mé počínání.

Pokusil jsem se nenápadně svou činnost skrýt, ale bylo to počínání bláhové a nedomyšlené. Je mnoho věcí, které lze s větším, či menším úspěchem provozovat nenápadně. Ale tato k nim rozhodně nepatří.

Odevzdal jsem se tedy svému osudu, abych dokončil dílo, jak se sluší a patří, a pak jsem se měl k odchodu, neboť jsem si uvědomil, že pes neprojevil o můj experiment zájem.

V tu chvíli mne ta paní oslovila. Byla to velmi hovorná žena a sdělila mi, co si o mně myslí. Musím říci, že na člověka, který mne neznal, si toho myslela za tu velmi krátkou chvíli, za kterou jsme se stačili seznámit, dost. Přirovnala mne k mnoha zvířatům, ale pes mezi nimi nebyl. Sdělila mi, kde bych měl žít, co bych měl dostávat za stravu a určila, kdo by o mne měl pečovat. Přijal jsem její informace bez námitek, protože jsem věděl, že bych svou obhajobou nic nezískal.

Pak jsem šel domů. Díval jsem se na původce toho všeho, který se na mne chvílemi díval, jako by se za mne styděl.

A rozhlížel jsem se po vhodném místečku, kde zvíře ztrestám, maje na jazyku několik vět, jež svědčily o mém duševním rozpoložení.

Rozhodl jsem se, že psovi sdělím, jak je NEČISTOTNÝ, jak je NEPOSLUŠNÝ a jak je OHAVNÝ.

A že mu taky dám konečně najevo, co mne jeho nepoučitelnost stojí.

Jak je PÁN UNAVENÝ, NEVYSPALÝ, a jak je NERVÓZNÍ, A že je možné, že bude brzy NERVOVĚ SE HROUTÍCÍ a vyřízený.

Ve chvíli, kdy jsem takto uvažoval, přitisklo se zvíře náhle k jednomu domu a udělalo to, nač jsem tak toužebně čekal.

Nerušil jsem ho, jen jsem ho zbožně sledoval, skoro nedýchaje, a když svou práci dokončil, vrhl jsem se k němu, hladil ho, objímal, chválil jsem ho a nakonec jsem ho opěval táhlým výkřikem: TAK JE STRAŠLIVĚ HODNÝ! TAK JE NEJHODNĚJŠÍ!

Pak jsme se hnali honem domů, sdělit tu novinu ženě.

Potkali jsme ji na schodech.

Lezla pomalu dolů, po čtyřech, a nevěnovala nám pozornost.

Má radost, způsobená tím, že se pes naučil čůrat, byla náhle utlumena šokem, způsobeným tím, že má dospělá žena zapomněla chodit.

Přemýšlel jsem, co je lepší, čemu bych dal přednost. Zda psu, který vykonává potřebu v bytě, a ženě, která chodí po dvou, či jiné kombinaci.

A zatímco jsem takto uvažoval nad hodnotami, jež jsem získal, a jinými, jež jsem opět ztratil, vztyčila se žena a řekla, že už to ví.

„Co?" zeptal jsem se.

„Jaký pocit má to štěně," řekla žena.

„Kdy?" zeptal jsem se znovu.

„Když jde po schodech," řekla žena, když nás oba políbila na čumák.

„TAK JE ŠÍLENÁ," chtělo se mi říci. Ale pak jsem si to rozmyslel.

Daňové výhody

Lidé, kteří mají svobodné povolání, jsou nuceni věnovat daním mnohem více času než ti, kteří jsou zaměstnáni.

Protože daňový systém je velice složitý, může člověka zaměstnat natolik, že už mu nezbude žádný čas na povolání a postižený bude nucen stát se zaměstnancem.

Abychom se těmto problémům vyhnuli, máme odborníka, daňového poradce pana Hagemana.

Když nás poprvé navštívil, přikázal nám, abychom si vedli účetní knihu a zaznamenávali do ní veškeré příjmy a výdaje.

Nějaký čas jsem se o účetní knihu staral, ale když jsem do ní zaznamenal návštěvu zubaře a datum ženiných narozenin, převzal vedení knihy pan Hageman. Později knihu předal své přítelkyni, kterou odečítá z daní jako sekretářku.

Pan Hageman nám také hned od začátku kladl na srdce, že musíme vždy a všude sbírat účty a posílat je jeho přítelkyni. Řekl nám, že čím více účtů nasbíráme, tím méně budeme platit daní. Myslím si, že naše sbírky účtů jsou skutečně dokonalé a že by se klidně daly vystavit. Během času nám pan Hageman dal celou řadu tipů a rad.

Například nám oznámil, že jeden z pokojů našeho bytu je pokoj pracovní, a to bez ohledu na to, zda v něm sedím u psacího stroje a pracuji, nebo si jen prohlížím exempláře účtů nasbíraných v poslední době.

Ukázalo se však, že zařízení pracovního pokoje zcela neodpovídá daňovým pravidlům.

Problémem se stal koberec, který pokrývá nejen podlahu pokoje, ale i prostor mezi dveřmi.

Část koberce za hranicí pracovního pokoje je daňově nevýhodná. Všiml jsem si, že tuto část koberce překračuji.

Pan Hageman však přišel s řešením. Pravil, že by stačilo koberec uříznout a použít ho výhodně v mém pracovním pokoji. Protože však není berním úřadem dovoleno klást koberce na sebe, pan Hageman chytře navrhl, že by koberec mohl viset na zdi jako gobelín. Byl jsem tím řešením natolik nadšen, že jsem byl hned pro.

„Jen přes mou mrtvolu," řekla žena.

Její reakce přivedla pana Hagemana na myšlenku podívat se na ženinu životní pojistku.

Poté, co žena řekla, že by prostě odešla z domu, pan Hageman už na přemístění koberce netrval.

Navíc zjistil, že částka, kterou bychom odečetli za uříznutý koberec, by byla mnohem nižší než částka, kterou odečítám za ženu. Raději jsme se věnovali mému oblečení. Pan Hageman mi totiž řekl, že mohu odečítat od daní šaty, ve kterých vykonávám své povolání v pracovním pokoji. Jedná se o pracovní oděv prací a lze odečíst i náklady na jeho udržování, tedy opravy a čistírnu.

„Jinak byste státu daroval zbytečně peníze!" řekl.

Protože jsem samozřejmě žádné peníze státu darovat nechtěl, uvedli jsme do záznamu jako pracovní oblek kalhoty, svetr, dvě košile, několik párů ponožek a trepky.

Později zkusil pan Hageman uplatnit ještě zimník, ale berní úřad kabát neuznal a sdělil panu Hagemanovi, že lze akceptovat jen dvě třetiny hodnot teplých rukavic.

„Nevadí," řekl pan Hageman, když přepočítával ušetřenou částku na počítačce, „však my přijdeme na něco jiného."

Své slovo dodržel.

Připsal do prohlášení ještě pršiplášť a gumové holinky jako autorské oblečení do exteriéru. Oblékám je, když nosím texty na poštu. Poštovné samozřejmě odečítám z daní. Když obálky přinese pošťák zase zpět, odečte poštovné nakladatel.

Pošťák neodečítá nic, protože má služební gumový oblek a je zaměstnancem. Ale spropitné pošťákovi za vrácené texty opět plně odečítám. Navíc pan Hageman vysvětlil, že je to výhodnější, než kdyby mi texty uveřejnili, protože bychom museli přiznat plný honorář. Pan Hageman k nám jezdí vždy na podzim, kdy kontrolujeme daně za minulý rok.

Samozřejmě sám odečítá cestovní náklady a já odečítám zase jeho honorář, který mu platím za to, že mi poradí, co lze odečítat. Pan Hageman přijíždí vždy se svou přítelkyní, kterou bere jako sekretářku na služební cestu.

Sedíme v pracovním pokoji (plně odečítám), jíme zmrzlinu (odečtu účet za pohoštění), pijeme kávu (odečítám) a nahlížíme do účtů a daňových nařízení.

Bonboniéru, kterou obvykle přiveze pan Hageman ženě, odečítá zase on.

Žena sice tvrdí, že bonbóny za nic nestojí, ale nedá se nic dělat. Daňově výhodná bonboniéra, která nesmí být dražší než za 20 marek, nemůže mít přirozeně tu nejlepší kvalitu.

Některá opatření vypadají na první pohled trochu nezvykle, ale nedá se nic dělat. Nařízení je nařízení. Každý musíme občas přinést nějakou oběť. Já například také nepíšu román, jak jsem měl původně v úmyslu, ale pouze krátké povídky. Je to daňově výhodnější na poštovních poplatcích.

Kdybych psal román a musel myslet na to, že pracuji na něčem daňově nevýhodném, nedělalo by mi to radost, nemohl bych se dobře na práci soustředit.

Časem jsem se od pana Hagemana sám mnohému naučil.

Pochválil mne třeba za nápad s druhým psacím strojem. Koupil jsem ho, protože prvý psací stroj jsem směl odečítat jen ze dvou třetin. Zbylou třetinu berní úřad neuznal, protože prý také používám stroj soukromě. Teď používám starý stroj pro sebe a nový stroj sloučí čistě profesi a lze ho plně odečíst.

Nedávno jsme úplnou náhodou objevili novou daňovou výhodu. Žena polila panu Hagemanovi kalhoty kávou. Omlouvala se mu, ale pan Hageman jen mávl rukou a vrhl se na počítačku, protože dostal výborný nápad. Zjistil, že si může půjčit mé kalhoty a své, které plně odečítá, dát jako daňový cestovní oděv do čistírny. Pak, po návratu z cesty, může dát do čistírny i mé kalhoty a odečíst oba poplatky. Navíc odečte i poštovné za balík s kalhotami, až mi je pošle.

„Vaše kalhoty budou v tom případě náhradním cestovním oblečením," pravil radostně, když příklad dořešil.

Nápad se nám tak líbil, že jsme hned zkusili ještě jinou variantu. Spočítali jsme ji na svých počítačkách (které oba odečítáme).

Zajímalo nás totiž, kolik by pan Hageman odečetl za vyčištění své přítelkyně, kdyby i ji žena polila.

„Když jde o daně, je každá částka důležitá," tvrdí pan Hageman. Sdělil jsem některé tipy pana Hagemana našim přátelům.

Pravda, jejich počet se od té doby, co se zabýváme daňovými výhodami, poněkud zmenšil.

Ale nelitujeme toho.

Dík panu Hagemanovi jsme také přišli na to, co je skutečné přátelství. Lidé, kteří odmítli podepsat potvrzení o pohoštění, když přišli na návštěvu, nám nijak nechybějí.

A naopak.

S přáteli, kteří vědí, co je daňově výhodné, si báječně rozumíme i nadále. Kdysi jsme se bavili většinou o filmech nebo o knížkách, ale dnes si mnohem raději dáváme daňové tipy a hádanky.

„Představte si," stěžovala si nedávno přítelkyně na svého muže, „on už zase zapomněl koupit bonbóny u benzínové pumpy!"

Manžel si prostě neuvědomil, jak lze zvýšit benzínový účet.

Protože jsou to opravdoví přátelé, rozhodli jsme se, že je mile překvapíme a že jim dáme pod stromeček pěkný a užitečný dárek: několik benzínových účtů!

Než přijdou,

zmocní se mé ženy náhle nepopsatelný neklid a ona se bez bližšího varování pustí do úklidu. Připraví si přístroje, nářadí, nejrůznější chemické přípravky a dá se do práce.

Běhá s velice silným vysavačem po bytě a vysává vše, co se jí nezdá. Pak naleští linoleum a pustí se do čištění koberců. K tomu účelu má jiný přístroj, který po sobě zanechává jakousi vlhkou stopu. Po této stopě se tak žena vydá, aby ji přečistila jakousi pěnou, která je k tomuto účelu určena. Nějaký čas se po stopě vydával i pes, ale brzy zjistil, že jde o stopu zcela bezvýznamnou a ztratil o ni zájem.

Po kobercích se žena pustí do čištění oken, která otevře dokořán, bez ohledu na to, jaké je venku počasí a zda je zima, či jaro. Cídí okna a zpívá si jakousi zvláštní píseň beze slov. Myslel jsem si, že je to jakési zaklínadlo čističů oken, nebo nějaká hymna a pozoroval jsem proto muže, kteří tuto činnost provozují, ale žádný z nich si nezpíval.

Když vyčistí okna, pustí se do klik a všeho kovového.

Jednou se dokonce zmocnila mých klíčů od bytu a začala je leštit. Když jsem jí je pod záminkou, že musím jít pryč, vzal, pustila se do čištění nůžek a kladívka.

Při čištění kovových věcí si žena nezpívá. Viděl jsem ji, když polévala jakousi tekutinou plechový budík, neboť na něm nalezla otisky prstů, a sledoval jsem ji, když kartáčovala ledničku, ale pokaždé tak činila, jsouc potichu.

Dříve než přijdou, pustí se má žena také do dveří, stolů, knihovny a židlí. Po nich přijdou na řadu lampy, lustry, ale také gauče, postele a všecky záclony, včetně přikrývek a ubrusů.

Když je hotova, přikáže nám obvykle, abychom ji s dcerou ukázali své kapesníky.

Pak se dá do obrazů, otírá prach na květinách i kaktusech, profukuje telefonní sluchátko, protřepává brožované knihy.

Někdy se nám podaří utéci ven, ale stává se také, že nám žena odřízne cestu tím, že zmáčí koberce a řekne nám, že nesmíme opouštět pokoj.

Někdy sedíme všichni tři, já, dcera i pes na gauči a čekáme na rozkaz, kam se máme přesunout, neboť gauč je také třeba očistit, protože, jak tvrdí žena, vypadá hrozně a není možno nechat na něj sednout hosty.

Čím více se blíží okamžik, kdy mají přijít, tím více je zákazů.

„Nechoďte do ledničky," řekne žena.

Pak nám zakáže vstoupit do kuchyně, do druhého pokoje a nakonec i do koupelny.

„Nadělali byste mi tam!" řekne na vysvětlenou.

Jindy nebereme telefon, protože bychom ho ohmatali.

Kdysi jsme ještě kladli odpor a hájili jsme se, ale dnes už nemáme ani odvahu vzít si hrneček a udělat si kávu.

Důvody jsou zcela jasné: nadělali bychom cukr po stole, rozsypali bychom kávu, ohnuli bychom lžičku. To vše jsou ovšem jen maličkosti, vezmeme-li v úvahu, že bychom kvůli tomu všemu šlapali po čerstvě vyčištěném koberci a brali za kliku, nebo že bychom si dokonce pak sedli na židli a dotkli se ubrusu.

Víme dobře, jak je v těchto chvílích žena citlivá, a dáváme si pozor. Dnes už nás ani nenapadne něco jíst, protože víme, co by s ženou udělal pohled na několik drobečků.

Nepijeme, máme-li žízeň, protože víme, že skleničky, ba i psí miska, že to vše je naleštěno, vycíděno a do sucha otřeno.

Pokud jde o psí misku, činí tak žena proto, že by mohla přijít návštěva se psem a cizí pes by se prostě misky našeho psa nedotkl.

Nečteme noviny, ani knihy, protože to všecko vyžaduje pohyb a přemítané listy víří neviditelný prach v bytě.

Nepouštíme ani rádio, protože knoflíčky jsou naleštěny a předem připraveny tak, jak je to, dle ženy, vhodné.

A samozřejmě že nekouřím, protože bych znečistil jeden ze zcela nablýskaných popelníků, které jsou připraveny pro ty, co přijdou.

Někdy, když žena zrovna pobíhá po bytě a rozprašuje v pokojích citrónovou, či lesní vůni a jahodovou na toaletě, aby udělala na návštěvníky ten nejlepší dojem, sedím a představuji si, proč tohle všecko žena dělá, co ji k tomu vede, a nakonec dospívám k takovýmto scénám:

SCÉNA 1
Zvoní zvonek,
žena otvírá.

Známí vcházejí do bytu. Usedají v pokoji. Muž si zapálí cigaretu, ale náhle si všimne popelníku a začne si ho zblízka prohlížet.

Jeho žena si toho všimne, vezme mu popelník z ruky, čichne k němu a řekne: FUJ!

Pak se na sebe oba podívají a pod záminkou, že musí ještě rychle do speciální čistírny, kde mají domluvenu schůzku kvůli ubrusu, odcházejí.

SCÉNA 2
Jiná návštěva, muž, žena a dítě.
Sedí v pokoji a baví se s námi.
Náhle vyletí z gauče malý mol.
Žena: Co je to?
Muž chytí mola.
Žena: Co je to?
Muž: Taková můrka…
Má žena padá do mdlob.
Žena: Chci to vidět.
Muž otevře ruku.
Žena: MoL!!!
Dítě: MoJ!
Všichni tři prchají z bytu, dítě neustále křičí, tak aby to slyšeli i sousedi: Mají doma moji! Mají doma moji!…

SCÉNA 3
Žena otevírá ranní poštu velmi čistým nožem na čistém stole, na němž je sněhobílý ubrus.

Z jedné obálky vyndá telegram tohoto znění:
MILA NADO STOP JE NAM STRASLIVE LITO STOP ZE JSME SE NEZASTAVILI STOP JAK DOHODNUTO STOP ALE STAV VASI KLIKY TO NEDOVOLIL STOP STOP STOP …

SCÉNA 4
Návštěva příbuzných.
Strýc a teta.
Strýc odkládá kabát na věšák
Strýc: Čímpak jsi to čistila, děvenko?
Žena: Takovým tím přípravkem, jaksetohonemjmenuje…

Strýc si prohlíží zblízka věšák, teta také.

Teta: Jakého jsi použila textilu?

Žena: Takovýho hadru…

Teta: Hadru?

Strýc: Hadru? Copak nevíš, že na věšáky je nejlepší flanel???

Žena se slzami v očích: Flanel, strýčku?

Strýc: Ale jistě. Když jsem byl v roce 1917 na ruské frontě… (strýc vypráví zbytek večera velice poutavě o tom, jak byl vyznamenán za chrabrost a čistotu u pluku horských myslivců za to, že čistil štábní věšáky flanelem).

Potom konečně přijdou a my všichni utíkáme honem na záchod, do pokojů, sháníme cigarety a běžíme se konečně napít, nebo telefonovat.

A když se na zemi objeví první kousek dortu a host ho rozšlápne a přenese na podrážce do chodby a na terasu, září žena štěstím, usmívá se a říká, že to vůbec nevadí, protože není problém to zase uklidit.

Malé děti smějí sahat ručičkami od šlehačky po ledničce a rozlévat koka-kolu, tatínek je uklidněn, když se dozví, že popel na koberci nikomu nevadí, a mamince se dostane ujištění, že trocha rozlitého vína na ubrusu neškodí, že máme ještě jiný.

V tu chvíli se všichni uklidníme a chováme se zcela svobodně, neboť víme, že toho musíme využít, alespoň do té doby, NEŽ ODEJDOU.

To nemuselo být...

říkávala vždycky má matka, když dostala opět od otce láhev kolínské vody k narozeninám.

Myslela to asi docela upřímně, protože měla nejvíce kolínské vody ze všech žen v okolí. Otec dával matce kolínskou vodu především proto, že obvykle zapomněl, kdy matka narozeniny má. Vodu si koupil do zásoby, aby ho matčino výročí nezastihlo nepřipraveného. Později tento dárek už ani příliš nebalil, aby si matka nemyslela, že ji chce něčím překvapit nebo zaskočit.

Pokud jde o mne, zdědil jsem po otci především to, že si nikdy nepamatuji, kdo má kdy narozeniny.

Proto mi narozeniny příbuzných připomíná žena.

Ženiny narozeniny mi připomíná dcera.

A je to opět žena, která mi vždycky ohlásí dceřin významný den.

Jediné výročí, které mi nikdo nikdy nepřipomene, je výročí svatby. Potíž je v tom, že právě tento den je nejdůležitějším datem, které dle názoru mé ženy existuje.

Muž, který zapomene, kdy se ženil, se vystavuje nebezpečí, že buď doopravdy zapomněl nebo tak učinil schválně.

Má žena si obvykle počká až do té doby, kdy je už pozdě, a pak se nenápadně zeptá:

Co se stalo v lednu?

Jelikož nikdy nevím, co se mohlo v lednu přihodit, probírám v duchu všechny významné letopočty od objevení Ameriky až po přistání na Měsíci až do té doby, než mi žena položí další otázku:

Copak jsi kdy v lednu zažil?

Vzpomínám tedy, co jsem kdy v lednu zažil, abych posléze dospěl k přesvědčení, že jsem v tomto měsíci nic zvláštního nezažil.

„To si opravdu nemůžeš vzpomenout, co se ti v lednu přihodilo?" zeptá se potom.

Tou dobou bývám už trošku podrážděný a namítám obvykle, že mám řadu jiných a důležitějších starostí, než si vzpomínat zrovna na to, co jsem zažil v lednu, a protože má žena na informaci trvá, začnu měsíc leden, proti němuž jsem až do této chvíle nic neměl, stejně tak jako třeba proti dubnu nebo červenci, hanit.

Shledám leden chladným, připomenu, že je to měsíc, který přichází hned po vánocích a začnu mu ledacos vytýkat.

Má žena, která má pochopitelně k lednu silný citový vztah, se však vyptává dál a já odpovídám čím dál tím nevhodněji.

Řeknu, že leden nemám rád už proto, že se obvykle ještě pletu a píšu do dopisů starý letopočet, že se tou dobou často nachladím, že se musím starat o daně. Připomenu, že si vždy právě v lednu uvědomím, že jsem už zase o rok starší a že už to lepší nebude.

Má žena vyčká až do chvíle, kdy prohlásím, že vlastně leden nesnáším nebo neuznávám a že bych byl ochoten ho škrtnout z kalendáře.

Pak mi sdělí, že si mne osmadvacátého ledna vzala a že teď, po tolika lednech, vidí, že to byl omyl.

Vrhnu se pak do nejbližšího květinářství, kde zakoupím dvě kytice. Jednu, kterou ženě dám k výročí, a druhou, kterou dostane proto, že jsem zapomněl na tu první.

Má-li žena narozeniny, je to lepší. Upozorní mne na to obvykle dcera tím, jak se chová.

Objeví se obvykle v kuchyni a začne klást ženě nenápadně otázky:

„Co stojí šlehačka?"

„Máme doma mouku?"

„Vajíčka?"

„Cukr?"

„Kde je kuchařská kniha?"

„Budeš odpoledne doma?"

V tu chvíli je už jasné, že dítě chystá překvapení. Je samozřejmé, že nesmíme dát nic najevo, abychom dceři nekazili radost.

Proto žena snáší na hromadu ochotně vše, co dcera k výrobě překvapení potřebuje. Někdy dojde k nedorozuměním, jako posledně, kdy se dcera ptala, zda nevím o nějaké krabici, a já jí nabídl tu od televize. Dcera pravila, že se jí taková krabice nehodí, protože prý nemíní péci tak velké překvapení, protože bychom je nesnědli a překvapení by se zkazilo.

Nejraději mám ty chvíle, kdy dcera poté, co se postupně zeptala, kde je nějaká stuha, nějaká mísa nebo nějaký ubrus, konečně ženu překvapí a ta je celá bez sebe.

To se pak žena ptá dcery, kdy a jak dort dělala, a dítě, jemuž se podařilo zanechat těsto na podlaze a trochu zavařeniny na zdi, ochotně vypráví, jak se takový dort dělá, a raduje se z toho, jak je maminka překvapená.

Jednou se dcera rozhodla, že mamince koupí nějaký dárek. Vydali jsme se tedy společně na nákup.

Já se rozhodl pro svetr, holčička však bloudila po obchodním domě a byla bezradná. Chvíli se rozmýšlela nad jakousi ohyzdnou mořskou pannou.

Pak objevila ptačí klec.

Ta se jí velice líbila.

Zeptal jsem se jí, zda ví, že do klece patří ptáček.

Pravila, že to ví.

Uvědomil jsem si, co mi hrozí, že se totiž budu muset starat nejen o psa a králíka, ale i o ptáka.

Ukázalo se však, že jsem se mýlil. Dcera vůbec nechtěla koupit ptáčka, který by svým zpěvem obveseloval matku, chtěla koupit klec jen tak.

Zeptal jsem se jí, jak to myslí.

A tu se ukázalo, že se dcera chvílemi až nebezpečně podobá své matce, protože mi sdělila, že klec nemusí být jen na ptáčka, ale může být i na jiné věci, například na prádlo.

Mé zkušenosti s matkou dítěte mi bránily v tom, abych jednal unáhleně.

Řekl jsem, že se do dceřiných záležitostí nechci rozhodně míchat, ale že v kleci bývá skutečně ptáček a nikoli třeba trenýrky.

„No a?" řekla dcera se stejně nevinným výrazem, jak to činí v podobných případech její matka.

Řekl jsem, že by prádlo ptáčku určitě nesvědčilo, a pak jsem se uchýlil k popisu pocitů, jaké má malý ptáček, který se chystá zpívat a hledí do trenýrek. Popsal jsem pocity ptáčka do nejmenšího detailu, snaže se touto metodou probudit v dítěti patřičnou lítost a dostat je tak od klece.

Nebylo to však jednoduché.

Dítě mi řeklo, že by v kleci byly jen trenýrky a žádný ptáček.

Tvrdil jsem, že trenýrky do klece rozhodně nepatří, a dcera poznamenala, že ptáčci také ne.

Nakonec jsem na dítě zapůsobil, když jsem se zmínil o tom, že v dohledné době dostane matka pračku se sušičkou.

Teprve pak se dcera vzdálila od klece a šli jsme hledat jiný dárek.

Chodili jsme po obchodním domě sem a tam, až do chvíle, kdy dcera objevila jakýsi dřevěný tácek. Ale ukázalo se, že k tácku patří ještě několik malých skleniček na alkohol.

Prodavačka dítěti vysvětlila, že nemůže prodat jenom tácek.

Dceři se to nezdálo.

Prodavačka jí začala říkat „Myško" a vysvětlovala jí, že k tácku patří i skleničky a že to bude velice pěkný dárek.

Dítě však stále váhalo.

Teprve když jí prodavačka řekla několikrát „Milá myško" – rozhodla se dcera pro koupi.

Tak se stalo, že žena dostala k narozeninám likérový servis, po němž jsem už léta toužil.

„To nemuselo být...," pravila, když dárek rozbalila a dala holčičce pusu.

Měla v podstatě pravdu.

Dobře pojištěný jezevčík

Až do minulého týdne jsme žili v přesvědčení, že se nám nemůže nic stát, protože jsme dobře pojištěni.

V pondělí nás však navštívil pan Schneider a už ve dveřích nám řekl, že jsme velmi lehkomyslní a že příšerně riskujeme, protože jsme na něco úplně zapomněli.

„Na co?" zeptali jsme se s ženou udiveně.

„Na psa," řekl pan Schneider a ukázal na našeho jezevčíka odpočívajícího klidně na gauči.

Když se posadil a vypil kávu, vytáhl pan Schneider z aktovky novinový výstřižek a přečetl nám, co způsobil dvouletý foxteriér Rex v jednom městečku.

Ukázalo se, že psík běžel přes ulici a řidič nákladního auta, který se mu chtěl vyhnout, vjel do obchodního domu, kde rozdrtil zboží za tři čtvrtě milionu marek.

„To je strašné," řekla žena.

„Tak vidíte," řekl pan Schneider varovně, a aby nám problém dostatečně objasnil, přečetl nám ještě z jiných novin o malé kníračí fence Hexi.

„Tento psík způsobil srážku nákladáku s osobním vozem, který táhl vlek s motorovým člunem," řekl pan Schneider vážně.

„Jaká byla škoda?" zeptala se žena neprozřetelně.

„Tři sta tisíc švýcarských franků," řekl pan Schneider s povzdechem a dodal, že nákladák vezl pět set porcelánových servisů.

Podívali jsme se na našeho Filipa, který zatím roztrhal jen několik ponožek a záclon, a zděsili jsme se při představě, co by při své živosti a vynalézavosti mohl způsobit.

To už pan Schneider položil na stůl pojistku a vysvětlil nám její výhody.

„Kdyby kvůli vašemu jezevčíkovi narazil řidič nákladáku do budovy, může se klidně dopustit škod za dva miliony marek," řekl pan Schneider.

„To je báječné," řekla žena, které spadl kámen ze srdce.

„To ale není všechno," pokračoval pan Schneider, nahlížeje do pojistky, „pojistka dále kryje srážku tří nákladních aut nebo autobusů, a to navzájem, nebo se čtyřmi osobními vozy."

„Výborně," řekl jsem.

„Zároveň může váš pes ode dneška od dvanácti hodin způsobit neštěstí, v němž se srazí jakýkoliv počet vozů s městskou tramvají, a to ve všech směrech městské dopravy," řekl pan Schneider.

Podívali jsme se pyšně na psa, který zavrtěl ocasem, jako by si uvědomoval všechny možnosti.

Pak pan Schneider vyčetl z dokladu, že řidič, který by narazil kvůli našemu Filipovi do veřejné budovy, může zničit jakýkoliv obchod, od hodinářství až po prodejnu suvenýrů, nebo restaurant prvé třídy.

Proto že nám z dalšího výstřižku přečetl o boxerovi Rolfovi, který roztrhal v prvotřídním hotelu vzácný perský koberec, připojistili jsme našeho Filipa ještě proti škodám způsobeným ve veřejných místnostech.

Ženu zajímalo, kdo bude hradit škody, kdyby náš pes pokousal nějakého člověka.

„Pojišťovna," řekl pan Schneider s úsměvem a vytáhl další formulář. Pak nám přečetl podmínky nové pojistky.

„Váš pes může pokousat dospělou osobu nebo dítě, jiného psa, (ať samce nebo fenu) nebo i majitele psa."

„I v případě, že by druhý pes a jeho majitel nebyli sami pojištěni a pobíhali volně bez pojistky?" zeptal jsem se.

„To vše je kryto," řekl pan Schneider vítězoslavně.

Podepsali jsme hned i tuto pojistku. Když nás pan Schneider upozornil na jiné nebezpečí, podepsali jsme další. Tato pojistka kryje naopak našeho psa, kdyby byl pokousán jiným psem. V tom případě dostaneme pět tisíc marek. Kdyby cizí pes pokousal navíc mne nebo ženu, dostaneme dalších patnáct tisíc, a to bez ohledu na to, jestli by nás pes napadal zvlášť, nebo najednou.

Za malý příplatek jsme pak ještě uzavřeli pojistku, která by kryla výlohy na právníka, který by našeho jezevčíka zastupoval. Nakonec nám pan Schneider ještě nabídl pojistku, která by nám zaručila pár tisíc v případě, že by se náš Filip ztratil. Napadlo mne, že je to vlastně pojistka pro nás finančně nejvýhodnější, ale žena mi zakázala, abych ji podepsal.

I tak je náš jezevčík tím nejlépe pojištěným psem v okolí. Jenom nevíme, zda pojistky také kryjí škody způsobené na pojišťovacím zástupci.

Při odchodu hledal pan Schneider svou rukavici a nakonec usoudil, že ji asi zapomněl u nějakého klienta.

Našli jsme ji, rozkousanou na malé kousíčky, pod stolem. Zdá se, že se náš nově pojištěný pejsek dal hned do práce.

Vážení pánové!

.

Události poslední doby mne nutí Vám napsat. Má žena se totiž stala nedávno odběratelkou prospektu, který posíláte hospodyním. Musím říci, že prospekt Vašeho podniku vnesl do našeho domova, mírně řečeno, nového ducha.

První, co se mé ženě zalíbilo a co také hned objednala, byla Vaše novinka OPASEK S TAJNOU SCHRÁNKOU NA PENÍZE, Z PRAVÉ KŮŽE, o němž dále ve svém katalogu píšete: FANTASTICKÉ! PRAKTICKÉ! LEVNÉ! KONEČNĚ MOŽNOST, JAK CHRÁNIT TĚŽCE VYDĚLANÉ PENÍZE PŘED ZLODĚJI A ZÁROVEŇ S NIMI KDYKOLI – (TAK, ABY TO NEVIDĚLI JINÍ) – DISPONOVAT!

Má žena koupila tento speciální opasek pro mne a já ho několikrát také použil.

Dovolte proto, abych Vám sdělil, co si o Vašem speciálním pásku myslím.

Jistě Vás potěším sdělením, že Váš opasek s kapsou na peníze je vhodný, pokud jde o zloděje. Souhlasím s Vámi v tom, že žádný zloděj takto uložené peníze neukradne. Je tu ovšem znepokojující skutečnost, že totiž ani ten člověk, který má pásek na sobě, se k penězům snadno nedostane, a to ani tehdy, kdyby je zrovna potřeboval. Zažil jsem to na vlastní kůži ve Vídni, kde jsem byl s přáteli. Jeden z nich můj nový pásek velice obdivoval a požádal mne, zda bych nebyl tak laskav a nevzal mu také jeho peníze do svého pásku. Učinil jsem tak samozřejmě s radostí. Brzy se však ukázalo, že dostat peníze z pásku se neobejde bez komplikací. Kapsa na peníze je totiž umístěna v té části opasku, který člověk nosí vzadu. Pokud by někdo chtěl mít peníze na břiše, musel by si zapínat pásek někde na zádech, což je velmi nepraktické.

Chtěl jsem platit v restauraci za sebe i přátele a pokoušel jsem se (tak, aby to neviděli jiní – jak píšete) k penězům dostat, ale nepodařilo se mi to. Musel jsem odejít na toaletu a zanechat přátele s udiveným číšníkem jejich úvahám.

Jenom jedenkrát se mi podařilo dostat z pásku jednu bankovku, aniž jsem musel kvůli tomu odejít z restaurace, ale ukázalo se, že bankovka nebyla celá, protože její druhá, utržená část vězela v zipu speciální kapsičky.

Ještě horší to bylo v jednom obchodě, kde mi nakonec nezbylo nic jiného, než se skrčit před pultem a pokusit se nenápadně dostat k penězům. Nakonec jsem musel opět vytáhnout pásek z kalhot, což velice zneklidnilo prodavačku. Ujišťuji Vás, vážení pánové, že z Vašeho opasku nelze peníze dostat nenápadně.

Krom toho je často zapotřebí k celé operaci ještě jedné osoby, neboť jak známo, rozepnutý opasek kalhoty neudrží.

Když mi navíc Vaše kapsička na peníze ukousla dvakrát kus košile na zádech a odmítla tyto části oděvu vrátit, začal jsem opět používat normální peněženku, kterou mohu vyjmout z kapsy, kdykoli je to zapotřebí, a s její pomocí dovedu zaplatit tak nenápadně, že si toho často ani sám nevšimnu.

Krátce poté jste poslali mé ženě dárkovou prémii – ZAJÍČKA NA MAZLENÍ. Píšete o něm, že tento CHLAPÍK VYPADÁ TAK DOKONALE, ŽE SE BUDEME MUSET DVAKRÁT PODÍVAT, ABYCHOM SI BYLI JISTI, ŽE NENÍ PRAVÝ. Že je z pravé králičí srsti a že ho ani mladí, ani staří nechtějí dát z ruky. Musím Vás zklamat. U nás tomu bylo naopak. Ani já ani žena jsme toto zvířátko do ruky nechtěli vzít a už vůbec jsme netoužili po tom se s králíčkem mazlit.

Ponechali jsme ho proto v krabičce a poslali jsme Vám ho zpět, protože nás Váš králíček děsil. Doufám, že pochopíte, že se nemůžeme mazlit se zvířátkem, které na nás takto působí.

Jsme, pokud jde o předměty k mazlení, s ženou vybíraví, a zvířátka, která vypadají jako skutečná, avšak mrtvá, nám nedělají dobře.

Pokud jde o Váš další výrobek, kapesní počítačku DUPLEX, musíme Vám bohužel sdělit, že jsme ani v tomto případě neudělali štěstí. Po krátkém používání začal přístroj dělat chyby.

Když nám počítačka sdělila, že dvanáct a dvanáct je devět, museli jsme ji odložit a nechat „odpočinout". Jak jsme pak zjistili, pracoval přístroj dobře jen deset minut. Píšete ve Vašem katalogu, že jde o výjimečný přístroj, který se při početních úkolech chladí. To rád věřím, i když pochybuji, že by se při tak krátké pracovní době zahřál. Musím Vám však říci, že jsem se již v mládí zahříval na horách právě dělením. Shledal jsem tento početní úkol mnohem výhodnějším než třeba tlusté svetry, které zabírají v kufru příliš místa. Proto jsem byl také od počátku skeptický k počítačce, ale žena neodolala. Snad proto si také objednala Vaši SUPERSPONKU (jak píšete – vše, co svěříte supersponce, je po ruce). Toto zařízení má ovšem jedinou nevýhodu, která spočívá v tom, že supersponku nelze nikdy rychle otevřít, a pokud se to někdy podaří, bývá už obvykle dopis, nebo šek, který byl v supersponce uložen, buď roztržen nebo jinak poškozen.

Protože má žena skutečně věří všemu, co píšete ve Vašem katalogu, opatřila si také VLOŽKY DO BOT SE VZDUCHOVÝMI POLŠTÁŘKY. Tvrdíte o nich, že umožní člověku bezbolestnou chůzi, odstraní jakýkoli tlak a jsou vhodné do všech bot. Jdete dokonce tak daleko, že píšete: NEZHRDNĚTE DOBRODINÍM, JEHOŽ SE VÁM DOSTANE, KOUPÍTE-LI VLOŽKY SE VZDUCHOVÝMI POLŠTÁŘKY!

Má žena neodolala a dobrodiním nezhrdla. Dokonce si vložky do bot pochvalovala, a to až do té doby, než třikrát upadla a poranila se na koleně a na zádech.

Protože bych si rád ženu zachoval, Vaše vložky jsem zahodil.

Opatřovat si ženu novou by mne přišlo jistě dráž, než zahodit Vaše vložky.

Zároveň jsem ženě zakázal objednat cokoli dalšího z Vašeho katalogu.

A to i takové PRODEJNÍ TRHÁKY – jak píšete, jako je například PRAKTICKÉ RAMÍNKO NA KRAVATY, které má třicet pět držáků na třicet pět kravat, jež se uchovají ČISTÉ a BEZ FALDŮ. Takového vynálezu bych stejně nemohl použít, už proto, že mi chybí plných třicet čtyři kravaty a nemám tolik času, abych Vaše ramínko později pronajímal inzerátem zájemcům o kravaty bez faldů.

Také jsem ženě nedovolil objednat NŮŽKY NA VAJÍČKO – o nichž tvrdíte, že jsou GENIÁLNÍ a že UMOŽNÍ VYCHUTNAT RANNÍ VAJÍČKO, ANIŽ ČLOVĚK ZANECHÁ STOPY NA STOLE, ČI NA KOŠILI, PROTOŽE ODDĚLÍ OSTRÝMI ZOUBKY SKOŘÁPKU BLESKURYCHLE A BEZ DOBRODRUŽSTVÍ. Musím Vám sdělit, že žiju tak fádní a neměnný život, že mi ta trocha dobrodružství s vajíčkem přijde docela vhod.

Nejistota, zda si ráno umažu košili vajíčkem nebo ne, patří k tomu málu napětí, které mi život dosud skýtá a nerad bych o ně přišel Vaším vynálezem, nehledě k tomu, že bych nerad riskoval život kvůli pouhému vajíčku na měkko.

Také OBLEČEK NA TELEFON nepotřebujeme. Nejsem v tomto směru tak prudérní a pohled na zcela nahý telefon tak, jak ho výrobce stvořil, v nás vůbec nevzbuzuje pocity studu ani nevole.

Považujte nás tedy klidně za nestydy, ale těch dvanáct marek z nás nedostanete.

Rád bych Vás také upozornil na to, že Vás žena neposlechne a NEZAPOMENE VŠE TO, CO SI AŽ DODNES MYSLELA O ŽEHLIČKÁCH, jak píšete v posledním čísle katalogu. Naopak, žena zůstane své staré žehličce věrná a nedá se nalákat na Váš přístroj, o němž píšete, že jím jsou ZÁKAZNÍCI PŘÍMO NADŠENI.

Také rajčata nechceme od této doby krájet HRAVĚ A LEHCE, ne, my si dáme s rajčaty klidně na čas, a když bude nejhůř, budeme je jíst až v penzi, ale rozhodně si neobjednáme Váš NOVÝ KRÁJEČ. Stejně tak se obejdeme bez Vašich ROZKOŠNÝCH ZVÍŘÁTEK PRO KAŽDOU PŘÍLEŽITOST nebo bez SPRÁVNÉHO OŘEZÁVAČE FOTOGRAFIÍ.

A už vůbec nás nenapadne objednat si Vaše nové BALÍČKY S PŘEKVAPENÍNM – za poloviční cenu. Zažili jsme už tolik překvapení s Vašimi výrobky za plnou cenu, že nám to stačí.

Protože bychom i nadále chtěli žít v klidu, žádám Vás, abyste byli tak laskavi a vyškrtli jméno mé ženy z Vašeho seznamu.

Nevím, zda už také náhodou nevyrábíte PRAKTICKÝ vyškrtávač, ale dal bych rozhodně přednost tomu, kdybyste v takovém případě k tomuto úkonu použili laskavě výrobku některé jiné firmy.

Proč nemám rád obchodní domy

Nerad nakupuju. Patřím k lidem, kteří dovedou vejít do obchodu s přáním, koupit si třeba letní sandály a opustit obchod buď s nimi, nebo bez nich. Proto jdu do obchodu jen tehdy, když už není vyhnutí. Vždycky, když navštívím některý obchod a zašeptám prodavačce své přání, že bych rád koupil letní sandály – vím už, co se bude dít. Nerad proto vyslovuji svá přání v obchodě nahlas. Nemám rád, když se něco takového po obchodě rozkřikne, a všichni ti prodavači, kteří nemají zrovna co dělat, se kolem mne nahrnou, aby vyzvídali, jaké sandály vlastně chci. Byl bych mnohem spokojenější a hlavně klidnější, kdyby mi někdo boty přinesl a pak mne s nimi nechal v klidu. Ale vždycky, když si zkouším boty a kolem mne stojí všichni ti lidé, jsem z toho hrozně nervózní a otázky těch, kteří se na mne dívají, jako by viděli poprvé v životě člověka s párem sandálů, mne jenom matou. Ani jejich povzbuzující úsměvy mi nepomáhají. Dobře míněné rady také ne. (Jen se nebojte, no jen zatlačte nohu dovnitř, to se poddá! Nemáte tu levou nožku větší? Račte se projít...)

Jednou jsem dokonce zatoužil po tom, zkusit si boty někde za plentou, ale lidé v obchodě se jen divně usmívali a mrkali na sebe, když si mysleli, že je nevidím.

Nejhorší je, když mi třeba boty z nějakého důvodu nevyhovují. Tlačí, jsou moc velké, nelíbí se mi barva nebo zapínání. V tu chvíli vím, že je zle. Prodavači to vycítí a začnou pobíhat sem a tam. V krátku snesou na hromadu tolik bot, že nevím, které začít zkoušet. Nikdy jim nevadí, že jsem přišel pro letní sandály, přinesou mi i vysoké boty, holínky, nebo boty pro začínající horolezce.

Jsou lidé, kteří v takové situaci nakonec řeknou, že se jim boty docela líbí, ale že si to musí ještě rozmyslet.

Nejsem něco takového schopen vyslovit.

Vždycky si představím člověka, který právě opustil nějaký obchod a jde domů, aby přemýšlel, zda boty koupí, či ne. Jak volá známým a žádá je o radu. (Hele, mám takovou možnost, rád bych se tě zeptal, co si o tom myslíš...)

Jak telegrafuje rodičům (sandaly stop letni pekne stop cislo 42

stop tlaci trosku ve spicce stop sdelte obratem zda se to rozchodi stop).

Vidím vedoucí podniků, kteří si berou den volna s tím, že jedou na služební cestu, nebo zaměstnance, kteří telefonují, že onemocněli.

Nebo ty, kteří dají obchodu poslat dopis, sestavený jejich právním zástupcem.

Vážení pánové,

v souvislosti s plánovaným nákupem jednoho páru lehkých sandálů letních, velikosti 43, hnědé barvy, vzoru JUTEX, mého klienta pana dr. Demnera Vám musím s politováním sdělit, že můj klient dospěl včera ve večerních hodinách k rozhodnutí, že plánovaný nákup této obuvi neprovede.

Podle sdělení klienta brání nákupu letních sandálů nepříjemný tlak, způsobený přaskou výše uvedeného typu obuvi, jakož i skutečnost, že se obuv nehodí barvou k hnědým šatům mého klienta, zakoupeným krátce před návštěvou Vašeho podniku.

Zároveň Vás musím upozornit, že poznámka Vašeho zaměstnance o neobvyklém tvaru nohy mého klienta může být podle platných zákonů považována za urážku na těle a tím i cti. Žádám proto prodavače, aby se osobně mému klientu omluvil, a to do zítřka do 24.00 hodin. V tom přípdě upustíme od plánované žaloby.

S pozdravem JUDr. Eberle.

Připadal bych si pošetile, kdybych se měl takhle vymluvit.

I když vím, že nikdo z těch, kdo tohle říkají, nemyslí věc vážně, že nikdo z nich by se druhého dne nestavil v obchodě, aby pohladil prodavačku a řekl:

„Tak jsme se všichni rozhodli, že si ty boty koupím! Gratuluju vám, slečno!"

Nemám prostě odvahu tuto dobře míněnou výmluvu vyslovit.

Možná že je to způsobeno mým komplexem, který vznikne vždycky, když jsem už vyzkoušel deset párů bot, z nichž se mi žádné nehodily. V tu chvíli mám pokaždé pocit, že musím něco koupit, abych nešel z obchodu s prázdnou. Snažil jsem se tohoto pocitu zbavit, usvědčoval jsem sám sebe z naivity, z toho, že jednám hloupě, jako by existovala nějaká černá listina se jmény těch, kteří se už vícekrát v obchodech provinili, kterou by měli všichni prodavači za pultem.

J.A. Pozor! Nebezpečný výtržník! Nekoupil dvakrát sako, jednou rukavice a jednou manšestrové kalhoty!

Ale nepomohlo to.

Proto nakonec koupím alespoň několik párů tkaniček nebo krém a z obchodu zmizím.

Jiné je to s mou ženou. Řekl bych, že nákupy přímo zbožňuje.

Nejde obvykle do obchodu proto, aby něco koupila, nýbrž proto, aby zjistila, co kde mají a co to stojí.

Jednou mi ukázala dámský svetr a radostně mi sdělila, že je opět levnější, než když ho naposledy v obchodě viděla.

Očekával jsem, že si tedy svetr koupí, ale neudělala to.

Udělala však něco jiného, něco, co na mne velmi silně zapůsobilo. Ukryla svetr velmi hluboko pod jiné svetry, rozhlédla se kolem sebe a šla pryč. Zeptal jsem se jí po příčině jejího počínání. Pravila, že si počká, až svetr bude ještě levnější, než je teď.

Nikdy však svetr nekoupila.

Zevšedněl jí natolik, že o něj ztratila zájem.

Pochopil jsem časem, že pro mou ženu je nákup jakousi hrou. Miluje spíše obřad sám než jeho výsledek. Jde do obchodního domu, aby tam koupila pastu na zuby, avšak vrátí se bez pasty, ale s polštářem. Vrátí se druhého dne, aby koupila pastu, ale přijde domů opět bez ní, zato však má záclonu. Nevím, co by přinesla, kdyby se vypravila kupovat záclony. Je nevypočitatelná. Dá se strhnout náhlým návalem jakési inspirace a zabloudí do míst, kam původně nechtěla. Chodí pak z jednoho místa na druhé, porovnává barvy, vzorky, modely i ceny a je jí dobře.

Mé ženě pobyt v obchodním domě svědčí. Čím déle se tam zdrží, tím lepší má barvu. Vrátí-li se z delší pochůzky, vypadá, jako by zrovna přijela z hor.

Já sám nevydržím v obchodním domě déle než několik minut.

Snesu klidně pohled na pár ponožek, nebo na tři, nebo dokonce i na deset párů, musí-li to být. Ale ne na víc.

Ale pohled na padesát, sto, nebo dvě stě párů ponožek, jimiž mává, vlní se a prodírá má žena, to je nad mé síly. Navíc vím, že ani jedny z nich nekoupí.

V takovou chvíli se nemohu dívat ani na ponožky, ani na svou ženu.

Kdybych už musel koupit ponožky, vběhl bych do obchodního domu, popadl je, zaplatil a byl hned zase venku.

Člověk, který zůstane uvnitř delší dobu, propadne po čase jakési mánii a přestane se chovat jako rozumný tvor.

Jeden můj známý to kdysi zažil na vlastní kůži.

Jeho žena ho poslala koupit svetr, který přesně do posledního detailu popsala.

Šlo o určitou barvu, velikost, ale také vzorek a střih. Dokonce i druh zapínání byl znám předem. Brzy se ukázalo, že najít tento velmi určitý svetr nebude snadné. Známý strávil tři dny hledáním svetru. Teprve čtvrtého dne nalezl to, co hledal. Až na jednu maličkost. Na zapínání. Nebylo takové, jaké si žena přála. Žena chtěla knoflíčky a zde byl zip. A tu se ten člověk přistihl, jak náhle vzal svetr něžně stranou a začal si polohlasně říkat, že tadyhle by se to třeba dalo rozpárat, a tadyhle zase přešít … a v tom okamžiku, kdy takto sám se sebou hovořil, začal svetr zničehonic hladit. Byl ovšem ještě natolik při smyslech, že si uvědomoval, že ani sebevíce citově založený člověk svetry hladit nemá. Později tvrdil, že jeho náhlý nával něžnosti vyplynul zřejmě z dlouhého pátrání po svetru a z radosti, kterou cítil v okamžiku, kdy se se svetrem shledal.

Řekl mi, že už sám nakupovat nechodí, protože se děsí představy, že by jednoho dne tolik radosti nepřežil.

Ani já nechodím sám nakupovat. Skoro každé dva, tři roky potřebuju ovšem nové kalhoty, sako, nebo jinou věc. Tou dobou vyrazí má žena do města, hledá vhodné věci a upozorňuje prodavače, že není vyhnutí, že mne musí jednoho dne opět vzít s sebou.

Teprve potom, když trasa je vytyčena a já morálně připraven, jdeme na obchůzku.

Naposledy jsme takhle kupovali texasky. Představoval jsem si samozřejmě, že si koupím přesně takové, jako byly, ty staré.

Pevné, z dobrého plátna, příjemné na těle.

Sotva jsem však sdělil své přání prodavači, podivil se.

Nemám prodavače, kteří se diví přání svých zákazníků, moc rád.

Tento svůj údiv přímo vystavoval.

Tvrdil, že texasky nejsou už moderní, jako byly, a že bych si měl raději koupit něco jiného, například sametové šaty, nebo maxikabát. Poděkoval jsem mu za nabídku a řekl jsem mu, že na texaskách trvám.

V doprovodu své ženy se totiž prodavačů nebojím a dělám trochu hrdinu.

Prodavač vyslechl mé přání, pokrčil rameny jako člověk, který druhého varoval, ale nedokáže ho přemluvit, a přinesl mi kalhoty.

Byly to pravé, pevné kalhoty, ale nehodily se mi. Měly malou chybičku. Nedalo se v nich chodit. Dalo se v nich při dobré vůli dělat drobné krůčky. Když jsem vycupital z kabiny, upozornil jsem na to prodavače. Podíval se, jak pěkně cupitám v kalhotách, jež působily jako svěrací, a řekl, že mi moc pěkně „sedí".

Ujistil jsem ho, že se nemýlí. Řekl jsem, že nenamítám nic proti látce, ale že jediné, co mi dělá starosti, je střih, který způsobuje to, že kalhoty lze ohnout jen s vypětím sil.

Řekl jsem také, že se obávám, aby kalhoty neseděly i tehdy, když bych si náhle zamanul a chtěl vstát.

Nevěřil mi, přestože viděl, co kalhoty se mnou provádějí.

Po několika krocích jsem se musel opřít o pult. Prodavač mi však věřit zřejmě nechtěl.

Byl by spokojen, kdybych se v kalhotech odbelhal a zaplatil je.

Odskákal jsem do kabiny jako malý ptáček a tam jsem se z kalhot už bez potíží dostal. Jakmile jsem je však odložil, stalo se něco zvláštního. Zůstaly stát. Něco takového jsem nikdy před tím neviděl. Ukázal jsem stojící kalhoty ženě a prodavači. Ten reagoval, jak byl vycvičen. Připlížil se ke kalhotám zezadu a pak je jakýmsi bleskovým chvatem zlomil, srazil k zemi a odnesl.

Zpátky přinesl jiné. Byly to kalhoty, jaké nosí patrně toreadoři za klidného, nevětrného počasí. Prodavač ovšem zase tvrdil, že v nich vypadám báječně. Nebyla to pravda, protože jsem se viděl v zrcadle. Řekl jsem, že se mi kalhoty nelíbí a šel jsem je sundat do kabiny. Tam se mi zasekl zip, do kterého se dostal cípeček košile. Musel jsem zavolat ženu na pomoc. Přišla, ale když ani ona neuspěla, šla za prodavačem a žádala ho o nůžky.

Ten se vyděsil, protože si asi myslel, že se chystám nezaplacené kalhoty rozstříhat. Přiběhl také do kabiny, abychom se pak všichni tři pletli jeden druhému. Nakonec mne z kalhot dostali.

Řekl jsem, že chci jít pryč. Tvrdil jsem, že kalhoty nepotřebuju a že raději nebudu chodit ven, než abych podstoupil ještě další zkoušení. Ale už tu byl prodavač a já si zkoušel další. Padly mi opravdu dobře, ale pak se ukázalo, že měly cosi s kapsami. Dalo mi hodně práce dostat ruce do kapes a ještě horší bylo ruce z nich vyndat. Nelíbilo se mi to, protože jsem samotář. Nerad bych žádal druhé lidi o to, aby mi pomohli dostat vlastní ruce z kapes. Připadal bych si moc závislý. Naznačil jsem to jemně prodavači, který řekl, že v tom případě jsem ovšem pozadu za módou. Řekl jsem, že se s tím klidně smířím, jen když budu mít kalhoty s kapsami, do nichž lze dát ruce. Pravil, že u kalhot se ruce do kapes nedávají. Zeptal jsem se ho, kam se tedy, dle jeho názoru, dávají. Řekl, že nikam. A řekl to nehezky. Zatoužil jsem náhle velice potom, vložit jednu ze svých rukou na prodavače. Žena mi to rozmluvila.

Nakonec jsme koupili kalhoty, které se líbily mně, ale vůbec ne prodavači. Vůbec neodpovídaly módě a krom toho měly normální kapsy.

Při prvním praní se srazily natolik, že jsem je daroval svému sedmiletému synovci.

Nedávno mne žena opět vzala s sebou, když šla koupit do obchodního domu klec na králíka. Nevím, jak při tom všem dokáže klást prodavačům ještě tolik otázek. Tentokrát se vyptávala docela slušného mladého muže v zoologickém oddělení.

Neptala se jen na klec, ale i na jiné věci:

„Nezraní se v té kleci králíček?"

„Bude ji mít rád?"

„Nevyskočí z ní?"

„A nezaběhne se pak někam??"

Dívali jsme se s prodavačem na sebe, neboť jsme oba měli ve věci jasno. A oba jsme také věděli, že to, co víme, neví má žena. Věděli jsme oba plnou pravdu o králíkovi, jehož pošetilí lidé vzali do bytu jen proto, že si to jejich dítě přálo. Prodavačova situace byla ovšem o to horší, že nemohl v zájmu obchodu říci ženě vše to, co věděl o zvířeti. Jinak by jí musel říci, že kotec či klec nemá vůbec žádný vliv na to, co takový králík dovede. Že je to zvíře velmi nerozumné a navíc silně neurotické, že skáče a že se neustále zabíhá. Že dovede dokonce běžet po stěnách a srážet krajinky a zátiší. Musel by také ženu upozornit na to, že králík, který má možnost se schovat pod židlí nebo pod nízkou skříní, si vždy vybere skříň, neboť shledává patrně veškeré pokusy o vydolování zábavnými. Že zvířátko není možno ani vykouřit, ani vymést, neboť se obvykle rádo pod skříní vzpříčí a že takto vzpříčeného králíčka lze získat jen tehdy, odsuneme-li těžkou skříň. Prodavač by musel také ženu upozornit na to, že králík se nejen zabíhá, ale taky rád hryže telefonní kabel a že jeho bobky, vržené do vzduchu, létají do vzdálenosti čtyř metrů, a to jen s nepatrnu odchylkou.

Vzal jsem kotec i ženu a prodavač mi byl velmi vděčný. Byl to patrně nejrozumnější čin, jehož jsem se kdy v obchodě dopustil. Když jsme se pak procházeli obchodním domem, naskytla se nám nehezká podívaná.

Nějaký starší pán, který zřejmě také nerad sám nakupoval, se tam dostal do rukou dvou prodavaček, jež ho s pomocí jeho vlastní ženy doslova ničily.

Soudě podle toho, co s ním dělaly, bylo zřejmě rozhodnuto, že muž potřebuje nové šaty. Během půl hodiny vystřídal nejméně sedmero šatů a všecky ženy ho oblékaly stále do dalších, svlékaly a znovu všelijak postrojovaly. Potom se musel vždy procházet sem a tam a obě prodavačky i jeho žena se dohadovaly, zda mu to sluší nebo ne. Když se konečně dohodly, strčily ho opět do kabiny.

Ten člověk byl už natolik otupělý, bez vůle a neschopen se bránit, že putoval za závěs bez jediného slova odporu. Posléze byl už natolik deprimován, že přestal vnímat, kde je a co dělá, a začal zvolna spouštět jakési kostkované kalhoty, aniž šel do kabiny. Strčily ho tam znovu a on už nechtěl ven.

„Vendo, no tak nezlob," lákala ho jeho žena, „ještě jedny šaty a pak dostaneš párek a pivo!"

Rychle jsme šli pryč. Bylo mi toho člověka líto.

Krom toho jsme spěchali.

Žena se totiž rozhodla, že králík bude chodit na procházky, a tak jsme se šli někam podívat po vhodném řemínku a obojku.

Odpoledne s labutí

Jednoho dne se naše dcera Johana rozhodla, že oslaví narozeniny své malé, bílé králice, tím že uspořádá jakési baletní odpoledne. Nepřekvapilo mne její rozhodnutí, pokud jde o samotný fakt oslavy, protože v rodině, v níž matka už dva roky učí psa, aby ukázal „zoubky" a „ouška", si člověk časem zvykne na ledacos, ale zaujal mne spíše způsob, jímž se dcera rozhodla králičí narozeniny oslavovat.

Ještě nikdy jsem neslyšel o králíku, který by se nějak zvlášť radoval z klasické hudby nebo baletu.

Zeptal jsem se tedy dcery, zda si je jista, že králice bude něco z takového odpoledne mít, zda si myslí, že takové vystoupení zvířeti něco dá. Dcera mi řekla, že se králice už strašně těší. To mne uklidnilo, protože mám rád ve věcech jistotu. Navrhl jsem pak ženě, že bych zkusil králici zahrát nějakou desku, třeba operu, abychom viděli, co tomu zvíře říká, ale ženě se nápad nijak nelíbil a řekla mi, abych nedělal hlouposti. Musím se přiznat, že se mne to trošku dotklo. Sdělil jsem ženě, že nevidím důvodu, proč by můj nápad měl být hloupostí, už proto ne, že dcera chystá pro zvíře celé baletní odpoledne.

„To je něco jiného!" řekla žena a víc jsem z ní nedostal.

Potom začala dcera nacvičovat jednotlivé tance, shánět hudbu a kostýmy.

V den premiéry si vypůjčila můj psací stroj a napsala na něm pro spolužačky program odpoledne.

Jeden výtisk se mi podařilo získat.

Stálo na něm:

1. Tanec Mariky Rökk

2. Louskáček

3. Tanec o životě a smrti

4. Labutí jezero

Shledal jsem program velmi zajímavým a pestrým, a protože jsem se chtěl dozvědět něco bližšího o Tanci o životě a smrti, vyžebral jsem si prostřednictvím ženy u dcery malé interview.

Dozvěděl jsem se, že Tanec o životě a smrti je dceřinou vlastní kreací a že bude věnován králici, na jejíž počest bude nastudován.

Při té příležitosti jsem naznačil dceři své obavy z délky programu. Ujistila mne však, že se obávám zbytečně, protože bude tančit jen čtvrt hodiny Louskáčka a jen trošku Labutího jezera. Řekla mi také, že ona sama bude hlavní labutí, kdežto její dvě přítelkyně vystoupí v rolích labutí vedlejších.

Krátce potom sdělila matce, co všechno bude potřebovat: krom vlastních špičkových bot jedny večerní šaty, župan a zástěru mé ženy, dále mou kožešinovou zimní čepici a několik ručníků. Shledal jsem kostýmní požadavky velmi podivné, ale od ženy se mi dostalo ujištění, že baletu ani dítěti nerozumím.

Protože mám konzervativní vychování a zvyky, zaujalo mě hned od počátku dceřino přání vypůjčit si ručníky.

Proto jsem zdvořile požádal ženu o to, aby i po dobu baletního odpoledne byl v koupelně alespoň jeden ručník, a to pro případ, že by mne náhle chytla nezřízená touha si utřít ruce. Naznačil jsem zároveň, že v podstatě proti Labutímu jezeru nic nemám, ani proti tomu, bude-li dcera po určitou dobu ve svém pokoji pro potěchu svou i druhých labutí, že však doufám, že rozumná a své rodiče milující desetiletá labuť pochopí, že ručník je v koupelně nutný.

Žena pravila, že mé obavy jsou naprosto zbytečné, že dítě má fantazii, na což bychom měli být hrdí, což ukazuje i to, že jí stačí jen několik ručníků. Krom toho mi dala najevo, že bych si měl konečně uvědomit, že naše labuť je jednou z nejklidnějších labutí, co zná.

Projevil jsem jisté pochybnosti, což mělo za následek ženino vyprávění o labutích, ručnících a jezeře.

Úvodem žena řekla, že největší jezero, jaké kdy kdo z nás v bytě udělal, bylo to, které jsem způsobil já, když jsem se neopatrně koupal. Potom pravila, že dívky mající fantazii tančí vždy v určitém věku oblečeny do čehokoli, neboť jsou ve svých představách tím, kým být chtějí.

Vzpomněl jsem si na svou sestru, která kdysi tančila také po bytě, zabalena pouze do dětských plen, jež vzala malému bratrovi. Tenkrát šlo o jakýsi arabský tanec.

Měli jsme tehdy s otcem obavy, aby to sestře nezůstalo, ale později se toho skutečně zbavila a do tanečních už chodila oblečena normálně. Otec pak litoval, že už sestra plen nepoužívá, protože by to prý přišlo celé levněji.

Svěřil jsem se se vzpomínkou ženě a ta řekla, že názor mého otce byl pro něho naprosto typický a že bych si měl dát pozor, protože se prý svému otci v mnohém podobám. Slíbil jsem, že se budu střežit.

Žena mi pak ještě sdělila několik důležitých informací. Zmínila se například o všech komplexech a zábranách, které mají děti, jimž kdysi rodiče nepůjčili včas ručník.

„Jsou zakřiknuté!" vysvětlovala.

Přiznal jsem se, že pokud si pamatuju, nebyl ani mně nikdy v mládí zapůjčen ručník, že to však mohlo být docela dobře tím, že jsem tančit nechtěl.

A řekl jsem ženě, že jsem v krajním případě ochoten dát nemajetným dívkám několik ručníků, bude-li to nutné, že však neustoupím od požadavku mít alespoň jeden exemplář v koupelně pro nejhorší časy.

Soudě podle sebevědomé odpovědi mé ženy – musela se její rodina utírat buď do kapesníků, nebo vůbec ne.

Proto jsem pak řekl cosi, čeho jsem vzápětí litoval – že mám totiž stejně raději baletky v ručníku než v jiném kostýmu.

Žena se mnou přestala mluvit, čímž byla debata ukončena.

Baletní odpoledne se prý však velice vydařilo.

Hosté tleskali, umělkyně se klaněly, králice byla zavalena mrkví a já dostal dokonce dort, protože ho nikdo nechtěl.

Zda se zvířeti balet líbil, nemohu s jistotou tvrdit.

Jedno však vím jistě – králík netleskal.

Čekal jsem totiž na první volný ručník hned za dveřmi a určitě bych si toho byl všiml.

Romantická dovolená

Občas propadne člověk dojmu, že by měl jet k moři.

Stalo se nám to už několikrát. Žena navštívila vždy turistickou kancelář, přinesla spoustu prospektů s informacemi a obrázky, abychom si mohli vybrat místo, kam bychom rádi jeli.

Jednou jsme takhle jeli do jednoho hotelu na osamělé pláži kdesi v Itálii. Bylo to jen několik metrů od moře a pláž byla až na dvě slečny zcela liduprázdná. Tak to bylo na obrázku v prospektu.

Ale když jsme na to místo přijeli, bylo to poněkud jiné než na obrázku. Hotel byl poměrně daleko od moře, pláž byla zcela plná a moře nebylo modré, jako v prospektu, nýbrž hnědé.

Ani ceny nebyly zcela stejné jako v prospektu. Pravda, vstup do moře byl zdarma, ale to bylo tak špinavé, že nebylo možno v něm plavat. Krom toho v něm plavaly už jiné předměty, jako matrace, kus skříně, pneumatiky dálkových nákladních aut a různé plastické hmoty. Až na několik odvážlivců – z domorodců si nikdo do moře netroufl, protože se každý plovoucích předmětů bál.

Proto jsme všichni seděli na pláži, v řadách za sebou, jako v biografu. Kdo chtěl dostat slušné místo, musel podplatit jakéhosi muže jménem Antonio. Podplatili jsme ho a dostali jsme se do šesté řady doprostřed, což bylo poměrně velmi pěkné místo, protože ti, kteří seděli na kraji řad, měli výhled na nepěkný tovární komín. Antonio měl bratra jménem Mario.

Ten půjčoval slunečníky. Opatřili jsme si slunečníky a pak už nezbývalo než jednat s Marcellem, což byl bratr těchto dvou, aby nám za lidskou cenu půjčil lehátka.

Získali jsme i ta, i když to nebylo snadné jednání, neboť ceny stoupaly den ze dne, protože o lehátka byl přirozeně obrovský zájem. Krom toho tu byl ještě Alexandro, což byl nejmladší bratr, a ten měl jakousi dohodu s Marcellem o tom, že bude za jiný poplatek lehátka nosit. Bylo třeba se dohodnout i s ním o ceně za transport, protože Alexandro nesnesl, aby si lidé lehátka nesli sami.

Také s posledním bratrem jsme se dohodli. Byl to Ugo, který za určitý poplatek lehátka rozkládal a dával na všechny půjčené předměty lístečky.

Lístečků bylo vůbec hodně. Nejhorší to bylo s těmi za parkování hned vedle hotelu. Tady se o auta starali tři dědečci.

Podle toho, jak si byli podobní, to museli být přinejmenším trojčata. Potíž spočívala v tom, že si někdy krátili čas tím, že si měnili čepice, což bylo to jediné, podle čeho je bylo možno rozeznat. Zaplatili jsme dědečkovi ve žluté čepici za auto a dostali jsme lísteček. Ale pak se objevil dědeček v modré čepici a dal nám jiný lísteček a chtěl peníze.

Někdy přišel i dědeček v červené čepici, což byl zřejmě hlavní parkovací dědeček, a museli jsme zaplatit i jemu.

Lístečků byly dva druhy. Lístečky za místo na slunci a za místo ve stínu. Ty druhé byly dražší a bylo možno je dostat jen za menší úplatek. Jelikož se však slunce i v Italii pohybuje, bylo nakonec auto na slunci a dědečci se smáli a zpívali písničku O sole mio.

Když jsme vyřídili všechny obchodní transakce, seděli jsme a dívali jsme se na moře, pokud jsme se zrovna nedohadovali s malými bratry Renatem a Carlem o tom, že jsme nechtěli, aby nám nafoukli matraci nebo gumového hrocha a že už nechceme nic platit, ani žádné lístečky.

Nakonec jsme si řekli, že už něco takového nepodnikneme, protože je mnohem pohodlnější a levnější jít se podívat na italské moře doma do biografu.

Jednoho dne však žena přišla s nápadem, že pojedeme do Španělska. Řekla, že za tím účelem už opatřila stan, protože tentokrát podnikneme pěknou, romantickou dovolenou a budeme moci tábořit tam, kde se nám skutečně bude líbit.

Podíval jsem se na Španělsko na mapě a shledal jsem je poměrně sympatickým. Když člověk sedí doma pěkně v pohodlí a pozoruje takový stát na mapě, připadá mu nápad do takové země jet docela rozumným. Ale jednoho dne je náhle třeba se vydat na cestu. V tu chvíli pocítí člověk, že se patrně unáhlil.

A tak když jsem musel jednoho dne velmi brzo vstát a dozvěděl jsem se k svému překvapení, že jedeme do Španělska – svěřil jsem se ženě se svými pocity. Řekl jsem, že je mi líto opouštět domov. Upozornil jsem ji na pohodlné postele i na slunnou verandu, ale bylo to marné. Žena pravila, že budeme spát pod stanem na velmi pohodlných matracích a že není třeba si dělat starosti.

Nebyl jsem toho názoru. Cítil jsem, že cesta do Španělska byl sen, který měl snem také zůstat. Věděl jsem, že jsme se unáhlili a že jsme přecenili své možnosti. Navrhl jsem ženě, ať rozbalí zavazadla a že si můžeme jít lehnout. Také se stanem bych si poradil. Protože jsme si ho půjčili od známých, vrátili bychom ho až za čtrnáct dní a požádali bychom někoho, aby nám ze Španělska přivezl nějaké pohledy, abychom se vyhnuli nepříjemným otázkám našich známých. Nic z toho však ženu nezaujalo.

Řekla, že do Španělska pojedeme také proto, že jsme tam nikdy nebyli. Pak mi sdělila, že stanové výlety patří k nejkrásnějším vzpomínkám jejího mládí a že pod stanem prožila nejhezčí léta svého života.

Přiznal jsem se, že se v tomto směru od ní velmi liším, a upozornil jsem ji, že jsem svá nejkrásnější léta prožil zásadně mimo stan. Sdělil jsem jí, že nemám nic proti stanu jako takovému, ale že od té doby, co už nejsem mladík, se stanování vyhýbám, protože mi nesvědčí.

Žena řekla, že si to všechno jen namlouvám a že se mi to jistě bude líbit. Pravila také, že jedeme na dovolenou se stanem hlavně proto, aby stanování zažila dcera, která něco takového nezná a už se na cestu velmi těší.

Pak se zeptala dcery, zda se už těší, a ta, nevyspalá a ne zcela při smyslech, řekla, že se těší.

Žena se zeptala dcery, zda se těší pod stan, a ta zašeptala, že se těší pod stan.

„Vidíš!" řekla žena, a tím bylo rozhodnuto.

Vždycky mne překvapí, že tolik lidí dostane stejný nápad jako my. Soudě podle toho, jak to vypadalo na silnici, rozhodla se většina lidí jet právě do Španělska. Proto jsme jeli několik set kilometrů krokem. Bylo horko, motory i děti řvaly, vzduch byl plný benzínu a všichni ti, kteří jeli do Španělska, si šli na nervy. Kolem poledne se horko stalo nesnesitelným. Lidé jedoucí do Španělska začali odhazovat prádlo, někteří vystoupili z vozů, aby se polévali vodou, jiní křísili na kraji silnice omdlévající tchyně.

Přenocovali jsme v jednom campingu na velmi vlhkém místě, protože suchá místa byla už obsazena těmi, kteří dorazili dříve. V sousedním stanu pěli dlouho do noci jakési teskné písně. Nerozuměl jsem řeči, v níž byly písně zpívány, ale měl jsem dojem, že ti lidé v nich opěvovali klidný a tichý domov, který právě opustili.

Ráno jsem se probral a zjistil jsem, že jsem unavenější, než když jsem šel spát. Po snídani jsem šel umýt nádobí, zatímco žena balila s dcerou stan. Klopýtal jsem přes stanové kolíky, a nakonec jsem se zařadil do fronty jiných mužů, kteří dostali stejný úkol. Mytí trvalo dlouho, protože k tomu účelu byl k dispozici jen jediný kohoutek a nějaký pán měl potíže s připáleným rizotem. Dva dobrovolníci, kteří stáli ve frontě za ním, se mu vydali na pomoc. Rizoto však bylo velmi pevné a trvalo to pěknou chvíli, než se těm třem podařilo zbavit nádobí tohoto pokrmu.

Když jsem se vrátil ke stanu, řekl jsem to ženě a varoval jsem ji před rizotem.

Druhou noc jsme přenocovali kdesi v horách, hned u nádraží. Třetí na fotbalovém hřišti, nedaleko branky. Tehdy se ukázalo, že stavět stan v noci je něco zcela jiného než ve dne.

Rozdíl spočívá v tom, že ve dne člověk vidí, kdy druhému překáží, kdežto v noci ne. Překáželi jsme si s ženou dokonale, tahali jsme se o stanové plátno, zakopávali jsme o sousední stany a volali jsme na dceru, aby svítila. Nakonec jsme postavili jakousi chýši a začali s přípravou lůžek a večeře.

Žena se zeptala, zda chceme polévku. Byli jsme pro, dcera přinesla vodu, já připravil vařič a žena se dala do vaření. Podle vůně, kterou pokrm vydával, to musela být velmi dobrá polévka. Když byla skoro hotová, otočila se žena, aby připravila chléb a převrátila polévku do pokrývek. Když se opět otočila s připraveným chlebem, hleděla udiveně na vařič, kde ještě před chviličkou polévka byla.

„Hledáš něco?" zeptal jsem se jí.

Žena neodpověděla, pátrala po polévce, až ji konečně našla. Nebylo to však radostné shledání, jaké bychom očekávali u člověka, který polévku vlastnil, přišel o ní a pak ji opět nalezl.

Žena vyždímala polévku z přikrývek, nechala si přinést novou vodu a pustila se opět do vaření. Brzy to znovu ve stanu vonělo jako předtím. Když bylo jídlo už hotové a každý z nás měl v ruce lžíci, sáhla žena po slánce a převrátila polévku tentokrát velmi zvolna, až lento – botou. Polévka vytekla na zem a vpila se do vyprahlé země.

Věděl jsem, jak ženě je, a proto jsem, abych zmírnil její utrpení, řekl, že to nevadí a že bude patrně lépe, když na celou věc zapomeneme. Slovo polévka jsem schválně nevyslovil. Vyslovila je žena. A řekla je v nejrůznějších spojeních, jaká jsem ji nikdy neslyšel říci. Bylo jasné, že žena polévku v tu chvíli velmi nenáviděla. Ale přesto se pustila znovu do vaření. Varoval jsem ji. Řekl jsem, že bych to na jejím místě rozhodně nedělal, protože věřím na nadpřirozené síly a znamení.

Žena však mých rad nedbala a vařila – řekl bych ze všech sil – novou polévku. Počínala si tak obezřetně a opatrně, jako nikdy před tím. Byla dokonce tak soustředěná, že si nahlas předříkávala, co udělá, že ji zamíchá a pak že ji osolí a poté že polévku zředí.

Čím více se blížil okamžik, kdy jídlo mělo být hotovo, tím jsme byli všichni tři nervóznější.

A žena z opatrnosti, aby se nestalo to, co už dvakrát předtím, pravila, že se tentokrát raději ani nehne, že se ani neotočí a že raději vůbec nebude nic riskovat a na nic nesáhne. Pak poslala dceru do vozu pro talíře.

Ta se zvedla a velice klidně a přesně odkopla polévku i s nádobou pod auto.

Byla to již třetí polévka toho večera, a to bylo na mou ženu příliš. Začala náhle vyhazovat ze stanu věci, jednu za druhou a metat je všemi směry.

Ze sousedního stanu vylezl nějaký pán a díval se, jak žena vyhazuje věci. Sledoval ji se zaujetím, ba s úctou.

Pak se zeptal, co se mé ženě přihodilo. Řekl jsem mu, že uvařila třikrát polévku, kterou dvakrát převrhla sama a třetí pokus vyšel dceři.

Muž se dal do smíchu, až mu tekly po tvářích slzy.

Pak se odebral ke svému stanu, kde zakopl o kolík a padaje, strhl stan na ženu vlastní, která právě vařila guláš.

Musel to být velmi dobrý guláš, soudě podle toho, jak vyproštěná žena voněla.

Ale náhlá změna hodnot toho muže zcela změnila.

Už to nebyl ten divoce se smějící tvor, nýbrž vážný, ba zaražený člověk.

Zatímco se těšil na guláš od ženy, dostalo se mu ženy od guláše.

Seděli jsme pak oba, muž i já, každý před svým stanem a jedli jsme chléb.

Ukázalo se, že sousedovi zbývá už jenom několik dní do konce dovolené. Říkal, že se už velice těší domů, ale říkal to potichu, aby to neslyšela jeho žena.

Když jsme konečně dorazili do Španělska, hledali jsme vhodné místo k táboření. Žena, která s sebou vzala jakousi příručku se spoustou adres, však stále nebyla spokojena. Jednou jí bylo moře příliš daleko, příště se jí zdálo místo neútulné, nebo málo slunné, jindy jí zase nevyhovovalo, protože postrádala pěkný výhled. Jezdili jsme od místa k místu, ale žena stále tvrdila, že to není ono, že pojedeme dále. Já i dcera jsme byli brzy v takovém stadiu, že nám začalo být jedno, jak to kde vypadá. Žena však tvrdila, že nejela do Španělska proto, aby tábořila kdekoli.

Konečně jsme našli to, co jí vyhovovalo. Bylo to klidné, pěkné místo, na skále.

Hned jsme se vrhli do moře, kvůli kterému jsme celou cestu podnikali.

Za dva dny jsme se spálili tak, že nám i sebemenší pohyb dělal potíže. Zbytek času jsme se mazali různými oleji a krémy a bojovali s mořským pískem.

Byl to velmi jemný mořský písek, který se snadno dostal do jídla, prádla i knih. Brzy jsem písek objevil i v peněžence a v hodinkách. Krom toho se lepil na boty, vnikal do přikrývek, do očí i do uší.

Jedinou možností, jak nepřijít s pískem do styku, bylo zůstat stát celou dobu nahý někde za skálou. Žena mi to rozmluvila. Tvrdila, že se písku zbavíme.

Pokusili jsme se o to.

Náš denní rozvrh se změnil.

Až do této doby jsme se chodili koupat a zbytek času jsme spali nebo jedli. Teď tomu bylo jinak.

Hned ráno jsme vyklepávali deky a prádlo. Pak jsme vše rozvěšovali po stromech a snášeli zase zpět do stanu.

Když jsme se vraceli od moře, používali jsme tří různých párů přezůvek k tomu, abychom se dostali do stanu a nenanesli tam písek. Jakmile se zvedl vítr, schovali jsme se do stanu a věnovali jsme se každý koníčkům. Já obvykle vyfukoval písek z plnicího pera. Když však po několika dnech nalezla žena písek i v nádobě na cukr, vzdali jsme se. Pochopili jsme, že jsme v boji s tímto živlem bezmocní a nekladli jsme mu už odpor. Stejně jsme měli jiné starosti.

V noci se přihnala bouře a my museli shánět kamení, aby bylo čím zatížit stan. Stejný nápad dostali také ostatní lidé, kteří na místě tábořili, a začal boj o materiál.

Jeden Švýcar nashromáždil v neuvěřitelně krátké době spoustu kamení a zařídil si jakousi půjčovnu.

Protože se také objevili lupiči kamení, střídali se členové rodin v hlídce.

Vichřice trvala dlouho a vyhnala nakonec ženu s dcerou do auta.

Také mne vybízela žena, abych opustil stan a šel raději k nim do vozu. Odmítl jsem. Řekl jsem, že zůstanu tam, kde jsem.

Žena dostala strach, protože vichřice ještě zesílila a odnášela vše, co jí stálo v cestě, pryč.

Nějaký Holanďan nezatížil dobře vlastní ženu a myslel si, že mu ji vichřice odnesla. Vypadal docela spokojeně až do okamžiku, než ji opět našel. Byla celá od písku.

To už mne moje žena varovala, abych přestal dělat hlouposti, dříve než mne vichřice odnese i se stanem do moře.

Řekl jsem, že hlouposti nedělám, a jestliže jsem nějakou udělal, pak to bylo to, že jsem jel na dovolenou. Zároveň jsem ženě sdělil, že vím, co mne patrně čeká, a že se věcí příštích nikterak neděsím. Kladl jsem jí pouze na srdce, aby se laskavě postarala o hrob, pokud by mne později nalezli. Přál jsem si hrob jednoduchý a prostý, ale pokud možno bez písku.

Pak jsem také sestavil jakési úmrtní oznámení. Vyhnul jsem se přirozeně faktu, že jsem zahynul na dovolené.

Zdůraznil jsem naopak, že jsem zahynul při plnění rodinných povinností, obětovav se proto, aby naše dítě poznalo rozkoše stanování.

Pak jsem ještě požádal ženu, aby pokud dovolenou přežije, podala o pobytu otevřeně zprávu našim známým a přátelům, aby se nikdy – z falešné společenské cti (nebyli ještě nikdy ve Španělsku) – nevystavovali podobnému nebezpečí.

Když konečně vichřice po několika dnech ustala, ukázalo se,že na mou ženu zapůsobila.

Opustili jsme moře dříve, než jsme plánovali, a pod záminkou cesty do Andorry (nikdy jsme nebyli v Andoře) jsme se oklikou a nenápadně vrátili domů, abychom se konečně zotavili z vyčerpávající dovolené.

„Zeptej se!"

žádá mne žena, když někde na cestách zabloudíme.

Činí tak vždy poté, co opatřila a podrobně prostudovala mapy, našla vhodné cesty, opatřila mapy záložkami a barevnými papírky s čísly kilometrů, poté, co sečetla délky všech silnic, po nichž máme jet, a dělila je průměrnou rychlostí našeho vozu a kdy mi oznámila, jak dlouho bude cesta trvat, kudy pojedeme a která cesta je nejkratší a nejvýhodnější, kde jsou hory a kde nížiny, kde budeme mít slunce, kde světové strany a kde nocleh.

Po těchto dalekosáhlých přípravách se vydáme na cestu, a po hodině jízdy zjistíme, že jsme všecky plány, mapy i poznámky zapomněli doma.

Potíž je v tom, že se ptám nerad. Zažil jsem až příliš mnoho zklamání v tomto směru, než abych byl ochoten se znovu a znovu ptát. Bloudím mnohem raději samostatně, než s pomocí naprosto se rozcházejících informací, které mi poskytli lidé, jichž jsem se, na radu své ženy, zeptal.

Jednou jsme zabloudili kdesi v Kalifornii a má žena opět chtěla, abych se zeptal.

Tvrdil jsem, že to není nutné, protože jistě zase správnou cestu najdeme sami, ale žena byla jiného názoru.

Zastavili jsme u osamělého ranče, kde jakýsi muž stříhal trávu.

Už na první pohled bylo vidět, že je to muž, který čeká jen na to, až se ho zeptám na cestu. Vypadal dokonce trochu nedočkavě.

Učinil jsem, oč mne žena žádala, když jsem ji před tím upozornil na to, že se jdu ptát pouze na její žádost a že tedy nese odpovědnost za výsledek mé akce.

Muž chvilku přemýšlel a pak se zeptal, kam chceme jet, zda na sever či na jih.

Řekl jsem, že na sever.

„Proč ne na jih?" zeptal se a začal si mne prohlížet.

Otázka mne vyvedla trochu z míry. Ale pak jsem se vzpamatoval a řekl jsem, že na jihu jsme už byli a na severu ještě ne.

Muž vysvětlení přijal a pak začal vysvětlovat, jak máme jet.

„Pojedete pořád polema," začal, „nejdřív kolem kukuřice, pak přijde louka, pak zase kukuřice, ale už ne tak pěkná jako ta první, a za ní uvidíte malej lesejk, vlastně takový houští a za houštím přijedete na rozcestí a tam se dáte doprava."

Chtěl jsem muži poděkovat a honem jsem si opakoval, za kterou kukuřicí přijde rozcestí, ale muž mi řekl, že bychom taky mohli jet ještě dál, a že po dvou kukuřičných polích a po jedné pěkné a jedné suché louce bude ještě rozcestí, ale tam že jet nemáme, protože bychom přejeli.

Chtěl jsem jít k vozu, ale muž řekl, že je to kousek a že nás raději doprovodí na své mašině. Nastartoval sekací stroj, ale v tu chvíli se objevila jeho žena a něco se ho ptala. Muž zase motor vypnul a vysvětloval ženě, že jsme cizinci a že jsme zabloudili. Farmářka se ptala, kam chceme jet.

„Na sever," řekl muž.

„Proč ne na jih?" zeptala se farmářka.

Muž pokrčil rameny a ukázal na mne. Zřejmě s tím nic nechtěl mít.

Řekl jsem tedy znovu, že chceme na sever a ne na jih, protože na severu jsme ještě nebyli, kdežto na jihu už ano.

Muž řekl, že nás doprovodí na první rozcestí, ale žena zavrtěla hlavou a řekla, že se mýlí, že musíme jet na druhé rozcestí. Muž se zasmál a řekl ženě, že jestliže chceme jet na sever, tak musíme jet na první rozcestí tak, jak to říká on, a pak doprava. Žena mávla rukou a řekla, že musíme jet na druhé rozcestí a pak doleva.

Muž řekl ženě, že to říká špatně, a začal vyjmenovávat kukuřičná pole a žena to opakovala po něm, ale ještě jich pár přidala, než se dostala k druhému rozcestí.

Muž vzal klacek a začal cestu kreslit do písku a znovu všecko ženě vysvětloval a pak nakreslil křižovatku a u ní stromeček. Žena neměla z kresby zřejmě radost, protože ji smazala botou a nakreslila sama svůj obrázek.

Ten zase smazal muž. To už na sebe křičeli a začali do sebe strkat.

Šel jsem k ženě, která seděla ve voze a ptala se, proč ti lidi čmárají do písku. Řekl jsem, že to dělají kvůli ní, a začali jsme se přít, kdo kdy z nás kde zabloudil a čí to byla vina. Mezitím farmář skočil na svou sekací mašinu, žena na motorku, oba na nás mávli a jeli před námi. Během jízdy jsme se všichni přeli. Farmář se svou ženou a já se svou.

Byl to krásný okamžik, obrovská pole, zelené louky a zářící slunce a pod tím dva manželské páry, které se hádaly.

Za jízdy mně sdělila žena, že ona věří farmářce a pojede tedy tou cestou, kterou ukáže ona. Řekl jsem, že věřím farmáři, a tím bylo jasné, že muži pojedou spolu a ženy také.

Očekával jsem, že se každou chvíli objeví ještě jeden manželský pár, nejlépe na koních, ale objevil se pouze kovboj v autě, a protože to byl jejich známý, farmář i farmářka ho zastavili a sdělovali mu jeden přes druhého, kudy si kdo z nich myslí, že máme jet.

Kovboj je oba pozorně vyslechl, pak si zapálil cigaretu, posadil si širák do týla a začal si mnout bradu.

Řekl jsem ženě, že kdykoli si osamělý kovboj začne takhle mnout bradu, je to špatné znamení.

Mezitím kovboj vyhledal kousek papíru a tužku a začal kreslit cestu.

Namaloval několik kukuřičných polí, která se mu docela podařila, a pak louku, která byla trošku odbytá. Když maloval lesík, vystrčil jazyk. Ale obrázek se mu stejně nedařil. Myslím si, že kovbojové mají na malování příliš roztřesenou ruku.

Pak se pokusil namalovat místo, kde jsme stáli. Začal kreslit auto a sekací mašinu. Chtěl se ještě pustit do malování farmáře a farmářky a možná, že by byl namaloval ještě hezké sluníčko, kdyby se ho farmářka přímo nezeptala, která cesta je správná.

Ukázalo se, že kovboj nesouhlasil ani s farmářkou, ani s jejím mužem. Tvrdil, že musíme obě rozcestí minout a jet dál, až k jakési odbočce doleva.

Farmář s farmářkou se začali smát a pak znovu kreslili do písku a jeden druhému to už nemazali, protože se chtěli před kovbojem zřejmě ukázat, že taky umějí hezky malovat.

Kovboj si vzal taky kamínek a začal malovat svůj obrázek hned vedle těch dvou, a my jsme toho využili a jeli jsme pryč, protože jsme ty lidi nechtěli rušit.

Někdy si opatříme mapu po cestě, abychom si cestu usnadnili.

Pokud jde o ženu, dovede se do mapy natolik zabrat, že když se jí na křižovatce zeptám, kam mám jet, vyděsí se, jakoby náhle vytržena ze spánku, a pak řekne: „Doleva!"

Dám se tím směrem, a vzápětí jsem informován, že se spletla, že chěla říci doprava. Jindy řekne rovně, ale pak v posledním okamžiku vykřikne: „Ne, promiň, semhle".

Tyto informace nemám rád. Kdykoli mi žena z opatrnosti, aby se opět nespletla a neřekla místo doleva – doprava, řekne semhle, nebo tudydle, dostanu malý nervový záchvat.

Podobně se mi vede, když mi řekne, abych jel tak jako támhleto auto.

„Který?" křičím.

„To zelený," křičí žena.

V takových chvílích jedeme, ač je červená, neurčitým směrem, neboť se obvykle vyskytne víc vozů jedné barvy a nepomůže, když žena dodá, že míní to hráškově zelené, protože se pak obvykle přeme, jaké barvy je hrášek a jaké barvy hrášek není, jaké máme barvy vůbec a kolik máme rukou.

Pokud řídí má žena a já mám mapu na starosti, nevede se nám někdy lépe. Neznám žádný systém, pokud jde o mapy, který by mi ve voze vyhovoval. Dovedu najít kterékoli místo na volném prostranství, na louce, nebo na ulici, ale nesvedu to v autě. Několikrát jsem už v mapě, v které jsem cosi hledal, zmizel. Nikoli proto, že bych se chtěl před ženou skrýt, nýbrž nedopatřením. Jindy mi vadí palubní deska nebo sklo vozu v tom, abych mohl mapu rozložit tak, jak bych si přál. Také nerad zakrývám ženě výhled, když řídí, protože pak sice mapu rozložím tak, jak chci, ale jízda se stává nebezpečnou. Žena má mapy narozdíl ode mne ráda a ráda se do nich dívá, ale nikdy ne tehdy, když řídí. Zkusil jsem také vystrčit část mapy z okna, ale ani tento způsob mi nevyhovuje. Mapa, kterou jsem pak zase do vozu dostal, už nebyla tou, kterou byla krátce před tím: Itálie byla protržena a Holandsko zůstalo ležet někde podél francouzské dálnice.

Nejraději máme ty mapy, do nichž žena předem zakreslí plánovanou trasu barevnými tužkami.

Nahlížíme do nich nejčastěji poté, co se z cest vracíme, abychom zjistili, jak bychom byli pěkně jeli, kdybychom je nezapomněli doma.

Nedávno jsme opět zapomněli mapu a žena mne poslala k benzinové pumpě, abych tam koupil nějakou jinou.

Muž, který pumpu obsluhoval, mapy bohužel neměl, ale řekl mi, že mi přesně sdělí cestu k jiné stanici, kde mapu dostanu.

„Pojedete rovně, na prvních světlech doleva, pak zase rovně až ke kostelu a tam zahnete doprava, potom pojedete přes troje světla až k parku, kde zahnete doprava a pojedete na pátá světla, tam doleva, a hned první ulice doprava a tou až nakonec k mostu, tam uhnete doleva, dostanete se k nádraží, nezahnete, protože ta ulice je jednosměrná, budete pokračovat na náměstí, to musíte objet a pak hned na prvních světlech doleva a nahoru na kopec!" Řekl ten muž a já mu poděkoval, za informaci, a chtěl jsem co nejrychleji nastoupit do vozu, aby mi třeba ještě neřekl nějakou zkratku, když mne muž zarazil a řekl OPAKUJTE TO!

Zděsil jsem se. V prvním návalu jsem mu chtěl navrhnout, že mu řeknu nějakou básničku, kterou umím ještě z dětství, nebo že mu raději vydělím nějaké dlouhé číslo s desetinnou čárkou na velmi ošklivém místě, když mne propustí a nebude chtít znovu slyšet ten hrůzný plán cesty.

Byl to velký a silný muž a mne napadlo, že by nebylo vhodné mu odporovat nebo se z celé věci nějak vykroutit nebo se pokoušet ho obelstít.

„Pojedeme rovně, na prvních světlech doleva..." začal jsem, dbaje velice na přednes.

Nevím, jak dlouho bych byl u muže zůstal, kdyby nebyl zazvonil v tu chvíli telefon. Je možné, že bych se tu cestu učil dodnes. A možná, že bych byl u něho musel zůstat za trest na výpomoc a to tak dlouho, než by se našel jiný nešťastník, který by se zeptal na cestu mne.

Muž si odskočil k telefonu a já prchl zbaběle do vozu.

Žena dupla na plyn, neboť jsem už v běhu na ni volal, že musíme co nejrychleji zmizet, a já se ještě za jízdy otáčel, abych se ujistil, že muž neskočil do jiného vozu, aby nás pronásledoval a dopadl.

„Kudy?" ptala se žena nechápavě.

Protože jsem chtěl být nejprve v bezpečí a nechtěl jsem ztrácet čas vysvětlováním, říkal jsem jí nazdařbůh, jak mne napadlo, kudy má jet.

K mému velkému překvapení jsme jeli naprosto správně.

„Vidíš," řekla mi žena, kterou to potěšilo, „já ti pořád říkám, nejlepší je, když se zeptáš!"

„Co mám dělat?"

ptá se vždycky naše dítě, kdykoli se někam vydáme na cestu vozem. Chce to vědět už po několika prvních kilometrech jízdy, sotva vyjedeme z domu.

Klade tuto otázku na cestě do hor, k moři, ptá se na výletech, na cestě za přáteli, uprostřed města i na dálnici. Činí tak pokaždé se stejným důrazem a naléhavostí. Otázka mne znervózňuje, neboť byla až dosud položena vždy, když jsme někam jeli.

Myslím si, že jsem docela klidný člověk, který se jen tak nedá vyvést z míry. Ale kdykoli se dítě znovu v autě zeptá, co má dělat, ztrácím klid. Má žena, která přečetla spousty příruček o dětech a manželích, tvrdí, že odborníci přímo varují před takovými otci, jakým jsem v tu chvíli já.

Jsem toho názoru, že většinu výchovných příruček napsali autoři, kteří zůstali bezdětní, aby mohli knihu v klidu napsat. Také si myslím, že je ke mně žena nespravedlivá.

Když se dítě zeptalo poprvé, byl jsem ještě klidný a dokázal jsem taky rozumně odpovědět. Ale když jsem uslyšel onu otázku potřicáté, cosi se ve mně vzbouřilo a já se slyšel, jak říkám dceři, že má sedět.

Je přirozené, že něco takového má žena nesnese. Říkat dítěti, aby sedělo, když sedí, považuje žena za radu krajně nevhodnou.

Vždycky když mi žena chce dát před dítětem najevo, že se chovám nevhodně, vzdychá. Nevím, jak a zda vzdychají také jiné ženy, ale má žena vzdychá tak, že se děsím. Děsím-li se za volantem vozu, stávám se nebezpečným ostatním řidičům a zároveň riskuji, že svou rodinu, to jest dceru, která se neustále ptá, co má dělat, a ženu, která vzdychá, přivedu do neštěstí.

Jednou jsem ztratil nervy do té míry, že jsem dceři rozechvělým hlasem navrhl, aby si v autě stavěla sněhuláčka.

Tenkrát má žena vzdychla tak, že jsem málem narazil do jiného vozu, plného malých hodných dětí, které se neptaly.

Tehdy mne taky žena požádala, abych v podobných situacích děcku raději neodpovídal, že už je sama nějak zabaví. Krátce poté se dítě opět zeptalo, co má dělat, a žena mu duchapřítomně navrhla, aby počítalo autíčka.

Tak vznikla zvláštní hra, kterou hrajeme dodnes. Dcera se obvykle skutečně na nějakou dobu uklidní, hra ji zaujme, ale pak se zeptá, jaká autíčka má počítat, protože chce mít ve věci jasno.

Zda všechna, nebo jen nákladní anebo osobní? Žena se obvykle zamyslí a pak třeba holčičce navrhne, aby počítala jen ta osobní, a to červená. Dítě se zase uklidní a ve voze je na nějaký čas klid.

Nevím, zda se kdy některý z autorů výchovných příruček zabýval počítáním autíček nebo podobnou činností, která má dítě zaměstnat a která se tak vřele vždy doporučuje. Z vlastních zkušeností však mohu říci, že dítě propadne po čase jakési mánii, která má na jeho nervovou soustavu zaručeně neblahý vliv. Jednou se nám například stalo, že holčička, která byla neobyčejně pilná, napočítala sto dvacet sedm světle červených autíček, a pak dostala nedaleko Paříže malý nervový záchvat, protože si nebyla jista, zda to poslední bylo červené, nebo růžové.

Žena se ji tehdy pokusila uklidnit tím, že jí dala počítat autobusy. Bohužel jich tehdy jelo kolem moc málo, přestože jsme je všichni očekávali jako vysvobození. Dítě se dostalo s bídou k číslu sedm, počítajíc v to i vrak vojenského autobusu, který ležel u cesty.

„Co mám dělat?" zeptalo se.

„Počítej motocykly!" řekla žena.

Myslím, že nikdy nejelo tak málo motocyklů po silnici jako tenkrát. Přistihl jsem se při tiché nenávisti ke všem těm, kteří zůstali doma, místo aby si vyjeli na výlet a zabavili nám dítě. Někdy to vypadá tak, že počítám za jízdy v duchu s holčičkou pro případ, že by se spletla, a žena zas počítá pro případ, že bych se spletl já.

A tak jedeme rychlostí sto třiceti kilometrů v hodině a všichni tři počítáme červená, zelená, nebo žlutá autíčka.

Jednou jsem napočítal během delší jízdy plných tři sta dvacet tři hnědých autíček, a když jsme přijeli na italsko-švýcarské hranice, byl jsem na výsledek tak hrdý, že jsem tento údaj omylem ohlásil k proclení. Má zpráva vyvolala zvláštní neklid na celnici a náš pobyt na tomto úřadě se tak notně protáhl.

Mezitím se ovšem holčička v autě začala nudit a ptala se, co má dělat. Žena jí dala počítat celníky, což holčičku zaměstnalo, ale jen na chvíli, než zjistila, že italských celníků je pět, kdežto těch švýcarských je sedm. Bylo jí to divné, a tak je pro jistotu přepočítala a pak to přiběhla říci mamince, která měla zrovna podepsat nějaké prohlášení o tom, že vezeme jen jedno autíčko, a to vlastní, a že žádná autíčka, ani na hraní, nepašujeme.

Žena dala holčičce nový úkol. Požádala ji, aby násobila švýcarské celníky těmi italskými. Dcera poslechla, začala nic netušící celníky násobit a ukazovala si na ně, aby je nepočítala dvakrát.

Myslím si, že člověk, který je povoláním celník, snese ledacos. Určitě se dovede klidně podívat na pašované hodinky nebo na hromádku heroinu. Vydrží jistě nepřízeň počasí nebo pátrání po pašerácích. Avšak celník, kterého náhle proti jeho vůli násobí jiným celníkem neznámé dítě, které si cosi mumlá a na oba ukazuje, znervózní.

Násobený celník už není rozhodně ten celník, s kterým se ještě před chvíli nepočítalo.

Italští i švýcarští celníci pohlíželi na dítě a pak nenápadně mizeli v celnicích. Jeden Švýcar se dal dokonce natolik vyvést z míry, že zašel omylem k italským kolegům. Po chvíli se odtamtud zahanbeně vytratil.

To už holčička pyšně sdělovala výsledek: „Třicet pět!"

Má žena dítě pochválila, neboť násobit nepravidelně se pohybující celníky není tak snadný úkol.

„Co mám dělat teď?" zeptala se dcera.

„Děl je," pravila má žena.

Holčička poslechla a pustila se do nového úkolu, my zatím vyřídili úřední záležitosti kolem autíček, protože nás celníci chtěli mít zřejmě co nejrychleji z očí.

Pak jsme jeli dál.

Ukázalo se však, že s celníky má dcera potíže. Dělila sice těch sedm švýcarských těmi pěti italskými, ale nedospěla k žádnému výsledku. Zjistilo se, že ještě neznala dělení s desetinnou čárkou, což úkol vyžadoval. Má žena, které je dodnes dělení poněkud nejasné, mne požádala, abych příklad laskavě dopočítal a sdělil dítěti (kterému se vždy musí říkat pravda) výsledek.

Udělal jsem, co bylo nutné, a ohlásil jsem dceři výsledek – jednoho celého a čtyři desetiny celníka.

Přiznám se, že jsem nepřišel na to, zda švýcarského, či italského, protože jsem nevěděl, který z nich má mít za sebou desetinnou čárku.

Holčičce to kupodivu nevadilo. Dokonce poděkovala, ale pak se zeptala, co je to vlastně ta desetina.

Žena jí to vysvětlila, holčička řekla „Aha, aha" a pak se zeptala znovu. Zkusil jsem to vysvětlit sám. Holčička řekla opět „Aha, aha" a zeptala se, jak je to s tou desetinou.

Pokoušeli jsem se pak s ženou během několika set kilometrů jízdy vysvětlit dítěti procenta, abychom nakonec, celí zoufalí, dospěli k drastickému příkladu, který má dcera sice pochopila, ale který musel nutně zanechat stopy na jejím duševním zdraví. Mám dokonce dojem, že od té doby sleduje tak ráda Hitchcockovy filmy.

Dík složitosti problému totiž nakonec nezbylo, než pro názornost jednoho nevinného, tlustšího celníka z Itálie rozčtvrtit.

K tomu ošklivému činu došlo skoro za tmy v jednom předměstí nedaleko Milána.

Té noci jsme ani já, ani žena nemohli v hotelu dlouho usnout.

Jen dítě spalo klidně a spokojeně.

Žena řekla, že už nikdy holčičce nedovolí, aby si něco začala s celníky.

Ale pokud jde o autíčka, počítáme je dodnes.

Zdá se, že v poslední době převládají modrá.

„To musíme vidět!"

řekne žena, kdykoli zjistí, že jsme v blízkosti nějakého hradu, muzea nebo zříceniny.

Já s dcerou nebývám vždy stejného názoru. Viděli jsme už tolik zřícenin, že jsme se jich jaksi nabažili. Netoužíme po výkladu průvodce chrlícího letopočty, ani po tom postávat na místě, kde před několika sty lety skvěle fungovala mučírna a kde je nyní stánek s limonádou a párky. Nemáme ani chuť vhazovat mince do dalekohledu, který, pokud je v pořádku, nám ukáže krajinu. Ani jeden z nás neprahne po tom šplhat se po skalách, kde se obvykle hrady, zámky či zříceniny vyskytují. Lezeme rádi po skalách, ale obejdeme se bez zřícenin.

Já sám dám často přednost zcela moderní stavbě, jež většinou bývá v podhradí. Hostinci.

Chápu, že hrady byly stavěny na skalách a jiných nepřístupných místech ze strategických důvodů. Ale myslím si, že i hostince měly v minulosti důležitou úlohu. Domnívám se, že sloužily jako zátarasy. Nedovedu si představit člověka, který by se na takovém místě nezastavil, aby se trochu posilnil nebo osvěžil, když viděl, jaká cesta ho čeká k hradu.

A jsem dokonce toho názoru, že rozumný hradní pán dbal převelice na to, aby místo hostinského bylo obsazeno mužem prozíravým, na něhož bylo možno se spolehnout. Kníže, který měl takového hostinského, byl často patrně uchráněn nájezdů nepřátel, kteří sice původně táhli na hrad, ale kteří nakonec skončili v podhradí.

Pokud jde o mne, jsem těmto lidem v podhradí vždy vděčen. Mohu pozorovat hrad nebo zříceninu z tohoto místa, a myslet si své. Hrad viděný očima klidného člověka, sedícího u stolu a pijícího kávu, či jiný nápoj, neztrácí nic ze své monumentálnosti.

Myslím si, že tomu tak muselo být i kdysi dávno. Scházeli se snad princové, kteří vyrazili do světa za zlatým jablkem, princeznou, či živou vodou, na zámcích? Nikoli. Setkávali se v hostincích. Nebyli tak bláhoví, aby šplhali po skalách k neznámému hradu a tam se dozvěděli, že jejich cesta byla zbytečná. Proto se vyptávali hostinského na další cestu, co je nového, kde který drak jakou princeznu unesl a jaká je vypsána odměna na její vysvobození. V těchto místech získávali informaci o tom, kdo koho a jak zaklel, kde sedí žába na prameni, tady se dozvídali o pracovních příležitostech. Teprve pak, když věděli, co potřebovali, vydávali se na cestu, neboť to byli lidé rozumní a chtěli jít najisto.

Myslím si, že dokonce i ten princ, co byl prý zaklet do havrana, nelétal rovnou nahoru na hrad, nýbrž usedal nejprve na okénko hostince. Že šlo o jakési mezipřistání, jež princ, unavený dlouhým služebním letem, nezbytně potřeboval.

Jsou ovšem také místa, kam některý neprozřetelný autor umístil děj své hry, či románu, neboť neměl ani tušení o tom, co se za pár set let z místa stane. Myslím si, že třeba Verona mohla být kdysi milým, klidným místem, kam by si člověk i dnes rád zajel, nebýt těch dvou, Romea a Julie. Shakespeare ale určitě netušil, co se tu bude dnes dít. Určitě ho nenapadlo ani ve snu, že tu budou pobíhat a pokřikovat prodavači křiklavě malovaných pohlednic, že tu každý druhý bude nabízet přívěsky na klíče, sklenice, hrníčky, talíře, ba dokonce i drbátka s obrázkem těch dvou. Taky nevěděl, že ten celý podnik bude v provozu od devíti do dvanácti a pak od dvou do šesti v zimě a do půl osmé v létě. Že čistá a nevinná láska těch dvou bude přerušena polední přestávkou, kdy oba rody budou obědvat, počítat výdělek a čekat na další autokary. Že potomek Merkucia tu bude přepadat lidi a nabízet jim pašované hodinky, zatímco se jeho kolega Tybalt ve své dnešní podobě člověku pokusí vykrást auto. Mám pocit, že by autor, kdyby tohle všechno tušil, svou hru do Verony nikdy nesituoval, nebo by, pro jistotu, místo raději blíže neurčil.

Z podobných důvodů si dám klidně ujít pramen Dunaje. Raději si to místo představím jako špatně utažený vodovodní kohoutek, než abych podstoupil to, co by mne na místě čekalo.

Také muzeím se vyhýbám. Viděl jsem už tolik velkých i menších muzeí, že mi to zcela stačí. Také jsem navštívil spoustu krajských, okresních, ba dokonce místních muzeí, kam mne už nikdo nedostane.

Viděl jsem muzea s vycpaným tetřevem nebo zajícem, kterému padalo ucho. V jiném muzeu vystavovali medvěda, o němž tvrdili, že je hnědý. Nebyl, byl šedý od prachu a byl na něj žalostný pohled. Jsou dokonce muzea, kde vystavují několik veverek, psa a myš, protože tahle zvířata jsou snáze k mání. A najdou se taková, kde lze vidět kresleného klokana, namalovaného místním profesorem zoologie.

Znám dokonce muzeum, které vlastní vitrinu se syslem a pšenicí tak, jak zvíře daroval muzeu nějaký sedlák. Sysel vypadá, že šel do muzea dobrovolně.

Jednou jsem viděl v jednom městečku (pět tisíc obyvatel s nádražím) exponát, který byl darem sousedního městečka (pět tisíc obyvatel, bez nádraží).

Šlo o mamutí kost.

Vím, že mamut kosti měl (že je dokonce mít musel) a že některé byly později nalezeny. Beru mamutí kost tak, jak je. Ale nerad kvůli takové kosti počítám. U této kosti byl model mamuta, který nebyl větší než králík. Dcera se divila, že je mamut tak malý a kost velká, a dožadovala se vysvětlení. Pokoušel jsem se jí vysvětlit, že jde jen o jakýsi poměr, a že mamut byl ve skutečnosti obrovský.

„Tak proč ho tu udělali tak malého?" divila se.

„Protože nemají skutečného mamuta," vysvětloval jsem jí.

„Tak proč ho neudělali tak velkého, jako má být?" ptala se znovu.

„Protože by potřebovali víc místa!"

Ve vitríně byl návod, jak vypočítat skutečnou velikost podle velikosti kosti.

Jeden pán si vzal tužku a počítal.

„Patnáct centimetrů," hlásil své ženě.

„To není možné, Edáčku," řekla jeho žena.

Muž tedy počítal znovu. Tentokrát mu vyšlo jeden a půl kilometru.

Žena se znovu divila a tvrdila, že udělal někde chybu a že nikdy neuměl počítat, a muž počítal znovu velikost mamuta a zlobil se, že ho žena ruší.

Pak přišli k vitríně další návštěvníci. Brzy se mezi sebou přeli, kdo má správný výsledek.

Když jsme místo opouštěli, tvrdil ten pán, co mu vyšel jeden a půlkilometrový mamut, že už ví, jak na to.

„Musel by se udělat novej mamut a ponořit do kapaliny a to, co by vytlačil..."

Byl jsem rád, že dcera na mamuta zapomněla. Koupil jsem jí za to čokoládu.

Byla stejně velká, jako ta vystavená za výkladem.

Pokud jde o mne, mám na cestách jiné starosti.

Každou chvíli se děsím, že jsem ztratil peníze, psa, cestovní doklady, klíč od vozu, nebo dítě. Prohmatávám kapsy, blednu, obhlížím náměstí, kudy jsme šli, nebo kde jsme se měli sejít.

Jindy sháním mapy, plánky, ztrácím poštovní známky nebo hledám ve slovníku, jak se řekne žluklé.

Když se vrátím domů, píšu dopisy všem těm hochům od policie, kteří nám dali pokutu za nesprávné parkování. Jsou to policisté mnoha měst i zemí a korespondence bývá složitá, neboť býváme často přistiženi.

Musím však přiznat, že si zvykám. Věřím, že se blíží doba, kdy nebude možno nikde zaparkovat auto a my si budeme na zámky, hrady a jiné památky jednoduše ukazovat a dozvídat se o nich z knih těch, kteří měli speciální povolení a směli jet kolem pomaleji.

„TO SI MUSÍME PŘEČÍST!" řekne pak asi žena.

Určitě budeme s dcerou pro.

Roztomilé obrázky

Na počátku byl aparát a první snímek. Od té doby nejen ráda fotografuje, ale všecky snímky třídí, lepí do alb a vášnivě ráda je ukazuje návštěvám.

Hosté, kteří nás navštěvují, jsou lidé většinou zdvořilí, a proto když se jich žena zeptá, zda by nechtěli vidět některé naše snímečky, neřeknou ne. Tito lidé ovšem netuší, co je čeká. Žena se obvykle zeptá, zda chtějí vidět fotografie od začátku. Pokud si pamatuji, viděla většina těch lidí, co nás navštívili, naše fotografie od začátku. Mou ženu vždy velice potěší, může-li od začátku začít. Ukáže několik alb svých příbuzných jen zběžně, a když vidí u hosta zájem, nabídne i alba, kde jsou vzdálení příbuzní. Tato alba máme ve vedlejším pokoji, protože blízcí příbuzní s námi obývají obývací pokoj.

Samozřejmě že alba jsou sestavena podle dokonale promyšleného systému. Jednou měla žena moc práce s vytříděním fotografií jednoho strýce, který se shodou okolností nechal před lety vyfotografovat s příbuznými, ale také bez nich. Objevil se na několika snímcích před vlastním domem, ale žena ho našla i na snímku před jakýmsi stavením, které mu nepatřilo.

Původně chtěla žena všecky snímky strýce zařadit do alba, kde byli ostatní sourozenci tohoto příbuzného, ale tam se strýc hodil jen částečně svým původem, ale ne způsobem vyfotografování. Žena ho tedy uložila do alba s názvem RŮZNÉ, kam ukládala snímky cizích domů.

Později jí bylo příbuzného líto a dala ho tedy k příbuzným a na uvolněné místo do druhého alba dala fotografii blíže nerozeznatelného příbuzného, který si na snímku zakrýval obličej v místech, kde prý prohrál mlýn. K témuž snímku zařadila jiného příbuzného se svými dětmi, který byl zakryt jakýmsi mužem z Přelouče.

Tento člověk se vyskytl ještě na jedné fotografii, kde však zakryl jakési známé, kteří jeli na svatbu a v Přelouči se stavili. Když mi tohle všechno žena řekla, nabyl jsem dojmu, že muž z Přelouče musel mít něco za lubem, a vyptával jsem se ženy, zda není možné, že by se byl zakrýváním lidí na fotografiích živil. Žena to popřela, ale já jsem

dodnes přesvědčen, že o muži z Přelouče ví víc a že to z nějakých osobních důvodů tají.

Myslím si, že má žena zdělila svůj vztah k fotografii po své matce. Ta mi jednou řekla, že mi ukáže snímek bratrance Vladimíra, a pravila, že je to „momentka" z koňských závodů. Položila ji na stůl a sdělila mi, že se kůň vypracoval zrovna na druhé místo v celkovém pořadí. Díval jsem se na obrázek, ale koně jsem ani při nejlepší vůli nenašel. Jako slušně vychovaný tvor, který neodporuje starší dámě, jsem ovšem mlčel. Konečně šlo o formát, kam by se kůň byl jistě vešel. Jediné, co jsem na snímku viděl, byly stromy a křoví.

Napadlo mne, že kůň třeba v nestřeženém okamžiku někam zaběhl – ale nedal jsem to najevo. Dělal jsem, že koně vidím, což se mi zřejmě docela dařilo, protože matka mé ženy poklepala prstem na fotografii a sdělila mi, že bratranec Vladimír v těchto místech jel skvěle.

„Teprve o pár metrů dál kůň klopýtl a oba upadli," řekla mi a ukázala na slánku, stojící na stole vedle fotografie.

V první chvíli jsem propadl dojmu, že bratranec s koněm upadl proto, že uklouzli po soli, ale po chvíli jsem získal novou informaci.

„Ne, nebylo to tadyhle, ale spíš tadyhle," řekla matka mé ženy a ukázala prstem ještě kousek dál, až k hrníčku na kávu.

Studoval jsem chvilku fotografii, slánku i hrníček na kávu a snažil jsem si to celé představit.

Matka mé ženy mi sdělila, že si bratranec zlomil dvě žebra a vymkl ruku.

Instinktivně jsem nazdvihl fotografii a pátral po bratrancově sedle, nebo po jiné stopě, která by mi pomohla v orientaci.

„A tady se Vladimír zvedl," pokračovala ve vyprávění tchyně, ukazujíc na cukřenku, „a šel ještě pěšky až do těchhle míst!" Ukázala na několik nezaplacených účtů, ležících na stole, označujíc je pohotově za tribunu na závodišti.

Zvedl jsem jeden z účtů, abych se přesvědčil, že to není částka za koňský oves, a uklidnil jsem se, neboť šlo o účet za vyvolané fotografie.

Fotografii křoví a stromů si matka mé ženy opět uschovala do kabelky k fotografii mé ženy s houslemi. Je to snímek, kde je má žena velmi malá a housle naopak velké.

Žena se na fotografii tváří nevrle, jako by jí někdo housle vnutil.

Protože jsem svou ženu nikdy neviděl s houslemi, domnívám se, že jde o vzácný snímek, jaký se podařil jen jednou, před mnoha lety, kdy bylo možno ženu houslemi překvapit.

Matka mé ženy tvrdí, že snímek s houslemi vznikl ve stejný den, kdy má žena ztratila kdesi kyblíček a nechtěla jíst hrachovou polívčičku, ale má žena souhlasí pouze s kyblíčkem a polívčičku popírá.

Pýchou mé ženy jsou svatební alba. Také jsou sestavena tematicky, tedy podle manželů. První manžel je prezentován tak, jak se na takového člověka sluší. Soudě podle fotografií, byl první muž mé ženy velmi osobitý člověk. Je tu na obrázcích, jak dělá opici, jak šilhá, nebo jak stojí na hlavě.

Následuje řada svatebních snímků, svědci ze svatby, hosté.

Narození dcery je od manžela odděleno dvěma volnými listy.

Nevím, proč je tomu tak, ale domnívám se, že je to proto, aby manžel dítě nějak špatně neovlivňoval.

Poté, co se v albu objeví dcera, první manžel zvolna mizí.

Objeví se sice tu a tam, aby dítě vyhodil kdesi v parku do povětří a zase o pár stránek dál, aby je zachytil (kvůli bezpečnosti), ale stává se v záběrech stále menším a menším, zatímco dítě, ač jen několikaměsíční, zabírá celou stránku. Současně s tím, jak manžel zakrňuje, dík volbě záběrů, přestává také šilhat, smát se a dělat kotrmelce.

Ke konci alba náhle zvážní a stojí dokonce zády k objektivu. Na dalších snímcích se objevují usměvaví pánové, o nichž žena vypráví, že jsou to advokáti.

A několik jiných lidí, kteří byli opět svědky.

Pak už jsou tu snímky jiného muže, který opět šilhá, dělá opici nebo stojí na hlavě a který je po kouskách vpouštěn do obrázků dcery.

Tyto snímky mne rozčilují, neboť ten člověk jsem já.

Zbytek ženiných sbírek je označen geograficky jako New York, Paříž, Milán, Itálie, Bahamy, Španělsko, nebo zase tematicky jako Zoologické zahrady, Dovolené, Hory či Památky.

Lidé, jimž žena snímky či diapozitivy ukázala, byli velice překvapeni. Když požádali například o pár snímků Paříže, uviděli v nejlepším případě kousek Champs Elysées, nebo vršek Eiffelovy věže. Ale viděli zcela jistě stokrát naši holčičku, z toho čtyřicetkrát v modrých, dvacetkrát v bílých a desetkrát v červených šatičkách. Zbytek snímků je do půl těla, neboť tehdy byla ještě velmi malá.

Mohli spatřit maličký dóm v Miláně a před ním dceru, jak chroupe jalbíčko (velmi sugestivní), nebo kousek sochy Svobody mizící v kudrnatých vláscích. Někteří se mohli pokochat pohledem na Grand Canyon v Arizoně a zahlédnout maličkou skalku a dítě, které na ně vyplazuje jazyk.

Jiní měli to štěstí, že si řekli o Řím, a shlédli k svému překvapení deset snímků holčičky, papající chlebíček v levé ruce, a sedm snímků, na nichž papá jiný chlebíček v pravé ruce. Zájemci o cizí kraje, toužící po Bahamách, neuviděli domorodé obyvatelstvo, tančící limbo, nýbrž holčičku před palmami a moře za holčičkou. Měli jsme i jeden snímek palmy před holčičkou, ale ten už žena vyřadila, protože sbírky hyzdil.

Někteří si mysleli, že na ženu vyzrají, a když viděli například sbírku s názvem Sídliště kmene Navajů, která se skládá z holčičky, jak pláče (20 snímků), a holčičky, jak se směje (30 snímků), protože dostala bonbon, a nezahlédli nic víc než zbytek ohniště, které se na snímek dostalo ještě náhodou (holčičce upadl bonbon a sehnula se), řekli si o Zoologické zahrady. Ale ani to jim neudělalo radost.

Může snad člověka potěšit ruka od opičky, nebo kousek sloního chobotu? Jistě že se najdou lidé, kteří si dovedou představit celého hrocha, když vidí snímek levé zadní nohy a zbytek zvířete schovaného holčičkou, ale člověku to moc nedá.

Dospělý, vyrovnaný člověk uvažuje jasně. Chce hrocha, nebo nic. A určitě by se zamiloval do snímku, kde by hroch skryl holčičku, kterou už tolikrát viděl, a pokud možno by to řekl dál, žirafám, které by udělaly totéž nebo by ji prostě zatáhly k buvolům do chléva a tam ji s pomocí opic zavřeli alespoň do té doby, než bude možno se podívat na šelmy a dravce.

A věřil bych, že by se našli i takoví, kteří by dali přednost obyčejným divokým prasatům, nebo drobnému ptactvu, či těžko postřehnutelnému hmyzu před holčičkou, která jí u voliéry buřta a zakrývá sovu, poté, co otevřela svůj roztomilý deštníček, aby jím zakryla další nevinná zvířata.

Příroda ovšem nevybavila každého stejnou měrou. Jsou lidé, kteří vydrží ledacos, těžkou práci, nepřízeň počasí, ale málokdo snese bez následků přehlídku fotografií s komentářem nebo hromadu diapozitivů, jako máme my.

Jednou u nás byli na návštěvě dva přátelé. Jsou to oba fyzicky i duševně zdatní muži a nechali si bez nejmenší předtuchy naservírovat mou ženou několik fotochodů a pak dokonce souhlasili i s moučníkem v podobě diapozitivů.

Když dostali Ameriku v jednom tahu a pak Botanické zahrady v kratších dávkách, poklesli oba natolik, že si ještě objednali Hrady a zámky.

První přítel se snažil tempo a počet shlédnutých obrázků dcery na různých cimbuřích kompenzovat alkoholem, ale druhý po čase otupěl natolik, že dokonce žádal o to, zda by nemohl dostat přidáno.

„Ještě Johančiny narozeniny," prosil a žena mu samozřejmě vyhověla. Bylo to tehdy deset sérií a k tomu zvláštní dodatky – snímky dárků, které kdy dcera dostala.

Některé z nich byly samozřejmě, jak je to ženě vlastní, vedeny podrobněji.

V noci jsme přítele slyšeli, jak křičí ze spaní z vedlejšího pokoje.

„Nešetřete mne! Chci znovu Dárky a Hrady! Prosím rychle o Johanku na horách!"

Pokud jde o holčičku, už vyrostla a má také vlastní fotoaparát.

Fotografuje jím matku, když tato fotografuje ji.

Tak je zajištěno, že jsou obě vyfotografovány a nic našim sbírkám neunikne.

Ale většinu času tráví holčička teď jinde než v ZOO.

Shání obrázky, vystřihuje je, nalepuje.

Sbírá Woodyho. Woody je Skot a hraje na kytaru v jakési skupině. Dcera poslouchá Woodyho, jak hraje, a nalepuje přitom jeho obrázky, nebo je získává telefonicky, výměnou za Dereka, či Lesleyho, kteří hrají s Woodym.

Má Woodyho, jak leze z postele. Jak spí. Jak nastupuje do letadla. Jak se směje na Dereka. Jak zpívá. Jak jí.

Kamarádky, které sbírají Dereka a Lesleyho, jí závidí, že má více Woodyho než ony Dereků a Lesleyů.

Woody stoupá v kursu. Černobílý je levnější než barevný.

Ale i pomačkaný Woody je žádaný. Třeba když byl malý.

A ještě neměl kytaru. Ale kyblíček, nebo housle.

Woody visí nad postelí, na stropě. Zakryl zrcadlo.

Byl nalepen na skříň. Houpe se na záclonách.

Zdá se, že Woody prostoupil dceřin pokoj.

Když má Woody narozeniny, je slavný den.

Woody je vždy učesaný, usměvavý a krásný.

Mám dojem, že se zvolna blíží den, kdy si náhle dcera koupí album a vlepí do něho jiný snímek:

bude na něm mladík, který šilhá, dělá opici nebo stojí na hlavě….

Kinetická žena

Od té doby, co jsem se oženil, běhám za svou ženou. Je to zvláštní, protože obvykle člověk běhá za ženou jen do té doby, než dostane od úřadu potvrzení, že mu žena patří, a pak se uklidní a přestane běhat, nebo uvidí ženu jinou a rozběhne se za tou.

Pokud jde o mne, běhám za ženou, protože musím. Má žena se totiž neustále pohybuje.

Sledovat její dráhu je při sebelepší vůli velmi nesnadné. Abych ji mohl v určitý okamžik zastihnout na jistém místě, musel bych znát cíl jejího běhu nebo chůze, a ten není často znám ani jí samé. Patrně to bude tím, že pohyb činí ženě očividnou radost. Nejde jen o pohyb jí samé. Má žena miluje také vášnivě okamžiky, kdy má možnost uvést do pohybu jiné předměty. Smeták, kladivo, štětec, dceru, skříň, či celou rodinu.

Za ta léta, co spolu žijeme, jsem ženu zažil v klidu jen tehdy, když byla nemocná. Velice trpěla. Ale jen sebemenší změna, třeba jen nepatrný pohyb záclon, způsobený náhlým průvanem, dal jejímu obličeji nové barvy.

I tehdy však šlo jen o zdánlivé zlepšení, soudě podle toho, co žena říkala ze spaní.

Dovedu si představit, že jiné ženy, pokud mluví ze sna, volají své filmové hrdiny, milence, nebo jiné osoby. Že v horečkách blouzní po slavných zpěvácích. Určitě to není nic příjemného, ale sténání ženy, která se dožaduje tří metrů zvonkového drátu a kleští, člověka děsí.

Musím však říci, že mou ženu nepotěší žádný samoúčelný pohyb. Řezání pily, bušení kladiva jí dělá radost jen tehdy, když ví, že výsledkem této činnosti bude buď předmět nový nebo předmět, který podle své inspirace sama přetvoří k novému účelu.

Stráví spoustu času nad kresbičkami a plány, pak běží pro nářadí a materiál a hned se pustí do práce.

„Co tomu říkáte?" zeptá se, když je hotová, a hned nám předvede všecky výhody svého nového vynálezu.

Máme postel, která je skříní a zase naopak. Skříň samotná se ženě nezdála. Tvrdila, že zabírá spousty místa a plní jen jeden účel. Proto vytvořila skříň, na které lze spát, nebo snad spíš postel, kam lze uložit věci.

V místech, kde jiní lidé mají koupelny, se nám, díky ženě, dostalo jakéhosi lesního zátiší.

Vlastníme ty nejpraktičtější dveře, které jezdí na kolejničkách sem a tam a mizí za knihovnou. A od jisté doby máme dokonce o malou místnost víc. Kdysi bývala skříní. Teď tam sedává žena a kreslí plány, co z čeho udělá.

Ale máme také bar. Kdysi býval nočním stolkem. Dostali jsme ho od sousedů, kteří ženu už dobře znají a vyhazují věci k nám. Když žena přetvořila bývalý noční stolek na bar, pozvala souseda, který nám stolek daroval, aby se na předmět přišel podívat.

Soused, starší pán, přišel a hledal stolek v blízkosti postelí. Žena mu při té příležitosti ukázala, že spíme na skříni, a vedla ho dál, ke knihovně, kde soused svůj stolek nalezl zapuštěn do zdi.

Muž zůstal stát.

„No, jen to otevřte!" pobídla ho žena.

Soused to třesoucí se rukou zkusil, ale nedokázal to. Byl zvyklý otvírat noční stolek tak, jak se otvírá, jako skříň nebo třeba dveře, a netušil, že se bar nyní otvírá jinak.

Žena mu tedy pomohla.

Soused nahlédl do svého někdejšího nočního stolku a uviděl skleničky, láhve alkoholu, zrcadlo a v něm sebe.

„Co tomu říkáte?" zeptala se ho žena.

Muž se dotkl lehce baru a hluboce si povzdychl.

Byl to vzdech muže, který žil třicet let v nevědomosti?

Způsobily to snad vzpomínky na předmět, který byl léta nočním stolkem, co vzalo muži dech?

Pak dostal koňak. Obrátil ho do sebe a zíral stále na bar.

Už nevím, jak dlouho tak před stolkem stál. A nevím ani, zda byl rád, že se jeho stolku dostalo cti stát se barem, nebo zda byl zklamán. Je také ovšem možné, že ho přepadla náhlá lítost z promarněných let, strávených se stolkem, který mohl být klidně barem. Možná, že soused myslel na své manželství či na ženu, kterou si kdysi vzal, a že v duchu uvažoval, jaké by to bývalo bylo, kdyby byl s tou ženou žil celá ta léta bez nočního stolku, ale zato s barem. Zda by se pak třeba žena jevila s barem jinak, než bez baru. Nevyloučil bych ani oprávněnou otázku, zda se vůbec oženil se správnou ženou. Nebo ho napadlo, že je na tom dobře, když nemá ženu jako já?

Ale třeba se také v duchu zděsil nevypočitatelného množství možností, přeměn, variací, když ho napadlo, co všecko by se dalo v co změnit nebo předělat.

Co když náhle v tom podvečerním šeru uviděl před sebou ledničku, předělanou na televizi nebo psací stroj na skleník?

Na tyto otázky jsem se nedočkal odpovědi. Muž poté, co vypil tři koňaky, pohladil ještě jednou svůj bývalý noční stolek, zastavil se krátce u klavíru, který žena právě natřela nabílo, a požádal o to, zda by směl navštívit toaletu.

Směl.

Vrátil se z lesa, v který má žena záchod proměnila, pln dojmů.

Svědčila o tom jeho otevřená ústa a také ruka, horečně ukazující do míst, která pravé navštívil.

Odešel, maje v hlavě zřejmě až příliš otázek a jen velice málo odpovědí.

Jsou ovšem činnosti, které stát mé ženě nepovolí. Musím říci, že je jí velice líto, když musí kvůli plynu nebo elektřině zvát do bytu kolegy. V takových chvílích jí prostě nezbude nic jiného, než předložit řemeslníkům plány a přání a čekat, co z toho bude. Jenže v okamžiku, kdy se tito lidé dají do práce, zneklidní žena náhle do té míry, že jim začne radit a pak jim bere z rukou nářadí a pouští se do práce sama.

„Nešlo by to udělat trošku jinak?" řekne s úsměvem a hned ukáže jak.

„Takhle bych to nedělala!" poznamená a vezme do ruky kabel.

Řemeslníci, kteří k nám někdy byli pozváni, zřejmě takové ženy neznají. Proto nejsou na podobnou situaci připraveni a vždycky ustoupí.

Pak za mnou přijdou do pokoje, krčí omluvně rameny, ukazují směrem, kde se žena zatím zmocnila jejich nářadí, a ptají se, co mají dělat.

Sedíme pak vždycky spolu, celá parta, elektrikáři, instalatéři i plynaři, u bývalého nočního stolku a uklidňujeme se s pomocí alkoholu. Moc toho nenamluvíme, není důvodu.

Musím říci, že jsem si za ta léta již zvykl. Přijímám ženiny nápady tak, jak jsou vysloveny a uskutečňovány. Nevadí mi, že mohu jít po ženiných stopách, sledují-li vůni fermeže tak, jako jiní muži poznají směr pohybu svých žen podle voňavek. Když se ženě vysypou v divadle z kabelky piliny, beru to jako člověk, jehož žena právě ztratila kapesníček.

Vím, že kdykoli opustím byt, cítí se žena volná a svobodná jako pták a že ji naleznu po návratu od barev a laků. Takovou ženu lze upotřebit teprve poté, co jsme použili odbarvovače nebo trochy benzinu.

Avšak je tu něco, na co si patrně nikdy nezvyknu. Abych za ženou neustále běhal.

„Choď za mnou!" řekne vždycky, když jí chci něco sdělit, a už prchá někam se šroubovákem a očekává, že ji budu následovat.

Tento způsob rozhovoru je proti mé povaze. Krom toho jsem zjistil, že velmi brzo ochraptím, musím-li křičet, abych překřičel elektrickou pilu, nebo vrtačku. Takový rozhovor mne unavuje a dráždí.

Pravda, nějaký čas jsem sice za ženou běhal, uhýbal se kabelům, nádobám i nástrojům a sděloval jsem jí, co jsem měl na srdci, nebo alespoň to, co bylo nevyhnutelně nutné. Ale pak jsem se zatvrdil. Vzepřel jsem se. Uvědomil jsem si, že existují také ženy, které sedí u stolu a naslouchají muži se zatajeným dechem. Nemluvě o ženách, které prý lze po několika dnech nalézti na místě, kde jsme je zanechali. A přestal jsem běhat za svou ženou, zrovna v okamžiku, kdy se hnala přes pokoj, směrem ke kuchyni. Nechal jsem ji běžet dál, na terasu, a vzápětí jsem ji viděl, jak utíká s nějakým prknem, z něhož se rozhodla udělat rám na obraz. Ukázalo se však, že se tak s ní nemohu o ničem domluvit, protože mi zmizela z očí.

Zahlédl jsem ji sice tu a tam, jak cosi ztlouká, párá, nebo přenáší, ale byly to krátké chvíle. Později jsem se občas doslechl od dcery, kdy a kde maminku zahlédla, ale byly to jen kusé a velmi neurčité zprávy, z nichž nebylo možno soudit, kudy se vydala.

Nesledována, nabrala mnohem vyšší rychlosti a stala se tak jen velmi těžko postřehnutelnou.

Učinil jsem, co jsem mohl. Kdykoli běžela kolem mne, volal jsem na ni, že je třeba zrušit jednu pojistku nebo že bychom měli pozvat přátele na návštěvu. Dala mi znamení, že slyší.

Zaradoval jsem se. Bral jsem jednu věc po druhé a těšil jsem se z toho, že se můžeme konečně opět trochu dohovořit.

Sdělil jsem jí všecko, co bylo zapotřebí, ale nedostalo se mi odpovědi. Protože jsem hovořil přes půl hodiny a šlo o důležitou věc, vydal jsem se za ženou po jejích stopách, sledovav odhozený, či částečně zpracovaný materiál.

Ukázalo se, že nebyla doma.

Když se asi za půl hodiny vrátila, s úsměvem, růžová v obličeji, s náručí plnou jakýchsi držátek, řekla:

„Tak povídej dál, já tě přece poslouchám…"

Většina občanů si myslí, že dnešní mladí lidé nechtějí jít na vojnu proto, že nesnášejí jakýkoli druh uniformy.

Protože jsem se přesvědčil, že tomu tak není, rád bych tento mylný názor vyvrátil.

Prvním přítelem naší dcery byl mladík, který příliš nemluvil, ale zato hrál hodně na kytaru. Navštěvoval dceru v jejím pokoji a hrál jí píseň Ztratil jsem své srdce v Heidelbergu. Přednášel skladbu několikrát v týdnu a hrál ji s velkým citem.

Po roce změnil program a hrál dceři protestsong Univerzální vojín. Vzhledem k tomu, že mu bylo čtrnáct let, šlo o pozoruhodný repertoár. Naslouchali jsme písni po celý rok až do dne, kdy se dcera náhle zamkla a odmítla chlapci otevřít.

Nevíme, zda se dcera s chlapcem rozešla kvůli repertoáru, který byl přece jen trochu jednostranný, ale je to možné, protože krátce po rozchodu si dcera opatřila desky rockenrolové skupiny Bay City Rollers a pořádala koncerty každý den sama.

Vzpomínali jsme tenkrát na mladého kytaristu trochu nostalgicky, protože rockeři byli mnohem hlasitější.

Jednoho dne přijeli angličtí rockeři do nedalekého města a dcera se rozhodla, že se za nimi spolu s kamarádkami vypraví.

Děvčata se oblékla do džínsů a kostkovaných košil, přesně tak, jak byli oblečeni hudebníci, a těšila se, až v tomto originálním oblečení dorazí do haly. Když přijely na koncert, utrpěly šok. Bylo tam pět tisíc jiných děvčat a kluků ve stejných košilích a džínsech a všichni nadšeně tleskali do rytmu svým miláčkům na jevišti.

Dcera zanevřela na čtyři tisíce devět set devadesát sedm dalších ctitelek a ctitelů a také na kostkovanou košili.

(Krátce poté se rocková skupina rozpadla, protože dva členové chtěli prý vystupovat v tričku.)

V té době se v naší ulici začalo pravidelně konat cvičení jakési motorizované jednotky mladých.

Sjížděli se každý večer na svých silných japonských motocyklech. Mladíci seděli na mašinách vpředu, děvčata vzadu. Všichni měli obleky z kvalitní černé kůže. Na pravém rukávě měli obrázek Elvise Presleye, na levém nápis SAVE THE ENERGY. Levou rukou také neustále přidávali plyn zaparkovaných motocyklů.

Sousedi neměli pro cvičení pochopení a stěžovali si, že je řev motocyklů ruší, když chtějí spát, a že vůdce útvaru na ně vyplazoval jazyk, když ho žádali, aby jezdci vypnuli motory.

Proto přijela jednoho dne policie a požádala jezdce, aby prováděli svá cvičení v jiném terénu.

Všimli jsme si, že i policie měla kožené uniformy, ale kůže nebyla tak kvalitní, patrně proto, že policisté už nedostávají kapesné a musí se spokojit s tím, co jim dá k dispozici stát.

Je možné, že někteří mladí policisté motorizovaným jezdcům dokonce záviděli.

V té době už naše dcera chodila s jiným mladíkem. Bylo mu osmnáct, jmenoval se Frank a nehrál na kytaru, ale na housle, a to klasickou hudbu.

Bohužel jsme Franka nikdy na housle hrát neslyšeli. Ženě to bylo docela líto, protože se na tichou, jemnou hudbu těšila.

Frank nám řekl, že na housle hraje jen v přítomnosti učitele hudby, nebo když doma cvičí.

Také nám řekl, že nesnáší jezdce na motocyklech a že se mu hnusí punkové.

Ukázalo se, že Frank byl antimilitarista, který se nemusel řídit žádnými předpisy. Dokonce i housle mohl nosit stejně v levé jako v pravé ruce. Oblékat se mohl jak chtěl. Dbal pouze na délku vlasů a hlavně na odznaky. Nebýt odznaků, mohl by ho člověk klidně považovat za civilistu.

Odznaky a nápisy však byly velmi důležité, protože vlastně vytvářely stejnokroj. Nemusel je samozřejmě nosit na žádném předepsaném místě, mohl je umístit kam chtěl a také je mohl střídat podle aktuálnosti.

Zpočátku nosíval například nápis BETTER RED THEN DEAD na klopě kabátu, ale později ho umístil na rukáv. Heslo LIEBER DER RUSSE IN HEILBRONN ALS DER STRAUSS IN BONN nosil na svetru.

K jeho standardnímu antimilitaristickému oblečení patřil dále nápis ATOMKRAFT NEIN, DANKE a několik odznaků s karikaturami Reagana, Strausse, Kohla a jiných nebezpečných živlů.

Jeden čas nosil dokonce obrázek MICKEY MOUSE, ale ten odstranil, když se na trhu objevil nápis ICH BIN GRÜN.

Frankova čepice oznamovala ICH WILL FRIEDEN.

Když začal chodit s naší dcerou, nosil ještě odznak KEEP SMILING, ale později ho odstranil, protože se mu situace zdála příliš vážná a nemínil nic zlehčovat.

Musím říci, že Frank byl skutečně vzorným odznakonosičem, který svůj úkol, informovat obyvatelstvo o tom, co si myslí, skvěle plnil. Protože svá hesla a odznaky neustále měnil, četli jsme si ho obvykle už v hale. Byl vždy ochotný a rád dokonce počkal, až najdeme s ženou brýle. V tomto směru vycházel čtenářům skutečně vstříc. Jeden čas jsme dokonce odhlásili noviny, protože jsme dík jeho návštěvám byli perfektně informováni.

V době, kdy odmítl jít na vojnu a vykonával náhradní službu, jsme ho sice nějaký čas neviděli, ale když se vrátil, velice mne překvapil.

Stal jsem se totiž náhodou svědkem toho, když bombardoval se svým letadlem městečko. Nalezl dokonce pečlivě skrytou vojenskou základnu a zneškodnil ji raketou. Když mu došly pumy, rozstřílel kulometem radnici za dvě vteřiny.

Když mne v herně s elektronickými automaty uviděl, radostně mne uvítal a vyzval k tankové bitvě.

Bojoval jsem ze všech sil, ale na jeho střelecké schopnosti jsem prostě nestačil a utrpěl jsem těžkou porážku.

Vrátil jsem se domů celý ustřílený a upocený a hlavně s komplexem. Řekl jsem ženě, že jsem válku s Frankem prohrál na celé čáře. Pravila, že v mém věku už nemůžu tak dobře bombardovat jako mladý Frank a že si z porážky nemám nic dělat.

Uvědomil jsem si, že žena má pravdu. Když jsem se trochu vzpamatoval, šel jsem se znovu podívat, jak si v cvičném boji vedou jiní mladí lidé.

Viděl jsem bojovat nejen antimilitaristy, jako je Frank, ale i punky a motoristy v kožených oblecích.

Všichni drtili nepřítele s takovou převahou a suverenitou, že jsem bojiště opustil zcela uklidněn.

Pochopil jsem, že nás mladí lidé v případě potřeby rozhodně uhájí. A že je možná budeme muset dokonce umírnit, aby z obrany nepřešli do útoku.

Jde patrně jen o to, aby to konečně pochopilo i vedení armády a povolilo mladým jejich vlastní uniformy.

Co dokáže takový Mick Jagger, to by nemělo být problémem pro rozumného generála.

Křičet povely v rytmu hard-rocku, svíjet se nebo rozdupat několik služebních kytar by pro zkušeného velitele mělo být hračkou. Jen nevím, zda se pak všichni ti mladí lidé o uniformy nepoperou …

Potíže s oblékáním

Když jsem byl malý, oblékala mne matka a babička. Od té doby, co jsem se oženil, kontroluje mou garderobu má žena. Tvrdí, že jsou lidé, kteří si mohou obléci, co chtějí, a vypadají dobře. Pak prý jsou lidé, kteří si mohou obléci, co chtějí, a vypadají přesto dobře. Existují však prý také lidé, kteří si nemohou obléci cokoli, a k těm prý patřím i já.

Ptal jsem se často ženy po důvodech mého zařazení do poslední skupiny, ale odpovídala vždy jen vyhýbavě. Požádal jsem ji proto jednoho dne, aby se mnou hovořila naprosto otevřeně a nic mi neskrývala. Udělala to.

Pravila, že nemám ramena.

Smál jsem se jejímu tvrzení a výborně jsem se bavil, až do okamžiku, než jsem zjistil, že skutečně ramena nemám. Podivil jsem se tomu a překvapilo mne, že jsem si takové věci nevšiml, že si toho všimla žena.

Vysvětlila mi, že se několikrát pokusila položit svou hlavu tam, kde bych ramena mít měl, a že to pokaždé skončilo zklamáním.

Řekla mi, že byla trpělivá, že však zjistila, že se v oněch místech od jiných lidí liším.

Byl jsem jí velmi vděčen za slovo „jiných" – mohla stejně dobře použít i jiného slova, například – „normálních". Kdyby to byla řekla, nemluvil bych s ní. Byl jsem však zvědav, a zeptal jsem se jí proto na další zvláštnosti své postavy. Zasmála se a řekla mi, že proto, že nemám ramena, jsem poněkud širší v bocích a vypadám tedy jako hruška.

Toto přirovnání se mi nelíbilo. Nemám nic proti hrušce, ale rozhodně se mi nezamlouvalo být k hrušce přirovnán. Zdálo se mi, že se žena unáhlila, že mohla klidně použít jiné metafory. Řekl jsem jí to a pak jsem se jí zeptal, proč si mne brala, proč si rovnou nevzala nějaké ovoce.

Řekla mi, že jí takové maličkosti nevadí. V životě mi slovo maličkost neudělalo takovou radost jako tenkrát. Žena navíc řekla, že je ráda, že mám takové nedostatky, protože pak ty její vlastní tolik ne-

vyniknou. Bylo to od ní velmi milé a moudré. Chtěl jsem říci, že vlastně žádné nedostatky nemá, ale pak jsem si to rozmyslel. Hruška byla vyřčena a nešlo ji vymazat. Ale to, že nemám ramena, není hlavním důvodem toho, proč se nemohu oblékat sám. Volím prý naprosto nevhodné kombinace co do barev a vzorů. Jenže právě v tomto bodě se ženou nesouhlasím. Poslechl jsem ji, pokud jde o střih, pokud jde o to, zakrýt chybějící ramena, abych nepůsobil příliš jako hruška. Ale nesnesu, když mi mluví i do barev.

Vždycky to dopadne stejně. Žena mne zadrží.

„Ta košile se do toho saka vůbec nehodí," řekne.

„Vezmi si prosím tě jiné kalhoty!" praví příště.

„Snad nechceš jít ven v tom svetru?" diví se jindy.

Stojíme v malé předsíni a hádáme se o mé oblečení. Samozřejmost, s kterou má žena vždycky zasahuje do mé výbavy, mne rozčiluje.

Něco takového pociťuji jako omezování svobody. Připadám si jako nesvéprávný manekýn, který nesmí vyjít na ulici bez poručníka.

Pokaždé to znovu ženě říkám a vytýkám. Ta stojí mlčky přede mnou, v ruce má kalhoty a čeká, až se převléknu.

Jednou na mne dokonce už čekal před domem taxík. Žena mne však zadržela, když jsem se pokoušel vyplížit ven, a pravila, že tak nemohu jít mezi lidi. Řekl jsem, že zůstanu v tom, do čeho jsem se oblékl. Postavila se před dveře, abych nemohl odejít.

Má žena je poměrně velmi drobné postavy a člověk by si myslel, že bude snadné ji přemístit. Není tomu tak. Vždycky se divím, kde se v tak drobném stvoření bere najednou tolik síly. Pokusil jsem se ženu z cesty odstranit, ale vzpříčila se mi mezi dveřmi tak, že nebylo možno s ní pohnout ani dovnitř, ani ven.

Cloumal jsem jí, opíral se o ni, zkusil jsem s ní dokonce trhnout, ale nepohnula se ani o centimetr.

Ke všemu se ještě začala usmívat.

Žena, která trčí ve dveřích, jimiž chci projít, a usmívá se, mne dovede přivést do stavu, kdy se neznám. Rozzlobil jsem se a řekl jsem, že si raději vezmu punčoškové kalhoty, když mi neuvolní cestu, abych jí dělal ostudu, ale ani to nepomohlo.

Mezitím se taxikář, kterému už bylo divné, kde tak dlouho jsem, dozvonil na sousedku a ta ho vpustila do domu. Vyběhl po schodech a zůstal stát za ženou. Když pochopil, oč běží, začal mne přemlouvat, abych si dal říci a sundal semišové sako a vzal si kabát, který žena držela v ruce.

Byl to taxikář – zrádce, a já mu to dal hned najevo. Byl bych rád viděl, co by dělal on, kdybych se v podobném případě přidal na stranu jeho ženy, která by mu nutila čepici nebo rukavice. Ten člověk mi domlouval a tvrdil, že nemám šanci, že to zná z domova. Potom na mne začal mrkat, chtěje mi tak dát najevo, že je vlastně na mé straně.

V autě mi ukázal podvlékací tričko, které mu ráno vnutila vlastní žena.

Řekl, že sotva vyjel z domu, zajel do jedné postranní uličky a tam tričko sundal.

Byl to zřejmě muž, který vedl dvojí život.

Časem vytvořila má žena jakýsi složitý a důmyslný systém. Rozdělila mé šaty do těchto skupin:

1. oblečení na všední den
2. oblečení sváteční – na ven
3. oblečení sváteční – na doma
4. jiné oblečení.

Krom toho dělí prádlo dle ročních období – na jarní, letní, podzimní a zimní.

Pak existuje několik výjimek jako prádlo na dovolenou, prádlo na letní nebo zimní dovolenou, oblečení na úklid, na stěhování nábytku, na práci na terase, na tlačení auta, zahradní prádlo a lesní šaty.

Oblečení na všední den nesmím nosit na státní svátky a naopak.

Stejným prohřeškem by bylo obléci se do domácích šatů a jít si pro cigarety.

(Co by si o tobě v trafice pomysleli?)

Každé oblečení má své přesné určení a také dobu používání. Občas žena některé svršky přeřadí z jedné skupiny do druhé. Tričko, přeřazené náhle ze skupiny zahradního prádla do prádla na úklid, se už nikdy nesmí objevit na terase. Je samozřejmé, že jediný, kdo se vyzná v tom, které oblečení patří do které skupiny, je má žena.

A jediným řešením by bylo mít pravděpodobně jeden pár bot a jedny kalhoty a sako. Na to je však už bohužel v mém případě pozdě. Jsou chvíle, kdy se pokouším proniknout ven v zakázaných šatech. Třeba když žena telefonuje s čistírnou. Obvykle se jí však podaří dostihnout mne ještě na schodech. A mám dojem, že je smluvena se sousedkou, která mne také kontroluje. Někdy mi žena hází kusy oděvu z okna. Jedu-li pryč, mám šaty i prádlo, vše srovnané, tak abych se oblékal do správných kombinací. Občas mi zatelefonuje a zeptá se, co mám na sobě.

Každé, byť sebemenší zachvění hlasu, nejistotu nebo neklid hned pozná.

Přestal jsem chodit do divadla. Kvůli jedněm šatům. Ale vítám naopak každou příležitost, kdy jde do divadla žena. Jsou to krásné chvíle.

To se rychle obléknu do zakázaných šatů, třeba do lesních, lehnu si do postele, kouřím a dělám celou řadu jiných zakázaných věcí.

Často přitom sním o dnu, kdy se v těch nejzakázanějších šatech vydám za muži, kteří jsou na tom jako já.

V ten den vyrazíme do ulic, všichni v proužkovaných kalhotech a kostkovaných košilích a odejdeme do lesů, abychom se navrátili až tehdy, kdy se naše ženy umoudří a slíbí, že nám do oblékání už nikdy nebudou mluvit.

Sólo s židlí

Jednoho jarního dne, hned časně zrána, jsem se pustil do rozbíjení své staré oblíbené židle.

Leckdo se jistě podiví tomu, že jsem rozbíjel něco, co jsem měl rád. Jenže rozbíjet předmět, který bych rád neměl, by bylo v situaci, v níž jsem byl, nanejvýš normální.

Ničil jsem svou židli, o níž má žena věděla, že patří k těm několika málo věcem, na nichž lpím, neboť jsem počítal s tím, že mne žena požádá, abych toho nechal.

Očekával jsem, že mi žena záměr rozmluví a že pochopí můj čin jako protest, jímž chci dát najevo, že jisté věci, které byly již mnohokrát vyřčeny, nenašly odezvu.

Je samozřejmé, že člověk, který rozbíjí oblíbený kus nábytku, tak činí velice nerad. Jsou lidé, kteří by v takovou chvíli sáhli raději po židli své ženy, ale takoví lidé nejsou citliví a netouží po metafoře.

Protože má žena nijak nereagovala, octl jsem se v situaci člověka, který se pro cosi rozhodl a byl teď nucen na svém rozhodnutí trvat. V životě se mi tak nepříjemně na ničem netrvalo jako tenkrát. Pak žena dokonce odešla z pokoje, kde se výstup s židlí odehrával, a ponechala mne ve hře samotného.

Musím se přiznat, že se mne její odchod dotkl, protože jsem vlastně nerozbíjel židli kvůli sobě, ale kvůli ní.

Krom toho to bylo první představení toho druhu, ještě nikdy předtím jsem nic takového nedělal. Šlo tedy o jakousi premiéru. Dovedl bych ještě ženin nezájem pochopit, kdybych se podobné činnosti věnoval třeba každý měsíc, nebo dokonce každý týden, pak by jí mohl výstup připadat nudným, ale tohle byl první výstup a prostředky, jichž jsem použil, byly, pokud jde o domácí výstupy, zcela jistě avantgardou. Celá scéna byla němá, šlo vlastně o jakousi pantomimu, doprovázenou pouze hlukem židle a hrou houslí z rádia. Snad právě proto jsem se nechtěl své role hned vzdát a po odchodu ženy z hlediště jsem se rozhodl, že její pozornost upoutám jinak.

Pokračoval jsem v etudě, ale aby žena věděla, co dělám, začal jsem rozbíjení komentovat.

„Teď urazím tohle …"

„Tadyhle to přerazím …," říkal jsem nahlas, pokoušeje se tak o účinnou reportáž.

Ukázalo se však, že ani tato metoda na ženu nepůsobí.

Šel jsem tedy do kuchyně pro lopatku a smetáček, abych tak dal najevo, v jakém stavu židle je, a ženu trochu vyděsil.

Tou dobou jsem si uvědomil, že celé představení skončilo fiaskem. Připadal jsem si jako herec, kterého vypískali poté, co mu spadla paruka, a záviděl jsem v duchu mužům žen, které byly skvělým publikem a sledovaly podobná představení svých mužů i s dětmi, jak jsem o tom slyšel vyprávět.

Nakonec jsem už jen čekal na okamžik, kdy žena židli vezme a opraví. Protože to tušila, nechala ji ležet několik dní na tom místě, kde jsem ji zanechal.

Později, když jsme o celé věci mohli klidně hovořit, přiznala se, že přesto dávala pozor, pro případ, že bych skutečně židli vzal a třeba vyhodil z okna. Pak by prý židli nenápadně vzala a někam uschovala tak, abych o tom nevěděl.

Její přiznání mne šokovalo. Uvědomil jsem si, že zatímco já slepě improvizoval, byla žena na výstup dokonale připravena. V duchu jsem jí přísahal pomstu.

A vzpomněl jsem si na přítele, který se oženil s velmi klidnou ženou.

Chodil jsem se na ni občas dívat, protože jsem nikdy předtím podobnou ženu neviděl. Sedávala v pokoji a usmívala se. Činila tak, když kolem ní pobíhaly tři děti, křičely, praly se nebo po sobě házely vším, co jim přišlo do ruky. Chovala se stejně, když štěkal pes, nebo když hlasitě hrálo rádio. A usmívala se vždy, když s ní přítel hovořil nebo když ji žádal, aby zakročila a děti uklidnila.

„Ale Jiří," pravila klidným hlasem, „vždyť si jen hrají." Jednou, v podobné situaci ji prý přítel opět žádal, aby něco udělala s dětmi, protože řev byl nesnesitelný.

„Ale Jiří," pravila prý velmi klidná žena, „vždyť jsou to jen děcka!"

Výraz „děcka" prý přítele popudil. Tvrdil totiž, že za celých deset let, co s velmi klidnou ženou žil, ji neslyšel nikdy říci jedno normální, nespisovné slovo. Řekl mi, že ženu už mnohokrát žádal, aby alespoň o vánocích řekla haranti, polívka nebo šutr, ale že žena nikdy jeho přání nevyhověla.

S lety se stal přítel na tyto vlastnosti své ženy alergickým. Tenkrát prý popuzen výrazem „děcka" požádal naposled velmi klidnou a spisovnou ženu, aby hovořila normálně, jinak že se nezná.

Velmi klidná žena mlčela a usmívala se.

Přítel se tedy neznal.

„Řekni hnůj!" vybídl ji.

„Mrva," řekla žena.

„Tak řekni třeba smrad, když tě o to prosím!"

„Zápach, Jiří, to ano, ale…"

„Copak nemůžeš říct…"

„Říci," opravila přítele jeho velmi klidná žena.

„Já můžu říct, co chci!" rozkřičel se přítel, jenž cítil, že nadešel čas zoufalé metafory, „… a nenechám se vod tebe furt vopravovat!" dodal.

„Od tebe … stále … opravovat … Jiří," opravila ho žena.

A protože v tu chvíli začaly děti opět křičet a protože velmi klidná žena mlčela a usmívala se a nevyřkla tu větu, na kterou přítel čekal jako na spásu, zmocnilo se ho jakési šílenství, ne nepodobné tomu, jakému jsem propadl já, když jsem rozbíjel židli.

Nevím, zda přítel neměl na vybranou, nebo zda se mu nábytek nezdál dosti názorný, vím jen, že se vrhl na děti.

Když je ohýbal, jedno po druhém, volal na svou ženu tato památná slova:

„Já ta naše děcka ztluku, drahoušku! Ona pak už budou hodná! Ona totiž křičí! Vy že budete takhle řváti? Ne, ne ne !!! Tatínek vás musí proto zpráskati…"

Ani já jsem nepomohl své ženě, když se jednoho dne ocitla v podobné situaci. Zvala tehdy v Paříži neznámého Francouze na výstavu růží. To, že ho pozvala na výstavu, jí tolik nevadilo, ale trápilo ji, že mu dokonce vynadala, v domnění, že mluví se mnou. Také ji rozzlobilo, že jsem to nebyl já, s kým mluvila v okamžiku, kdy si četla plakát výstavy. A že do toho člověka střelila tak, že mu upadla aktovka na zem, protože na rozdíl ode mne – (když ženě neodpovídám) – nebyl muž na podobné nárazy zvyklý. Krom toho nemohla počítat s tím, že Francouz, do něhož strčí, vrazí do jiného krajana, který padne do zeleniny vystavené před obchodem.

S odstupem času musím přiznat, že jsem se ženě vůbec nedivil, když potom všem začala zeleninou kolem sebe rozzlobeně házet.

Čekala tenkrát totiž jen na jediné: na onu větu, kterou bych jí dal najevo, že s ní cítím a že dalšího činu není třeba.

Neučinil jsem to jen proto, že vzpomínka na rozbíjení židle byla dosud živá.

Už nevím, kdo z nás učinil první krok a varoval včas toho druhého. Jednoho dne však byla věta vyřčena.

Prosím tě, neblázni! – říkáme si od té doby, kdykoli je to zapotřebí.

Jen tak je možné, že Francouzi zůstanou neosloveni a židle celé.

Když se naše dcera poněkud neprozřetelně usadila v Mexiku, zkusili jsme jí občas zatelefonovat. Už první hovor ukázal, že to nebude nic snadného.

Haló, hotel Primavera v Acapulku?

Si.

Hovoříte anglicky?

Yes.

Rád bych mluvil se slečnou Johanou.

Yes.

Je to pokoj číslo dvanáct.

Yes.

Můžete ji zavolat?

Nerozumět.

Abychom odstranili jazykové potíže, koupila žena učebnici španělštiny pro samouky a vypsala z ní do zápisníčku číslovky od jedné do třiceti, jména dnů v týdnu a jména měsíců.

Při novém hovoru připravila také k telefonu stopky, abychom viděli, co bude hovor stát.

Haló, hotel Primavera?

Si.

Mohu mluvit se seňoritou Johanou?

Si.

Má číslo pokoje dvanáct.

Dvanáct. Si.

Vzhledem k tomu, že žena dosud nikdy nehovořila španělsky, podala slušný výkon a byla jak se patří pyšná.

Po chvíli, která se nám zdála už poněkud dlouhá – stopky ukazovaly minutu čtyřicet, muž na druhém konci světa náhle zakašlal.

Haló …

Hotel Primavera, Acapulco.

Žena praštila telefonem a zapsala do zápisníčku čas: dvě minuty dvacet vteřin.

Příště se na hovor už připravila lépe. V zápisníčku se objevily výrazy: musím hovořit – nutně – rychle, prosím – kdy to bude možné? Tentokrát jsme měli štěstí.

Dozvěděli jsme se, že dcera v hotelu není, a poprvé jsme zaslechli nejoblíbenější mexické výrazy – maňana (zítra) a tarde (později). To celé za pouhé dvě a půl minuty.

Brzy se ukázalo, že se u telefonu střídají Jorge, Gonzales, Maria a Miguel.

Miguel tvrdil, že umí anglicky a na všechny otázky odpovídal stejně: No problem.

Uměl zřejmě pouze tuto větu.

Hovor trval skoro čtyři minuty, ale zato se nám podařilo zjistit, že dcera už nebydlí na pokoji číslo dvanáct.

Při dalším hovoru nám sdělil Gonzales, který kašlal a chraptěl, že dcera bydlí na pokoji číslo dvacet jedna a že odešla. Hovor trval skoro pět minut, protože Gonzales polovinu času prosmrkal. Abychom telefonické spojení usnadnili, poslali jsme dceři telegram s uvedenou hodinou, kdy jí budeme volat, a žádali jsme ji, ať už je raději v recepci.

Tentokrát se v recepci objevila jistá Lupita.

Haló, hotel Primavera?

Si.

Chtěla bych mluvit se seňoritou Johanou.

Si.

Pokoj dvacet jedna.

Dvacet jedna? Momento, seňora … Uno, dos … tres … quatro … Ježišmarjá, co to dělá? Pokoj dvacet jedna!

Momento, seňora … doce … trece … seiz … siete …

Zatímco se žena zoufale snažila Lupitě vysvětlit, že chce pokoj dvacet jedna a že je madre od seňority a telefonamo až z Evropa, dospěla Lupita k početnímu výsledku a řekla, že hotel Primavera nemá jen dvacet jedna pokojů, ale třicet čtyři.

Si, seňora, třicet čtyři – opakovala a bylo vidět, že je na velikost hotelu pyšná.

Byl to velmi dlouhý hovor, ale žena byla naštěstí tak rozrušená, že zapomněla použít stopky a změřit čas.

Mezitím nám napsala dcera v dopise, který šel tři týdny, že nemá žádnou cenu posílat telegramy do Mexika, protože pošta je nedoručuje v pátek, o víkendu, dále v době siesty, velkých veder a časných ranních hodin.

Při dalším pokusu byla v recepci nejen Lupita, ale také její matka, kterou zřejmě Lupita pozvala, aby jí ukázala telefon.

Žena řekla, že volá seňoritu Johanu, že je madre z Evropy a že spěchá.

Lupita se zaradovala a řekla, že její madre je taky v recepci, a hned své matce vysvětlila, že voláme až z Evropy, a dala jí sluchátko, aby si matka poslechla, jak to krásně syčí.

Pak se v recepci objevil zřejmě ještě padre a obě, Lupita i její madre, mu zas vysvětlily, že mají právě ve sluchátku šum z Evropy, ať si poslechne.

Do toho křičela má žena, že je madre a že chce okamžitě mluvit s naší seňoritou, a já jsem křičel, že to všechno nebudu platit. Pak se ozval Lupitin padre a říkal, že hotel Primavera má třicet čtyři pokojů, a když žena křičela, že je madre od seňorita, předal Lupitin padre telefon opět madre a ta řekla, že ona je madre od Lupita a Viva Mexico a Viva Europa!

Žena praštila sluchátkem a spočítali jsme, že nás celý ten karneval přišel na několik set franků.

Proto jsme se rozhodli požádat o pomoc našeho amerického přítele Samyho, který hovoří perfektní španělštinou, protože měl už v mládí mexickou chůvu. Dodnes ještě umí ze svého dětství mexické ukolébavky.

Vysvětlili jsme Samymu, co potřebujeme, a on nám řekl, že s Mexičany je třeba jednat zvláštním způsobem a že člověk na ně musí být zvyklý, jako je on.

Ve stanovený den, ve smluvenou hodinu, když dcera čekala v recepci, zatelefonoval Samy do hotelu.

Obdivovali jsme ho, jak hovoří plynnou španělštinou, jak žertovně mluví s Gonzalesem a vysvětluje mu, že chce mluvit s naší seňoritou, která čeká v recepci na náš telefon.

Dodnes nevíme, co se pak přihodilo, protože Samy náhle začal křičet, a my pochopili, že ani pro člověka znalého mexických ukolébavek není domluva snadná.

Nakonec dcera vytrhla Gonzalesovi telefon z ruky, a tak jsme se konečně dovolali.

Zeptali jsme se pak Samyho, co to křičel do sluchátka.

Ochotně nám to vysvětlil.

Mexicano pendejo. No porque no puedes, porque no quieres!

Zatracený Mexikánec. Ne protože neumí, ale protože nechce!

V zájmu budoucího kontaktu s naší seňoritou jsme se však rozhodli, že si toto rčení do našeho zápisníčku raději nebudeme zapisovat.

Jak jsem se odnaučoval kouřit

Bylo to jedno z těch rozhodnutí, jichž člověk lituje hned poté, co je učinil.

Myslím si, že bych k takovému rozhodnutí nikdy nebyl dospěl, nebýt mé ženy, která jednoho dne pravila, že se ráda vzdá všech dárků k narozeninám i k vánocům, když zkusím přestat kouřit.

Svou roli tu sehrála i žlutá žárovka, která prý, když svítí, čistí vzduch tím, že voní po citrónu. Na mne však tento vynález působí omamně jako droga.

Snad proto jsem se dal přemluvit, abych vyzkoušel speciální špičky. V návodu se tvrdilo, že každý, kdo použije špiček, přestane kouřit, aniž si toho všimne. Použil jsem špiček, ale jediné, čeho jsem si všiml, bylo, že jsem kouřit nepřestal.

Získat z cigarety, která byla ve špičce, jen trošku kouře, stálo tolik námahy a energie, že jsem brzy tohoto experimentu zanechal.

Žena tvrdila, že jde jen o to, aby si kouření odvykl můj organismus. Hovořila o něm jako o nějakém podnájemníkovi, jehož stačí jen zamknout, aby přestal chodit ven.

Už nevím, zda to byl můj organismus, či já sám, ale jeden z nás nakonec špičky vzal a hodil do koše.

Žena se však nevzdala.

Jednoho dne mi přinesla bonbony a řekla, že bych měl ukázat alespoň dobrou vůli tím, že místo kouření budu cucat bonbony.

Zkusil jsem to.

Cucal jsem ráno, v poledne i večer. Ale ani tato metoda se neobešla bez komplikací. Protože jsem musel mít bonbony neustále po ruce, chodil jsem s přecpanými kapsami.

Brzy se ukázalo, že musím jednotlivé druhy kombinovat, a začal jsem chodit ven s nákupní taškou, protože kapsy už nestačily. Jednou, když mi došly sladkokyselé, málem jsem se nervově zhroutil, protože sladové, kterých jsem měl dost, se mi zdály slabé a cukrárny měly už zavřeno.

Jediný okamžik bez bonbonu znamenal, že se vrhnu po cigaretě.

Proto jsem hovořil jen s plnou pusou a na dotazy, co se mi přihodilo, jsem sděloval, že nic zvláštního, „že še jeň odňaučužu koužit."

Při jednáních jsem mlsal jen rumové, protože byly silnější. Horší to bylo za pěkného počasí, protože čokoládové bonbony se roztékaly. Zjistil jsem, že rozteklý bonbon se nedá ani dost dobře zahodit, protože na člověku jaksi zoufale lpí. Jednou jsem dokonce v kanceláři udusil v rozčilení svým nugátem cigaretu, která ležela v popelníku. Patřila muži, s nímž jsem jednal.

Domů jsem se vracel unavený a ucucaný.

Televizi jsem začal nenávidět hlavně kvůli hercům, kteří neustále kouřili. Přestalo mne zajímat, kdo je vrah, počítal jsem jen, kolik vykouřil komisař cigaret.

Když jsem se jednoho dne přistihl, jak číhám na nedopalek, který odhodil na ulici nějaký starší rozmařilý pán, zahodil jsem zbytek bonbonů a utekl jsem do trafiky, abych požádal o první pomoc.

Žena, která viděla, co se mnou pokus udělal, a která mne přece jen nechtěla ztratit tím, že bych se umlsal k smrti, mne nechala nějaký čas na pokoji.

Ale jednoho dne přišla s novým vynálezem. Přinesla mi nekuřáckou žvýkačku spolu s tučnou příručkou, nazvanou NEKUŘÁCKÁ ŽVÝKAČKA – BROŽURA ÚSPĚCHU.

„Nechci tě k ničemu nutit, ale byla bych ráda, kdybys to ještě jednou zkusil!" pravila.

Zkusil jsem vyjednávat.

Nabízel jsem ženě, že jí udělám radost tím, že:

Přestanu skládat vlhký ručník,

Nebudu dávat při jídle lokty na stůl,

Budu nosit ten svetr, co mi tak sluší,

Pohovořím si s dcerou o něčem rozumném,

Naučím psa uklízet kostičku.

Žena návrhy uvítala, ale tvrdila, že jsou to samozřejmosti, kdežto nekuřácká žvýkačka by mohla prospět mému i jejímu zdraví.

Pak jsme začali studovat příručku.

Nejprve jsem se podrobil několika testům, abych se dozvěděl, ke kterému typu kuřáků vlastně patřím. Učinil jsem tak kvůli ženě, protože tu to zajímalo.

V časové tísni. Mám-li problémy. Při rozhovoru. Když jsem přetížen. Když na někoho musím čekat. Když jsem nervózní. Abych nevybuchl. Když sedím v autě v přecpané ulici. Při práci. Když jsem unavený. Když jsem deprimovaný. Nevyspalý. Nejistý.

Tím se potvrdilo, že jsem KUŘÁK, KTERÝ MUSÍ KOUŘIT.

Řekl jsem ženě, že bych rád viděl kuřáka, který kouřit nemusí, ale ta to označila za nevhodnou poznámku, s jejíž pomocí jsem chtěl zlehčovat naše bádání.

Ani výsledky druhého testu mne nepřekvapily.

Ukázalo se že jsem KUŘÁK POŽITKÁŘ, který kouří mezi jídlem, po jídle, při četbě či jiném koníčku, když se z něčeho raduje, večer, na dovolené, když uvažuje, protože ho těší vypouštět kouř a protože mu dělá dobře kombinace: snídaně – noviny – cigareta.

Řekl jsem ženě ještě další kombinace, které mi dělají dobře. Například – večeře – káva – cigareta, cigareta – campari – kniha, ztracený klíč – cigareta – koňak, rozbitý vůz – cigareta, daňový úřad – cigareta – cigareta, nebo příručka pro nekuřáky – cigareta – cigareta – cigareta, hromada cigaret.

V posledním testu šlo o to, zjistit, zda nejsem náhodou také SPOLEČENSKÝ KUŘÁK.

Ukázalo se, že jsem, protože vykouřím klidně cigaretu, kterou mi někdo nabídl, dále kouřím, když kouří mí přátelé nebo mí známí, protože se cítím jistěji, a když jsem sám v kavárně. Poslední bod mne zaujal. Přiznal jsem se, že jsem na tom dokonce tak špatně, že kouřím i v přeplněné kavárně a před kavárnou, pokud má zavřeno.

Pak jsme zjistili, že patřím vlastně k takzvanému smíšenému typu.

„Nezoufejte si!" nabádali mne autoři příručky.

Nezoufal jsem. S něčím takovým jsem trochu počítal. Pravda, do očí mi nikdy nikdo nic neřekl, nikdo nepřišel, nemrkl na mne a nesdělil mi – „Seš smíšenej typ, kamaráde!" Ale buď jak buď, byl jsem autorům vděčen za to, že mi nic nezatajili.

Bral jsem informaci tak jako každý smíšený typ. Zapálil jsem si cigaretu (protože kouřím, když jsem rozrušený a když přemýšlím) a hledal jsem v příručce, zda tam nepíší něco o tom, kolik který typ vykouří cigaret při vyplňování testů.

Nic takového tam nebylo. Zato jsem se dozvěděl jiné věci. V knížce se tvrdilo, že lidé, kteří začnou žvýkat žvýkačku, se stanou aktivními nekuřáky, a to tehdy, když budou chodit častěji do kina, pěstovat sporty, plést, háčkovat, jezdit často na hory, nebo k moři, všelijak zaměstnávat obě ruce, nebo když se začnou učit hrát na klavír.

To se mi trochu nezdálo. Napadlo mne, že kdybych měl tohle všechno dělat, byl bych na tom finančně velmi bledě. Určitě bych nevydělal ani polovinu toho, co pasivní kuřák, nemluvě o aktivním.

Před očima se mi objevila scéna – jak sedím zcela opuštěný, starý a churavý v chudobinci a píšu žádost starostovi o podporu na další balíček nekuřácké žvýkačky.

Krom toho mne napadlo, že bych jistě kouřil mnohem víc, kdybych se zcela náhle učil hrát na klavír tak, jak se to v brožuře doporučovalo. A že by zcela jistě také začal kouřit můj učitel, pokud by se nedal na pití.

Navíc jsem vyjádřil přesvědčení, „že čeho je moc, toho je příliš."

Když už je člověk potrestán tím, že přestane kouřit, proč by měl být pohnán ku klavíru?

Řekl jsem ženě, že kdybych měl přestat kouřit, mohl bych patrně hrát jedině na slepou bábu, a to ještě s minimální nadějí na úspěch.

Pak jsem přišel na to, jaké by mohlo mít mé počínání následky. Představil jsem si, že jedu několikrát týdně na hodinu klavíru vozem a že stojím v přecpané ulici (test 1), jak jsem při tom nervózní (test 1), jak kouřím, abych nevybuchl (týž test) a abych nebyl deprimovaný (týž test) z kombinace auty přecpaná ulice – klavír (test 2).

V další kapitole se hovořilo podlézavě o tom, že nekuřáci jsou velmi oblíbení. Shledal jsem, že mi vůbec nevadí, když oblíben nejsem a mohu kouřit.

Zajímavá byla také zkouška s názvem ZKUSTE KOUŘIT JINOU RUKOU, NEŽ JSTE ZVYKLÝ!

Musel jsem nejprve zjistit, kterou rukou jsem zvyklý kouřit.

Nebylo to tak jednoduché a žena mne musela pozorovat. Pak mi prozradila, že kouřím oběma rukama. Zeptal jsem se jí, zda mne také nepřistihla, jak kouřím oběma rukama současně. Pravila, že ne. Pokoušeli jsme se pak přijít věci na kloub čistě psychologicky, protože mne zajímalo, zda jsem kuřák – levák, či kuřák – pravák. Abych si celou věc neuvědomoval, musel jsem při kouření psát, telefonovat nebo se dívat na televizi.

Zjistili jsme s ženou, že jsem patrně smíšený typ, u něhož je jisto jen to, že telefonuje telefonem a kouří cigaretu, nikoli obráceně.

Pak jsme si prohlédli NEKUŘÁCKÝ PAS.

Byl to velmi důmyslně vymyšlený doklad. Byla tu políčka na dny,

i hodiny, kam si začínající nekuřák měl poznamenat, kolik kdy vy-
kouřil cigaret.

Pas měl nosit každý vždy s sebou, tak aby ho mohl zkontrolovat ji-
ný aktivní nekuřák.

Poznámka o kontrole pasu podráždila mou zvědavost.

Zajímalo mne, komu se má doklad ukazovat na hranicích.

Zda kouřícímu celníkovi, nebo snad jinému žvýkajícímu orgánu.

Rád bych se také dozvěděl, zda jsou země, kam člověk s takovým
pasem nesmí, a jak je to s nekuřáckým občanstvím.

Bohužel jsme v příručce odpovědi na tyto otázky nenašli.

Ale dostalo se mi poučení, jak postupovat v odnaučování.

„Kdykoli dostanete chuť na cigaretu,“ – stálo v knížce, „vezměte si
žvýkačku!“

Musel jsem si tu větu přečíst dvakrát.

A přiznám se, že dodnes nevím, jak si to autoři nekuřácké příruč-
ky vlastně představují.

Nechápu, proč bych si měl, mám-li zrovna chuť na cigaretu, brát
žvýkačku. Určitě bych si nebral meloun, kdybych měl chuť na jaho-
du.

Vím totiž, že se mi rozhodně nepodaří můj organismus podvést
nebo jinak ošidit. Můj organismus – a známe se už řadu let – je nato-
lik inteligentní, že se až divím. Když dostane chuť na cigaretu a já mu
dám žvýkačku, jak doporučují autoři, vůbec se se mnou nebaví a žvý-
kačku jednoduše vyplivne! Znám ho až moc dobře a nerad bych se
před ním zesměšňoval. Nebýt organismu mé ženy, který kouření ne-
snáší stejně tak jako alkohol, ani bych se příručky nedotkl, ale udě-
lal jsem to jen kvůli těm druhým dvěma.

Na konci knížečky našla žena jakousi tabulku, v níž bylo uvedeno,
kolik ušetřím, nebudu-li kouřit. Ženu něco takového velice zajímá,
a protože jí údaje v tabulce nestačily, počítala ještě sama, aby nako-
nec dospěla ke skutečně pozoruhodnému výsledku.

„Sto třicet tisíc bys ušetřil!“ zvolala radostně, když dopočítala.

„Za jak dlouho?“ zeptal jsem se.

„Za pouhých sto třináct let!“ pravila žena.

Slíbil jsem, že o celé věci budu přemýšlet.

Ženu to potěšilo.

A protože jsem ten typ, který kouří při přemýšlení, skočil jsem si
do trafiky.

Midlife Krausis

Několik dní po padesátých narozeninách jsem pocítil všechny příznaky krize středního věku.

Cítil jsem se vyčerpaný a opotřebovaný. Když jsem si promítl film svého dosavadního života, zjistil jsem, že jde o banální příběh muže, který strávil většinu svého dosavadního života tím, že se myl, čistil si zuby a platil daně.

Ženě jsem oznámil, že už nebudu ztrácet čas psaním vánočních karet a přát veselé vánoce lidem, které netoužím vidět.

Také jsem se přistihl, že čtu v novinách úmrtní oznámení a že si pokaždé všimnu, kolika se kdo dožil let.

Když jsem pocítil, že mi klesá puls, rozhodla žena, že půjdeme oba k lékaři.

V čekárně jsem si prohlédl časopisy s velkými portréty jater, žaludku, srdce, ledvin a žlučníku a pocítil jsem okamžitě tlaky a bolesti ve všech vyfotografovaných orgánech.

Do ordinace jsem došel s vypětím všech sil.

Nejprve hovořila s lékařem žena.

Když na mne přišla řada, jmenoval jsem jednu potíž za druhou. Zmínil jsem se o tlacích v žaludku i o častém ischiasu. Také o cukání levého oka a o nepravidelném bušení srdce. Slinivku jsem doslova pomluvil. Ani o dalších orgánech jsem nemluvil pěkně. Lékař, který si dělal poznámky, chvílemi ani nestačil tempu mých stížností.

Nechybělo skutečně moc, abych svému organismu nedal celkovou výpověď.

Lékař předepsal řadu kontrol. Většinu z nich bylo nutno provést časně ráno a bez jídla.

Už na první kontrolu moče a krve jsem se dostavil tak zesláblý, že jsem nebyl schopen říci sestře své telefonní číslo. Po odběru krve jsem bloudil po nemocnici a marně hledal rentgen.

Svěží a vyspalý lékař, který rentgen obsluhoval, mi navíc zakázal dýchat, a když prudce přístrojem trhl, spadl jsem z podstavce. Když mne lékař se sestrou kypějící zdravím dostali opět společně do správné pozice, uviděl jsem své tělo.

Nebyl to hezký pohled.

Páteř vypadala křehce a obnošeně, jako by ji někdo už používal přede mnou. Divil jsem se, že vůbec unese mé tělo.

Pohublé orgány se hýbaly a smršťovaly tak nepravidelně, že mi hned začalo cukat oko.

V životě jsem na žádné obrazovce neviděl tak mizerný program.

Když mne lékař vyzval, abych se opět oblékl, odešel jsem do šatny velmi malými krůčky, vlastně jsem odcupital, maje strach, aby se mi uvnitř něco nerozlilo nebo nerozsypalo.

V šatně jsem se zděsil, že jsem náhle zchroml.

Chtěl jsem zavolat sestru, ale žena mě upozornila, že jsem si navlékl obráceně svetr.

V kanceláři zatím lékař uspořádal malou výstavu obrázků. Byla na nich nejen má kostra, ale i kostřička mé ženy.

Díval jsem se na ženin portrét a divil se, že jsem si vzal takového kostlivce.

Při další kontrole sledoval jiný lékař mé vnitřnosti na zvukovém přístroji spojeném s počítačem.

Nelíbilo se mi, že ke zkoušce přizval ještě jiného mladého kolegu. Nechápal jsem, proč k setkání s mou slinivkou nemůže dojít v úzkém rodinném kruhu. Mé obavy však byly zbytečné, ani jednoho lékaře mé vnitřnosti moc nezajímaly, spíše je zajímal nový přístroj a jeho technické možnosti.

Zkoušeli, co všechno lze s novým aparátem podniknout, a projížděli se mými útrobami jako ponorkou po mořském dnu.

Občas lékař plavbu zastavil a oznámil mi, že právě na obrazovce vidím svou slezinu, kde jsme na okamžik zakotvili. Pak přístroj natiskl spoustu obrázků a celkovou zprávu.

Když jsme opustili kliniku a dozvěděli se, že orgány jsou v pořádku, pocítil jsem k nim náhle něžný vztah a navrhl jsem, abychom obrázky nalepili do rodinného alba, hned vedle snímků Alp. Obrázky však byly moc velké, a tak jsme je dali do desek s plány bytu.

Nějaký čas po prohlídkách se mi dařilo docela dobře.

Ale pak mi začalo opět cukat oko. Také se mi zdálo, že mám nepravidelný puls.

Navštívil jsem opět lékaře, který mne znechuceně vyslechl a dal mi prášky.

Když jsem si přečetl, že lék je proti poruchám srdečního rytmu, zjistil jsem, že mám také tuto potíž.

Navíc jsem zapochyboval, zda mám správný tlak, protože mi občas také bušilo ve spáncích. Při další návštěvě mi lékař změřil tlak a řekl, že je normální.

Když jsem však přišel domů, zdálo se mi, že se opět zvýšil. Zašel jsem tedy do obchodu a koupil si přístroj na měření tlaku. V návodu jsem se dočetl to, co jsem tušil, že totiž lékař nemůže poznat z jednoho údaje tlakové výkyvy a že je nejlepší koupit si přístroj a udělat lékaři statistiku tlaku.

Měřil jsem se a psal údaje poctivě do sešitu.

Nahlédl jsem do naučného slovníku a zjistil, že má čísla neodpovídají tlaku průměrně zdravého člověka.

Navíc přístroj ukazoval jiné hodnoty, když jsem se měřil vleže, a jiné, když jsem seděl.

Jednoho dne neukázal vůbec žádný tlak a já se málem zhroutil. Naštěstí žena zjistila, že aparát už má vybité baterie. Šel jsem do lékárny koupit nové a požádal při té příležitosti lékárníka, aby se laskavě také sám změřil.

Když lékárník stál, měl tlak normální, ale když jsem ho donutil, aby si za pultem sedl, tlak se mu zvýšil.

Nakonec zavřel krám a šel k lékaři.

Potkal jsem ho tam, když jsem nesl lékaři svou statistiku.

Lékař mě pro jistotu ještě změřil svým přístrojem. Pak jsem ho požádal, aby se změřil mým přístrojem, abychom viděli, zda aparáty měří stejně.

Když se lékař změřil mým přístrojem, měl vyšší tlak, což ho velice udivilo.

Pak jsme zavolali z čekárny lékárníka a změřili ho oběma přístroji. Lékárník měl normální tlak a odešel radostně do lékárny.

Lékař se změřil ještě jednou svým přístrojem a měl také vyšší tlak než předtím.

Řekl jsem, že to může být způsobeno rozčilením. Lékař se mnou souhlasil a řekl, že se změří ještě jednou v klidu večer.

Navrhl jsem, abychom pro porovnání změřili tlak ještě sestře, ale lékař musel opustit ordinaci a jet na návštěvu za pacientem.

Protože jsem si stále nebyl jist výškou svého tlaku, pokračoval jsem ve statistice. Rozhodl jsem se, že tentokrát ji udělám skutečně důkladně.

Měřil jsem se ráno, v poledne i večer.

Když jsem se dočetl, že tlak po celý den kolísá, rozhodl jsem se pro měření v různých situacích.

Při příští návštěvě jsem zastihl lékaře, jak si měří tlak. Když skončil, dal jsem mu svou statistiku.

Můj tlak, když se oblékám. Když se svlékám. Když sleduji televizi. Při dětském programu. Při detektivce. Když jedu výtahem. Nahoru. Dolů. Když se měřím a dívám se na přístroj. Když se na něj nedívám. Nechápu, proč lékař vrtěl hlavou, když si přečetl můj krevní tlak při návštěvě obchodního domu. Při nákupu a při placení. (Při placení byl vyšší.)

Zarazilo mne také, že lékař vůbec nevěnoval pozornost tomu, jaký jsem měl tlak při zalévání květin a při pronásledování mšic. Když jsem opustil ordinaci, změřil jsem se hned na chodbě domu a zjistil, že můj tlak je trochu vyšší. Přispělo k tomu zřejmě flegmatické chování lékaře.

Když jsem navštívil jiného lékaře a ukázal mu statistiku svých tlaků, zachoval se ještě hůř.

Ani se na ni nepodíval.

Předepsal mi aspirin a něco proti kašli.

Rozhodl jsem se, že už k žádnému lékaři nepůjdu.

Koupil jsem si raději kolo a začal jezdit do lesa.

Několikrát jsem si chtěl ještě změřit tlak před jízdou a po jízdě na kole, ale žena mi přístroj vzala a zamkla do skříně.

V té době mi telefonoval přítel, jemuž lékař doporučil pravidelné procházky.

Řekl jsem mu, že jsem si právě opatřil kolo.

„Cože? Kolo?" zděsil se.

„V tom případě máš pěknou krizi," řekl mi znalecky. Pak mi sdělil, že to všechno už má za sebou a že nechal procházek, protože mu šly velice na nervy.

Zeptal jsem se ho, jak se zbavil svých potíží.

„Našel jsem mladou lékařku, která mi předepisuje výborné uklidňovadlo a cítím se zase výborně," oznámil mi pokojeně přítel. Přemýšlel jsem nějaký čas nad tím, co mi řekl.

Pak jsem se rozhodl.

Opatřil jsem si nejprve nový, elegantní sportovní oblek. Pak jsem naleštil své kolo.

Zítra se na něm vydám hledat vhodnou odbornici.

Muž v domácnosti
(deník)

Pondělí

Jsem sám doma. Žena na týden odjela. Je to skvělý pocit. Velmi příjemná změna. Myslím si, že tu prožijeme se psem nezapomenutelný týden.

Udělal jsem přesný plán a rozvrhl jsem si čas.

Vím přesně, kdy vstanu, kolik času strávím v koupelně a kolik přípravou snídaně. Propočítal jsem také čas na mytí nádobí, úklid, psí procházky, nákupy a vaření.

Když jsem odhadl celkový čas, velmi příjemně mne překvapilo, že budu mít spoustu volna.

Nechápu, proč ženy tolik mluví o domácnosti a dělají z toho takovou vědu, když je to činnost, která vyžaduje tak málo času. Jde jen o to, jak si ho zorganizovat.

Večeříme každý kotletu. Já i pes. Na stole mám svíčku, protože to dělá pěknou atmosféru, také sváteční prostírání a ve vázičce růži. Pes měl paštiku – paté de canard – jako předkrm, pak maso s jemnou zeleninou a keks jako dezert.

Piju víno a kouřím doutník.

Už dlouho jsem se necítil tak dobře.

Úterý

Musím se znovu podívat na svůj časový rozvrh. Zdá se mi, že bude vyžadovat malé změny.

Psovi jsem vysvětlil, že každý den není ovšem svátek a nemůže tedy mít vždy předkrm a hlavně tři misky, které pak musím umývat. Při snídani jsem si všiml, že výroba pomerančové šťávy má jednu nevýhodu. Ovoce znečistí celý přístroj. Jiná možnost – udělat šťávu rovnou na dva dny. Pak bych nemusel stroj mýt denně.

Objev: Zjistil jsem, že párky mohu ohřát v polévce a ušetřit tak jednu nádobu, kterou nemusím mýt.

Rozhodně nemíním denně luxovat, jak si to přála žena. To je skutečně přehnané. Úplně postačí jednou za dva dny. Důležité je se přezout a otřít psovi packy – to je vše.

Jinak se cítím skvěle.

Mám pocit, jako by mi domácnost zabírala více času, než jsem odhadoval.

Budu muset svou činnost zracionalizovat.

První kroky: Koupil jsem jídlo v sáčku. Nemusím přece ztrácet čas neustálým vařením. Jídlo se nemá připravovat déle, než se jí. Stlaní je problém. Nejdřív rozhazovat přikrývky, pak větrat a pak složitě stlát. Myslím si, že není nutné stlát každý den, když zase půjdu večer spát. Mám při stlaní pocit marnosti.

Také psovi už nepřipravuji složité jídlo. Koupil jsem už hotové jídlo pro psy. Tvářil se divně, ale nedá se nic dělat.

Když mohu já jíst už hotové jídlo, musí se i on přizpůsobit.

Čtvrtek
Už žádné pomerančové šťávy! Jak takový nenápadný pomeranč dovede ušpinit přístroj, to je neuvěřitelné. Kupuji hotovou šťávu, v lahvích. Objev: Podařilo se mi vylézt z postele tak, že jsem skoro vůbec nenarušil přikrývky. Pak stačilo jen trochu uhladit deku. Ovšem, chce to cvik a je nutné, aby se člověk během spánku v posteli moc nevrtěl. To znamená nestřídat často polohy.

Bolí mne kvůli tomu trochu záda, ale to lze odstranit horkou sprchou. Přestal jsem se každý den holit. To je tedy opravdu zbytečná ztráta času.

Navíc tím získám čas, který mi chyběl a kterým disponuje žena, která se neholí.

Zjištění: Je zbytečné jíst pokaždé z jiného talíře. Přidělává se tím nádobí, to je hotové mrhání. Mýt neustále nádobí mi začalo jít na nervy.

Také pes jí z jedné misky.

Je to koneckonců jen zvíře.

Poznámka: Dospěl jsem k závěru, že luxovat stačí maximálně jednou týdně.

K obědu i k večeři jsem měl párky.

Pátek
Konec ovocným šťavám! Láhve jsou moc těžké.

Zjišťuji následující: Ráno párek chutná dobře. V poledne méně. Večer vůbec.

Když člověk jí párky déle než dva dny, může to způsobit i lehkou nevolnost.

Pes dostal sušené jídlo. Je stejně výživné a hlavně nemaže to misku. Jinak bych si už připadal jako automatická myčka nádobí.

Pokus zkrátit čas strávený nákupem nevyšel, protože jít se psem na procházku s nákupními taškami je hrozné.

Přišel jsem na to, že polévku lze jíst rovnou z hrnce. Chutná stejně. Žádné talíře, žádnou naběračku!

Přestal jsem vytírat podlahu v kuchyni. Tato činnost mi už šla na nervy jako předtím stlaní.

Mám dojem, že mám moc odpadků. Nevím, odkud se berou. Musím s nimi běhat ven.

Poznámka: Konzervy nepadají v úvahu, protože se umaže otvírák.

Sobota

Nač se večer svlékat, když se ráno zas musím oblékat? To si raději déle poležím. Navíc se nemusím vůbec přikrývat, takže postel zůstane perfektně ustlaná.

Pes nadělal drobečky.

Vynadal jsem mu. Nejsem jeho služka!

Zvláštní, uvědomil jsem si, že takhle se mnou občas mluví žena …

Dnes je den holení, ale vůbec do toho nemám chuť.

Můj nervový stav není dobrý.

Snídat budu jen to, co se nemusí rozbalovat, otvírat, krájet, mazat, vařit nebo míchat.

Všechny tyhle činnosti mne rozčilují.

Plán: Oběd sním přímo ze sáčku, rovnou nad sporákem. Žádné talíře, žádné příbory, žádné prostírání a jiné nesmysly.

Trochu mne bolí dásně. Možná že je to nedostatkem ovoce, které je moc těžké na dopravu. Třeba je to začátek kurdějí?

Protože venku prší, natáhl jsem po bytě noviny, abych pak nemusel uklízet. Když si vybavím lux, je mi hned špatně od žaludku.

Cítím, že slábnu.

Má váha klesá.

Myslím na Amundsena …

Odpoledne telefonovala žena a ptala se, zda jsem umyl okna a vypral si prádlo.

Hystericky jsem se rozesmál.

Řekl jsem jí, že na takové věci nemám vůbec čas.

Mám problém s vanou. Ucpala se špagetami. Moc mi to ale nevadí, protože už se stejně nesprchuji.

Poznámka: Jíme-li se psem rovnou z ledničky, je zapotřebí to udělat rychle, aby nezůstala dlouho otevřená.

Neděle

Pozorovali jsme se psem z postele, jak v televizi jedli lidé nejrůznější pokrmy a lahůdky. Oba jsme měli plné pusy slin.

Jsme oba zesláblí a mrzutí.

Ráno jsme snídali něco z psí misky. Ani jednomu to nechutnalo.

Měl bych se umýt, oholit, učesat, udělat psovi jídlo, jít s ním ven, umýt nádobí, uklidit, nakoupit a udělat celou řadu dalších věcí, ale už se mi nedostává sil.

Mám pocit, že se neudržím na nohou a že mi slábne zrak.

Pes přestal vrtět ocasem.

V posledním pudu sebezáchovy jsme se odplížili do restaurace.

Jedli jsme skvělá jídla na různých talířích víc jak hodinu. Pak jsme odešli do hotelu.

Pokoj je čistý, uklizený, útulný.

Rozházel jsem postel a opět spal jako na začátku expedice. Myslím si, že je to ideální řešení, protože takhle skutečně ušetřím spoustu času.

Až se zotavím, budu přemýšlet, k čemu ho použiji!

Škola života

Že se časy změnily a dnešní mladí lidé se nemíní připravovat na život tak staromódním způsobem, jako jsme to kdysi dělali my, to je dnes skoro každému jasné.

Poznali jsme to už před léty, kdy naše dcera navštěvovala gymnázium a chodila se svým prvním klukem.

Trávili spolu většinu času. Sedávali v dceřině pokoji při zapálené svíčce, poslouchali hudbu a drželi se za ruce.

Mladík chtěl být houslistou, ale obával se budoucnosti, když zjistil, že by musel chodit na konzervatoř.

Nedovedl si představit, že by musel mít v ruce šest hodin denně housle místo naší holčičky.

Také dcera, která v té době chtěla být tanečnicí, se trápila představou, že by musela chodit do jiné školy než její přítel, a hroutila se při pomyšlení, že by škola měla být dokonce v jiném městě.

Oba mladí lidé toužili tehdy jen po jediném. Vzít se, být spolu, držet se za ruce a dívat se jeden druhému do očí.

Když viděli, jak složitá budoucnost je čeká, opatřili si nějaké indické kadidlo, jehož vůně jim pomáhala zahnat nepříjemné myšlenky na budoucnost.

Společný sen, oženit se v osmnácti letech a prožít zbytek života u nás, v malém dceřině pokoji, však narušil učitel tělocviku, když uspořádal zájezd na hory.

Mladík odložil naši holčičku a vzal do rukou na několik dnů lyže.

Holčička, která po několika dnech trpěla nepředstavitelnou samotou, se rozhodla, že pojede za ním.

Nalezla ho na zasněženém vrchu. Stál tam na lyžích a v rukou měl zcela jinou holčičku.

Toho dne zanevřela dcera na hory, klasickou hudbu i přítele a rozhodla se, že půjde svou cestou a že před studiemi dá přednost životní praxi.

Nový mladík, který na dceru zapůsobil, byl José.

Byl bubeníkem a jeho ruce byly pevné, protože už od šestnácti let hrál rockenrol.

Když José vzal naši dívku za ruce a zadíval se jí velmi dlouze do očí a když jí pak prozradil, že už od šestnácti let se nedotkl žádné učebnice, a přesto se sám živí, byla holčička nadšena. Poznala, že José je muž pro ni, a zamilovala se do něho.

Krátce poté nám napsala, že změnila maličko plány a nepůjde studovat do Ameriky, mezi nezkušené studenty, kteří nemají ani ponětí o životě, ale že zůstane v Mexiku. Chtěl jsem trochu uklidnit ženu a vzít ji také za ruce. Ale nepodařilo se mi to. Žena zírala na dopis a držela se za hlavu.

K svatbě daroval José naší holčičce povolení k pobytu a upozornil ji na to, co doklad výslovně stanovil, že jeho žena nesmí v Mexiku pracovat, že ji musí živit manžel.

Mexičtí muži jsou totiž na rozdíl od nás, Evropanů, nesmírně hrdí a nesnesou pomyšlení, že by žena měla být ponižována prací za peníze. A protože stejně hrdí jsou i mexičtí prezidenti, udělali takový zákon.

Dcera přijala tento dar spolu s novým jménem Gonzales a darovala na oplátku manželovi postupně auto a nábytek a tchyni televizi. To vše za své úspory. Musela při tom být velice taktní, protože i když neexistuje mexický zákon, který by zakazoval mužům přijímat dary, je mexický muž také velice citlivý a nesmí mít pocit, že si ho žena kupuje.

Zároveň ovšem musí být dary kvalitní, protože jinak se muž urazí. José byl však, v jistém smyslu, už moderní a odsuzoval starý zvyk, kdy dary dávali jen muži ženám. Dalo by se říci, že v tomto směru byl dokonce emancipovaný. Ale dík své hrdosti ponechal pro jistotu svou matku v domnění, že jí televizi daroval sám.

Hrdost latinských mužů je skutečně v každé situaci obdivuhodná. Přesvědčili jsme se o tom, když se mladým manželům nedostávalo peněz na stěhování právě toho nábytku, který holčička koupila. Tehdy nám musela napsat sama, protože José by se k takovému činu nesnížil.

Podobně hrdý byl José, když se spolu s holčičkou zabýval rodinnou ekonomií.

Dcera napsala, že vše velmi dobře promysleli a došli k závěru, že by měli vlastnit domek nebo byt. Ušetřili by tak peníze za činži a navíc by domek byl vhodnou investicí, protože by do něho uložili peníze, které by tak neztratily na hodnotě.

Byli jsme tehdy na mladé lidi hrdí, protože jsme viděli, že sledují ekonomickou situaci a správně uvažují.

Bohužel jen do té doby, než se ukázalo, že peníze jsme měli poskytnout my.

I tentokrát se José zachoval jako muž a nic nám nevyčítal. Bylo to od něho hezké, protože v té době nás vždycky strašlivě rozbolela hlava, jakmile nám pošta doručila dopis z Mexika. Když se v Mexiku poněkud zhoršila situace a José bubnoval ráno, v poledne i večer, uvědomila si holčička, že by k uchování životní úrovně musela mít za manžela ještě alespoň dva další bubeníky. A protože José byl skutečný muž činu, přišel na to, že potřebuje hudební počítač, který by několik kolegů nahradil.

Dcera nás tedy požádala o pomoc, neboť věděla, že budeme mít pro situaci pochopení.

V té době však José nemohl zaplatit za další povolení k pobytu pro svou ženu a navrhl jí, ať za povolení zaplatí sama, z peněz, které jsme poslali na počítač. Zároveň vyčerpán životem přestal hledět holčičce dlouze do očí, začal pít a žádal, aby ho seňorita Gonzales vzala za peníze od rodičů na flám.

Dcera pochopila lekci života a požádala nás o letenku. Žena se ihned vrátila z nervového sanatoria.

Bankovní úředník mi gratuloval k tomu, že naše telefonní účty klesly na normální úroveň.

Nějaký čas jsme byli opět šťastni.

Pak se objevil nový mladík, který také odmítl dosavadní přežitý způsob života.

Školu opustil už v patnácti letech, když hrozilo, že by se při troše neopatrnosti mohl octnout na gymnáziu a že by při malém nesoustředění mohl dokonce skončit s maturitou.

Byl to však citlivý mladý muž. I když pracoval, žil dále s rodiči, a aby uklidnil svou velmi konzervativní matku, nechal ji alespoň vařit a prát i žehlit své prádlo.

Také tento mladík sedával s dcerou v pokoji. Drželi se za ruce a vyprávěli si o tom, jak těžký je život.

Někdy si četli inzeráty v novinách a zjišťovali s nechutí, že skoro každý zaměstnavatel žádá nějaký diplom.

Když mladík, který byl podnikatelem, prohlásil, že se situace neustále horší, že však nemíní pracovat a studovat zároveň, se proto v nejhorším případě nějaký diplom padělá, rozešla se s ním dcera a sdělila nám, že se rozhodla nějakou odbornou školu vystudovat, ale jen pod podmínkou, že studium nebude dlouhé a že celá věc zůstane v tajnosti. Vysvětlila nám, že si nechce udělat ostudu mezi přáteli.

Byli jsme radostí bez sebe, že dcera je ochotná něco takového podstoupit. Už jsme nevěřili, že by takové oběti byla ještě schopna. Pohlíželi jsme na šestadvacetileté dítě s úctou.

Pak jsme společně vyhledali vhodnou školu.

Našli jsme ji ve Švýcarsku.

Je to škola pro podobně smýšlející mladé lidi a už svým umístěním školu ani vzdáleně nepřipomíná.

Je ve vysokých horách. Daleko od měst. Adresa je tajná. Když jsme tam dceru vezli, nemohli jsme školu ani najít. Vypadá spíše jako starší hotel.

Cestou jsme potkávali další rodiče.

Na zadních sedadlech, za staženými záclonkami, v tmavých brýlích seděli mladí lidé, kteří přijížděli inkognito a kteří také nechtěli být přistiženi při tak nedůstojném činu, jakým je překročení prahu nějaké školy.

Někteří se dostavili ve vlastních vozech. Jiní s lyžemi nebo tenisovými raketami jako sportovci. Mnozí přicházeli nenápadně převlečeni za turisty.

Také profesoři vypadali sportovně, spíše jako lyžařští instruktoři nebo hráči golfu.

Studijní řečí je angličtina, ale účty za školu se platí ve švýcarských francích.

Přes všechna důmyslná opatření mladí lidé skutečně studují. Na konci studia dělají dokonce mezinárodní zkoušky. Místo i datum zkoušek je ovšem uchováváno v tajnosti.

Diplom je nenápadný, aby se žádný absolvent neprozradil a nedostal se do trapné situace před přáteli.

Když holčička přijela poprvé na prázdniny a byli jsme zcela sami, prozradila nám dokonce, že se jí ve škole líbí.

Samozřejmě jen pod podmínkou, že o tom nikdy nebudeme mluvit. Byli jsme rádi, že jsme byli tak trpěliví a že jsme pochopili nový životní styl mladých lidí.

Vím ale také o případu, který je přímo varovný.

Jde o dívku, která zcela nepochopila dobu a úplně postaru vystudovala medicínu a stala se rychle lékařkou.

Teprve pak se vdala za mladíka, který ztratil hlavu natolik, že se stal mezitím inženýrem.

Došlo to dokonce tak daleko, že spolu žijí ve vlastním domě, za vlastní peníze!

Oba mladí lidé jsou však alespoň tak citliví, že nechtějí rodiče přivést do řečí, a proto žijí v malém, pohraničním městě.

Kdykoli návštívíme rodiče této dívky, kteří jsou našimi přáteli, jsme s ženou velmi taktní a nepřivádíme na toto téma raději řeč. Naši přátelé jsou už tak postiženi.

Vědí totiž dobře, že jejich dcera není zcela v pořádku, protože pro samá studia neměla nikdy čas na to nejdůležitější – na školu života.

Ranní pošta

Kdysi jsem považoval ráno za nejhezčí okamžik dne.

Když venku svítilo slunce a člověk po ranní koupeli usedl k prostřenému stolu, kde voněla káva a kde seděla usměvavá žena, míval jsem dojem, že přímo cítím vůni života.

V poslední době se bohužel tento pocit změnil úderem deváté hodiny, kdy přichází pošta.

Sedíme u stolu, pijeme kávu a prohlížíme korespondenci. Otevřu první dopis a čtu:

„Vážený pane Kraus,

domníváte se, že si můžete udržet svou dnešní životní úroveň s penzí, která v roce 2004 nebude mít ani zdaleka dnešní kupní sílu?"

Je smozřejmé, že na takovou otázku nejsem v časnou ranní hodinu vůbec připraven. Podívám se, kdo mi otázku klade, abych zjistil, že se jedná o banku Amex, jejíž vedení si o mou budoucnost dělá takovou starost.

Protože stejný dopis dostala i má žena, zřejmě v rámci emancipace, můžeme si číst každý svůj.

Tak se dozvíme, že došlo k penzijní formě, jejímž výsledkem je, že penze nebude rozhodně dostačující, což je doloženo čísly …

Ještě před chvíli jsem myslel na to, že už začíná jaro, teď jsem se však, dík dopisu, dostal rychle do podzimu života.

I káva mi přestala chutnat. Také mne napadlo, že na stará kolena nebudeme mít na kávu zřejmě dost peněz. Vzal jsem hned počítačku a spočítal jsem, na kolik káv by vydala penze, která byla uvedena v dopise.

Žena odložila chléb s máslem a počítačku hned vypnula. Prý je na baterie a ty také něco stojí.

Kdybychom teď používali neuváženě a zbytečně počítačky, nemuseli bychom se ve stáří dopočítat!

Chtěl jsem ještě spočítat náklady na chléb s máslem, násobeny dvěma, krát tři sta šedesát pět dnů v roce, ale žena mne upozornila, že to by už bylo vyložené mrhání energií a že něco takového si nemůžeme v naší situaci dovolit.

Raději jsme si přečetli další část dopisu.

Dozvěděli jsme se, že nic není ztraceno, že zcela postačí, když se včas ještě soukromě připojistíme a zajistíme si tak penzi, která by nám zaručila naší dnešní životní úroveň, tedy včetně chleba s máslem, kávy i baterií.

V dopise byl uveden příklad:

„Dejme tomu, že je vám čtyřicet let a že byste uzavřeli penzijní pojistku na 250 000 marek. Kdyby pojistka byla uzavřena do vašich pětašedesáti let, získáte 700 270 marek čistého, aniž byste museli platit daně."

Příklad nás zneklidnil, ba dokonce pobouřil.

Ne proto, že bychom měli něco proti sumě. Naopak. Spočítal jsem z hlavy (žena mi odmítla dát papír, musíme začít žít skromněji), že těch dvě stě sedmdesát marek by pokrylo náklady na baterie za osm let, a kdybychom používali počítačku jen na dělení, které nám začíná dělat potíže, mohly by baterie vystačit dokonce dvanáct let. Ostatní početní úkoly nám celkem jdou a velmi složité propočty – jako je výše penze – za nás udělají odborníci, kteří nám poslali dopis.

I zbylých sedm set tisíc marek by se nám velice hodilo.

Co nás však rozčililo, byla věta „dejme tomu, že je vám čtyřicet let".

Protože, řečeno taktně, čtyřicet let nám už oběma nějaký čas není, věta měla za následek, že jsem odložil nakousnutý koláč, ani ne tak kvůli mizerné budoucí penzi, ale také proto, že jsem si vzpomněl na zprávu o cholesterolu, kterou mi poslaly laboratoře den předtím.

Ke zprávě byla přiložena brožura s návodem, jak snížit hladinu cholesterolu a prodloužit si tak věk.

Uvědomil jsem si, že jsem v nezáviděníhodné, prakticky bezvýchodné situaci. Buď se dožiju slušného věku, ale jako naprostý chudák, který promarnil svou penzi tím, že jedl koláče a příliš používal počítačku, nebo se připravím o chutné snídaně a budu mít lepší penzi, ale můj život nebude stát za nic.

Oba nás navíc zdeprimovalo, že už nám není čtyřicet let.

Odložil jsem dopis s pocitem marnosti.

Ani slunce, které venku vyšlo, mi nedělalo žádnou radost.

Při pohledu ven mne napadlo, že nebudu mít ani na boty, abych si vyšel na procházku, a že mé slunečné dny jsou vlastně sečteny. Mezitím otevřela žena další dopis.

Oba jsme doufali, že to tentokrát bude nějaká lepší zpráva. Nebyla.

Pojišťovna sdělovala zdvořile a mile ženě, že po provedené reformě zdravotní je naprosto nezbytné uzavřít soukromou úmrtní pojistku. Oba jsme zcela ztratili chuť k jídlu.

Žena položila koláče a kávu na podnos a odpotácela se do kuchyně. Tam se opřela o myčku na nádobí, kterou budeme muset zřejmě brzy prodat, stejně jako nádobí a část nábytku, abychom finančně vyšli. Přečetl jsem ženě dopis zastřeným hlasem.

Pojišťovna nám sdělovala, že po poslední reformě nepokryjí bohužel zákonné úmrtní peníze pohřební náklady, protože zákonné zdravotní pojištění bylo nutno snížit – a to na pouhý tisíc marek na mrtvého člena. Z toho plyne, že pozůstalý či pozůstalá budou muset zaplatit dalších pět tisíc.

Četbu jsem musel přerušit. Uvědomil jsem si totiž, že nebudeme mít dost peněz ani na život, ani na smrt, a že na tom budeme bídně dokonce in memoriam.

Navíc mne začal tlačit žaludek.

Ženu rozbolela hlava.

Chtěl jsem ji trochu potěšit, a tak jsem jí přečetl z dopisu, že se dík pojištění budeme podílet na zisku z dvaceti pěti procent, ale moc to nepomohlo.

Ani informace o tom, že v případě, že jeden z nás bude mít to štěstí, že zahyne při úraze a nebude nutno platit už za něho pojistku, ženu moc nepotěšila.

Pak jsem odhadl, že nejvýhodnější by bylo zvolit ze tří možných sum tu nejvyšší – deset tisíc, protože pohřeb by se dal třeba zařídit načerno, bez čtrnáctiprocentní daně, jako melouch, a tím bychom – tedy jeden z nás – na celé věci vydělali. Žena mi řekla, že načerno mohu zařídit instalatéra, ale pohřeb že se rozhodně neutají. K dopisu byl přiložen dotazník. Obsahoval jen dvě otázky.

1. Cítíte se zdráv?

2. Byl jste v posledních šesti měsících nucen vyhledat lékaře, a když ano, z jakého důvodu? …

Ačkoli jsem se toho rána cítil zcela dobře, pocítil jsem, že budu muset lékaře vyhledat hned. Začalo mne náhle mrazit.

Žena mi doporučila, abych si vzal svetr, protože zavřela topení, abychom nežili nad poměry.

Sdělil jsem jí za to PS z dopisu:

Jakmile podepíšete přiloženou žádost o pojištění, automaticky se zúčastníte vylosování kvalitních barevných televizorů.

Chtěl jsem hned spočítat, jakou asi máme šanci na výhru, když si zajistíme pohřby, ale žena mi odebrala tužku i papír.

Krom toho mi připomněla, že za televizi se platí a navíc spotřebuje dost proudu.

Když mi odmítla dát minerální vodu, abych zapil prášek na uklidnění, a zavřela také navíc vodu (aby zvýhodnila naši penzi), dostal jsem nápad, jak znovu začít žít.

Napsal jsem (samozřejmě tajně, aby žena nevěděla, že mrhám penězi za známky) oběma úřadům a dopisy jsem adresoval osobně, na vedoucí oddělení.

Bankovnímu úředníku jsem poslal pohřební pojistku a pojišťovacímu referentovi druhý dopis, protože vím, že už mu není čtyřicet let pořádně dlouho.

Pak jsme se dohodli se ženou o následujícím:

Jakmile jeden z nás otevře ráno podobnou poštu, má ten druhý právo ho nejen srazit nepojištěného ze schodů, ale může mu zabavit koláč i baterie.

Testament

Na nápad sepsat poslední vůli jsme nepřišli ani já, ani žena, ale naši přátelé, u nichž jsme byli nedávno na návštěvě.

Přátelé se velmi divili, když zjistili, že poslední vůli dosud nemáme, a doporučili nám, abychom to udělali co nejdříve, protože člověk nikdy neví, co se může přihodit.

Domů jsme toho večera šli opatrně.

Hned druhého dne jsme si koupili příručku Testament.

Otevřel jsem ji a zarazil se hned u jedné z prvních vět. „Zákonnými dědici jsou v případě, že zemřelý nezanechal žádnou poslední vůli, jen příbuzní, to jest osoby pocházející vzájemně jedna od druhé, nebo od této osoby pocházející osoba třetí." Chvíli mi trvalo, než jsem si zvykl na úřední jazyk.

Brzy jsem zjistil, že sepsat poslední vůli nebude tak jednoduché, jak jsme si mysleli.

„Na místě toho v čase dědictví už nežijícího potomka nastupují ti, kteří jsou vůči dědictví odkazujícím zpříbuznělými potomky," četl jsem z knihy nahlas ženě.

„Cože?" zeptala se udiveně.

Naštěstí byl hned vedle informace uveden praktický příklad: Wolfgang, který se náhle zabil v autě, měl tři děti. Antona, Bertu a Cecilii. Cecílie a Berta zemřely, chudinky, už před Wolfgangovou smrtí.

„Kolik bylo Wolfgangovi?" zeptala se žena.

„Nevím, to tu není," řekl jsem a pokračoval ve čtení toho smutného případu: Cecilie zůstala bezdětná, Berta měla tři děti. Takže dědí: syn Anton, který otce přežil, jednu polovinu, každé ze tří dětí Bert po jedné šestině. Pokud by Berta měla vnuky, nedědí nic, jsou vyloučeni z dědictví dětmi Berty. Kdyby měla Berta dětí šest, dostaly by po jedné dvanáctině.

Na ženu příklad neudělal velký dojem. Bylo jí totiž líto vnoučat. Brala příklad vyloženě citově.

Když jsem v další kapitole příručky zjistil, že dědit může také stát, když už není na živu žádný příbuzný, a ten, který něco odkazuje, ne-

sepsal testament, rozhodli jsme se, že příručku raději pořádně pro-
studujeme a poslední vůli sepíšeme.

Další četba však na nás nepůsobila hezky.

To když jsme se dozvěděli o Norbertovi a o jeho předzemřelé
manželce Hetě, která mu navíc zanechala tři malé děti. Zatímco
jsem na následujících stránkách hledal, zda se také užívá výrazu za-
zemřelý, šla se žena raději projít, protože se jí udělalo trochu nevol-
no.

Když se vrátila, otevřela okno, protože prý byl v bytě zamřelý
vzduch.

Notářský testament se nám nezamlouval, protože se za něj platí,
a to tím víc, čím vyšší je dědictví. Také je nutno platit za to, že doku-
ment pak zůstane uložen v notářově kanceláři. Řekl jsem ženě, že
navíc není jisto, jak je na tom notář zdravotně, nehledě k tomu, že
často jezdí autem sem a tam. Žena přišla na to, že i notář může za-
pomenout na poslední vůli, a zděsili jsme se představy, že by dědictví
nakonec získal nějaký jeho potomek.

Testament sepsaný u starosty se dvěma svědky nám také nevyho-
voval. Když v televizi ohlásili toho dne hezké počasí, trochu jsme se
uklidnili, že nám nehrozí žádná přírodní katastrofa a odříznutí od
radnice, jak to popisuje příručka. V takovém případě je možno udě-
lat poslední vůli před třemi svědky.

„Jenže při povodni svědky na střechu domu nedostaneš!" řekl
jsem. Žena souhlasila.

Také mne napadlo, že by se třeba povodeň mohla přihnat tak ne-
šťastně, že by odnesla i celou radnici nebo notářskou kancelář s no-
tářem s poslední vůlí.

Kdyby notář viděl hrozící nebezpečí, stejně by se zabýval hlavně
svou poslední vůlí, a ne testamenty klientů.

V noci jsme kvůli tomu, co jsme se dozvěděli, nemohli usnout. Le-
želi jsme potmě v posteli a probírali znovu a znovu testament se tře-
mi svědky.

„Co když někdo umírá," navrhla žena, „a už nemá možnost dostat
se ke starostovi?"

„Může udělat vůli před třemi svědky," řekl jsem.

„To přece nestačí," namítla žena.

„Musí se to sepsat," řekl jsem.

„A co když už nemůže mluvit?" zeptala se.

Hned jsem vstal a hledal takový případ v příručce. Nic podobného jsem však nenašel.

Když jsem si znovu lehl a pro jistotu se nepřikryl až ke krku, abych se neudusil jako Arno, o němž se v knize psalo, že byl dvakrát ženatý a musel udělat složitou vůli, napadlo mne, že by takový člověk mohl vůli naznačit gesty.

„A když jim svědci neporozumějí?" zeptala se žena přísně.

„Tak to může nakreslit," řekl jsem.

„A když nemůže ani kreslit?"

„Mohou se ho ptát a on jen kývne, nebo zavrtí hlavou," řekl jsem, jsa pyšný na to, že jsem našel nějaké řešení.

Ve dvě hodiny v noci se mne žena zeptala, zda si umím představit, jak umírající, který nemůže mluvit, psát ani kreslit, vyjádří, že odkazuje perský koberec dceři a sbírku porcelánu synovi. Ta otázka mne podráždila. K svému údivu jsem zjistil, že můj hněv je namířen vůči umírajícímu.

Řekl jsem zvýšeným hlasem, že měl dost času udělat testament, dokud mohl mluvit, psát nebo alespoň kreslit, a že si to všechno zavinil sám.

Pak jsem znovu vstal a zjistil v knize, že osoby slepé, němé, negramotné nebo duševně choré nemohou závěť sepisovat. Chtěl jsem to říci ženě, ale ta už spala.

Usnul jsem až k ránu.

Když jsem se probudil, řekla mi žena, že jsem ze spaní někomu něco diktoval.

Při dalším studiu příručky mne nejvíc zaujala kapitola týkající se daní. Zjistil jsem, že dědic může totiž od daní z dědictví odečíst nejen všechny dluhy a závazky zemřelé osoby, ale i náklady na pohřeb, včetně nákladů na náhrobek a jeho údržbu.

Protože vášnivě rád odečítám náklady, pročetl jsem, oč by bylo na daních výhodnější koupit náhrobek na úvěr a odečítat bankovní úroky během několika let.

Spojil jsem se také s několika pohřebními ústavy a nechal si udělat písemné nabídky. Pak jsem zatelefonoval svému daňovému poradci a prohovořili jsme opotřebení a údržbu hrobu.

Nakonec jsem radostně sdělil ženě novou informaci – kolik mohu z dědictví ušetřit na daních.

Chvíli na mne nechápavě zírala.

„Ty přece nic dědit nebudeš," řekla mi pak.

Uvědomil jsem si svůj omyl. Byl jsem velice zklamaný. Dokonce mi přišlo líto, že dědit nebudu já, ale naopak. Daňová otázka mne přestala zcela zajímat.

Když žena opatřila úřední formuláře na sepsání závěti, rozhodli jsme se, že nejprve sepíšeme poslední vůli nanečisto.

Poté co mne žena obvinila, že chci opisovat, sedli jsme si každý zvlášť.

Nahlížel jsem do příručky, kde jsou uvedeny příklady, a jeden se mi tak líbil, že jsem omylem odkázal jistému Petru Spenglerovi z Lautenbachu, jehož vůbec neznám, pět tisíc marek a volkswagen.

Nejprve jsme chtěli sepsat závěť, podle níž bychom byli vzájemnými dědici a po smrti déle žijícího by dědičkou byla dcera.

Jenže pak žena našla v příručce příklad, že by mohla zemřít dřív jako jistá Anna Hennerová z Konstance, a já bych se mohl ještě oženit jako Alois Henner, který si vzal mladou baletku z divadla ve Freiburgu. Pak bych mohl poškodit dceru jako Alois, kterého nová žena Mili zcela pobláznila.

Řekl jsem, že zemřít dřív mohu také já, že mám stejná práva jako žena a že se dokonce během té doby, co se zabýváme testamentem, cítím den ode dne hůř.

Žena namítla, že ona by dceru rozhodně neošidila, proti čemuž jsem se odvolal a nalistoval v knize případ Heinricha Löwyho, který zemřel, nemaje ani potuchy o tom, že jeho žena se znovu vdá za mladého školního inspektora Böhma a že tak poškodí syna Karla. Žena řekla, že ona není Frieda Löwyová.

Já jsem řekl, že nejsem Alois Henner.

Pak mne napadla autorská práva na mé knihy.

Řekl jsem, že polovinu práv odkážu ženě a po její smrti dceři a druhou polovinu svým sourozencům. Práva postupně měla přejít na vnuky z dceřiny strany a vnuky mých sourozenců a potom na nějakou spisovatelskou organizaci, která by podporovala mladé talenty. Tato dohoda vnesla do našeho jednání klid.

Byli jsme dokonce dojati.

Nabídl jsem ženě i víc autorských práv jako protislužbu, že ve své závěti bude myslet na to, aby mne nějaký manžel dcery neožebračil nebo s pomocí právníků nedostal do blázince jen proto, aby získal náš dům.

Vůbec jsme si neuvědomili, že žádný dům nemáme, stejně jako to, že knihy dosud nic nevynesly.

Když jsme konečně začali psát závěti načisto, zastavila se žena v bance a zjistila, že na našem kontě za tu dobu, co jsme se zabývali závětí, vznikl dluh.

Rozhodli jsme se, že bude lépe, když se zatím budeme věnovat vydělávání peněz.

Formuláře jsme vyplnili podle posledního vzoru, který je v příručce uveden.

Jmenuje se ODVOLÁNÍ VŠECH DOSAVADNÍCH DISPOZIC POSLEDNÍ SPOLEČNÉ VŮLE.

Paměti

Když se žena zmínila o tom, že si občas píše deník, v němž se také zabývá mou osobou, potěšilo mě, že tak vzniknou vzpomínky napsané někým, kdo se mnou prodělal všechny radosti a strasti, které provázely mou práci. „Bude tam o mém smyslu pro humor?" zeptal jsem se. Žena řekla, že to je snad zbytečné, protože čtenář to bude moci posoudit sám, až si přečte mé dílo. Za to, že použila výrazu „dílo", jsem ji nechal napít kávy ze svého hrníčku, což není mým zvykem. Uděl jsem to také proto, že by mohla ve vzpomínkách popsat i tento okamžik a já bych nerad působil sobecky ještě in memoriam. Položil jsem pak ženě ještě několik otázek. Samozřejmě jen proto, abych se přesvědčil, zda se do jejích vzpomínek nevloudí nějaká nevhodná intimita nebo detail, který do podobné knížky nepatří. Vzpomínky mohou být velmi osobní, ale je třeba si uvědomit, že se jednou dostanou na veřejnost.

Musím přiznat, že mne potěšilo ženino rozhodnutí nezmiňovat se o tom, že celá léta mačkám mokrý ručník, ani o tom, že při čištění zubů znečistím často zrcadlo.

Když jsem si udělal o jejích vzpomínkách na mne jasnou představu, sdělil jsem jí, že se mi její celková koncepce líbí. Potěšilo ji to a šla si to do pokoje poznamenat. Pozoroval jsem ji z kuchyně a měl jsem pocit, že jí poznámka trvá poněkud déle, než by bylo nutné. Zřejmě si zapisovala ještě něco jiného.

„Doufám, že nemíníš psát o tom, že se skláním k jídlu, místo abych nosil příbor k puse?" ptal jsem se trochu nervózně.

„To je přece hloupost," usmála se.

„Jistě," řekl jsem, pokoušeje se také o úsměv.

V noci jsem nemohl spát. Žena spala dobře. Dokonce se ve spánku usmívala! Protože mne zajímalo, co jí připadá k smíchu, musel jsem ji vzbudit.

„Chceš se snad zmínit o mých botech?" zeptal jsem se.

„Cože?" ptala se rozespale.

„O tom, že si je nikdy nečistím?"

248

„Prosím tě, neblázni!"

„Děkuju," řekl jsem, protože jsem si uvědomil, že bych měl být trochu zdvořilejší.

Druhého dne ráno jsem připravil snídani.

„Co se stalo?" divila se.

„Nic," řekl jsem, snaže se vzbudit dojem, že jde o normální čin. Ve skutečnosti jsem však měl na paměti její paměti. Nerad bych v nich totiž působil jako nevychovanec. Něco takového by mohlo budoucí čtenářky pěkně odradit. Zároveň mě při přípravě snídaně napadlo, že jí možná přestane časem sloužit paměť, takže si snad neuvědomí, že snídani dělala třicet let sama. Je to samozřejmě jen maličkost, ale nevím, proč by se to mělo dostat na veřejnost. Opravdu nevím, proč by měl někdo číst takové banality.

O několik dnů později jsem viděl, že si opět něco píše. Přijel jsem s luxem až ke stolu, abych se nenápadně přesvědčil, oč jde. Ukázalo se však, že si jen zapisovala číslo zubaře. Využil jsem té příležitosti a zeptal jsem se jí, zda si náhodou nedělala někdy seznam mých zlozvyků. Pravila, že ne. To mne tak potěšilo, že kdyby žena nebyla ženou, musel bych přiznat, že je gentleman.

Když jsem umyl okna a žena se vzpamatovala z překvapení, zeptal jsem se, jestli se chce také zmínit o tom, jak někdy reaguju. Šlo mi o to, zda míní popsat mé poněkud nekontrolované stavy ve chvílích, kdy jí čtu svůj text a žádám ji o názor a kdy mi sdělí něco zcela jiného, než očekávám. Dal jsem jí najevo, že těch pár sporů, které jsme kvůli tomu v minulosti měli, lze jistě považovat za naprosto zanedbatelné a že to, že mne někdy žádá o písemný souhlas k tomu, aby mi mohla říci i ty připomínky, které nejsou pochvalné, bych rozhodně v pamětech také neuváděl. Lidé by si to mohli vyložit všelijak.

Byl jsem ujištěn, že si poznamenává většinou jen drobnosti.

Když jsem při mytí podlahy nad věcí přemýšlel, napadlo mne, že to, co jeden považuje za drobnost, nemusí být pro druhého zrovna detail. Abych si mohl učinit konkrétní představu o tom, co vlastně za drobnost považuje, dal jsem jí hned ráno malý test. Když jsme šli o půlnoci spát, byl jsem klidný, protože se ukázalo, že žena považuje za drobnosti opravdu drobnosti.

V té době jsem už samozřejmě přestal psát. Věnoval jsem se hlavně vaření a úklidu. Kdykoli mně chtěla vyfotografovat, žádal jsem ji o chvilku strpení, abych se mohl převléknout a učesat.

„To je přece fotografie jen pro rodinu," vysvětlovala.

„Nikdy nevíš, co se ti pak bude hodit," řekl jsem a šel jsem si pro lepší sako, abych nepůsobil na příští generace jako nějaký drban.

Brzy jsem si uvědomil jistý nedostatek. Spočíval v tom, že nebudu mít vlastně příležitost její vzpomínky číst. Představa, že vznikne kniha o mně, která se mi už nedostane do ruky a k níž se nebudu moci vyjádřit, mne zneklidnila. Co když bude třeba text upravit? Uvolnit proškrtnout? Nebo doplnit vysvětlivkami? Na koho se nebohá žena obrátí, až tu nebudu?

Představil jsem si ji, jak sama a zcela opuštěna pracuje na vzpomínkách, a v tu chvíli jsem se dojal. Zároveň mi přišlo líto, že se bohužel nedožiju chvíle, kdy paměti mé ženy vyjdou a ona bude knihu o mně podepisovat a já nebudu moci přijít do knihkupectví.

Nakonec jsem dospěl k názoru, že by byl nesmysl, kdyby dokončila své vzpomínky až ve chvíli, kdy tu nebudu. Nejlepší by bylo, kdyby knihu napsala co nejdříve, abych její paměti ještě zažil. Sdělil jsem jí, že žádné memoáry mne nezajímají tolik jako právě tyto. Připustil jsem, že si nevzpomínám, že bych někdy více toužil číst jiné vzpomínky.

Žena mne vyslechla a nabídla mi, že se na její poznámky mohu kdykoliv podívat. Ujistil jsem ji, že něco takového rozhodně není zapotřebí, ale v případě, že jinak nedá, jsem samozřejmě ochoten jí pomoci.

Když jsem si uvědomil, že práci by bylo možno urychlit, navrhl jsem jí, že s ní budu v jejích vzpomínkách na mne nenápadně a nenásilně spolupracovat.

Pravila, že to můžeme zkusit.

Když za mnou přišla, aby mi přečetla první část svých vzpomínek na mne, byl to zvláštní pocit. Myl jsem zrovna nádobí. (Vím totiž, že k psaní je zapotřebí soustředění, a to vyžaduje klid a spoustu času.) Sotva začala číst, požádala mne, zda bych nemohl té hlučné činnosti na chvilku nechat. Chtěl jsem jí nejprve odpovědět stejně, jako to dělá v podobných momentech ona, a měl jsem sto chutí říci, že někdo tu práci udělat musí. Ale pak jsem si (dík vlastní zkušenosti) uvědomil, jak taková odpověď dovede citlivého autora podráždit, a vyhověl jsem jí.

Myslím, že to bylo správné rozhodnutí.

Už proto, že by byl přece nesmysl, aby ve vzpomínkách na mne citovala sama sebe.

Konec zen-buddhismu

Jsou okamžiky, které mohou změnit náš celý dosavadní život.

Prožil jsem takové pocity, když se mi dostaly do rukou knihy o reinkarnaci, meditaci a józe.

Když jsem se dočetl, že náš duch je vlastně věčný, že se stále vracíme na zem v nových podobách, užasl jsem.

S něčím takovým jsem prostě nepočítal.

Informace o tom, že jsem i já složen z těch nejdrobnějších buněk, atomů, protonů a neutronů a že každý organismus, dokonce i rostlina má svou paměť a že to vše můžeme dokonce znovu přivolat zpět a prožít, mne zcela ohromila.

Fascinovaly mne zprávy o buddhistických mniších, kteří tak dokonale ovládají techniku jógy a dovedou se tak soustředit, že rozkmitají svá mangetická pole a vyvinou energii, až se z nich kouří.

Obdivoval jsem jogína Lahksmanasandra Strikanta Rao, nenápadného muže, který po letech cvičení byl schopen chodit polonahý v mraze, polykat hřebíky nebo žvýkat sklo bez nejmenší újmy na zdraví.

Jeho kniha mne zaujala o to víc, že jsem ji četl oblečen v teplém prádle a svetru, protože jsem zrovna byl silně nachlazen.

Jakmile jsem se v dalších knihách dočetl o novém pohledu na svět, v němž je možno žít v naprostém souladu se sebou i s přírodou, jestliže se zbavím svých vášní, které jsou důvodem všeho utrpení, rozhodl jsem se, že omezím své ego a vydám se pravou cestou. Že nepůjdu proti proudu, ale splynu s ním a stanu se miniaturní součástí této planety.

Nejprve jsem si opatřil příručku o relaxaci.

Lehl jsem si v pokoji na zem, zavřel oči a naslouchal hlasu, který hovořil z magnetofonové kazety. Ženský hlas mi něžně radil, jak mám postupně uvolnit své tělo.

Chvílemi hlas mizel ve zpěvu ptactva a šumění potoka.

Hlas mi doporučoval, abych si představil les, rozkvetlou louku na jaře nebo rybník plný leknínů.

Zpočátku mi to dělalo jisté potíže.

Leže na koberci, zahlédl jsem sice louku, ale nebyly na ní květiny, ale můj zápisník a tužky.

U potoka byl na kameni telefon. Obsazený.

Později jsem si sice dokázal představit vzrostlý javor, ale místo podzimního listí byly na větvích nezaplacené účty.

Zahlédl jsem sice kosa, jak mne ženský hlas vybízel, jenže neletěl do hnízdečka, ale do banky.

Později jsem se rozhodl, že se budu raději věnovat indickým meditačním cvičením.

Seděl jsem v pokoji v pozici lotosu a cvičil pohroužení do sebe. Pocit s absolutní prázdnoty jsem moc dlouho nacvičovat nemusel, protože jsem ho měl už delší čas.

Těžší bylo pohroužit se do sebe a pocítit posléze lásku ke všem bytostem. Má cvičení byla ztěžována neklidem mé ženy, která mi připravovala vegetriánskou potravu, kterou jsem podle návodu zvolna žvýkal.

Po čase jsem však dosáhl vnitřního klidu a zahlédl svět z nové perspektivy.

Můj nový pocit, který se dostavil v pozici savásana, se projevil úsměvem. Usmíval jsem se na ženu, kterou jsem tím překvapil, ale i na sousedy, lidi na ulici, v obchodech, všude.

Žena se sice zpočátku obávala, zda jsem zcela v pořádku, ale když jsem ji (opět s úsměvem) ujistil, že cítím lásku vůči všem bytostem bez rozdílu, uklidnila se.

Jsa zcela vyrovnaný a klidný jako nikdy předtím, navrhl jsem, aby také zkusila meditovat a cvičit.

Zkusila to, ale bez úspěchu.

Po několika krátkých pokusech přerušila totiž cvičení siddhásana a odběhla do města na nákup. Jindy pocítila náhlou potřebu okamžitě uklízet.

Chtěl jsem jí pomoci a předvedl jsem jí důležitý cvik urdhua prasarita padásana. Upozornil jsem ji, že musí být hodně trpělivá, protože jogíni v Himálaji se cvikům věnují stále a už od mládí.

Řekla mi, že si něco takového nemůže dovolit, protože někdo v rodině se musí starat o potravu a dva jogíni by už nebyli únosní.

Nic jsem nenamítal. Nepřel jsem se s ní.

Usmál jsem se na ni (můj úsměv byl teď výraznější, dík obličejovým cvičením) a vysvětlil jsem jí, že jsme složeni z drobných částic.

Přivedlo ji to však jen na myšlenku dát urychleně do opravy lux, který už nesál drobné smetí.

Věnoval jsem se raději cviku paschimottanásana, který dělal velmi dobře mým zádům.

Prožil jsem v té době dík meditaci krásné, nezapomenutelné chvíle. Jednoho dne, když jsme šli požádat banku o další kredit, protože jsem přirozeně kvůli cvičením nebyl schopen pracovat a vydělávat peníze, jsme se stavili v kavárně. Žena objednala pro sebe kávu a pro mne čistou vodu, abych mohl zapít několik zrn, která jsem pečlivě žvýkal už od rána.

Usmíval jsem se na číšnici, i když přinesla omylem dvě piva a žena ji upozorňovala na původní přání.

Když číšnice piva odnesla a přinesla místo nich koňak a limonádu, uvědomil jsem si, že můj pocit něhy vůči ní mizí.

Má žena znovu vysvětlila, že jsme si přáli vodu a kávu. Slečna, která nás obsluhovala, začala náhle ucházet. Syčela, že to není pravda. Žena ji požádala, aby laskavě zavolala vedoucího.

Když se dívka s tácem změnila v čarodějnici a začala křičet, že nevíme, co chceme, přestal jsem se po měsících usmívat. Pocítil jsem v tu chvíli náhle prázdnotu, ale zcela jiného druhu než tu, kterou předepisují jogínské příručky.

Mé trénované obličejové svaly se opět stáhly.

Pak jsem vylétl prudce ze židle, zřejmě dík energii nashromážděné za dobu cvičení, a začal jsem náhle křičet. První výkřiky byly spíše pokusy, trochu mi selhaly hlasivky oslabené nedostatečným tréninkem. Ale brzy jsem nalezl svou starou formu a řval jsem tak, až se třásly sklenice na pultě.

Má žena tvrdí, že když se konečně objevil vedoucí a řekl nám hrubě, že pokud se nám nelíbí obsluha, můžeme odejít, vznesl jsem se prý na okamžik, jak to dokážou jen mistři jógy, hluboce jsem se nadechl (sama ortii pranayama) a uchopil jsem ho za krk.

Má cvičení musela zřejmě zapůsobit na mou koncentraci, protože jsem se tak soustředil na tuto činnost, že jsem si později vůbec neuvědomil, jak jsem tím člověkem smýkal sem a tam.

Vím jen, že když výstup skončil a když jsem se dosyta vykřičel, cítil jsem náhle veliké uvolnění energie a dokonce i tepla, jako nikdy předtím, když jsem se věnoval meditaci.

Bylo mi tak krásně a lehce jako nikdy.

Nashromážděné energie jsem hned využil.

V autobuse jsem vynadal muži, který mi šlápl na nohu a neomluvil se, a v obchodním domě člověku, který mne drze předběhl u pokladny. Nikdy jsem necítil tolik energie jako v tu chvíli.

Žena tvrdí, že jsem zároveň získal v obličeji opět zdravou barvu. Nevím.

Čím jsem si však rozhodně jist, je přesvědčení, že ať už se v kterémkoli svém budoucím životě vrátím opět na zem, jako kámen, strom, pták, motýl nebo třeba květina, rozhodně si od nikoho nenechám nic líbit!

ČÍSLO DO NEBE

„Nemůžete vzít člověku
půdu pod nohama a očekávat,
že se bude chovat normálně."

/z aforismů I. K./

Nepatřím k těm, kteří píší jen v okamžiku, kdy sedí u psacího stolu. Mé psaní nemá rádo stálou pracovní dobu ani čistý papír. Dává přednost rozhovoru, četbě, zamyšlení nebo vzpomínce.

Proto je zcela možné, že jsem tuto knížku psal skoro třicet let, a nemohu ani vyloučit, že její počátky spadají do doby, kdy jsem ještě neuměl písmenka.

Rádio Fusek a Tanganjika

Před válkou pracoval otec jako vedoucí firmy RÁDIO FUSEK na Václavském náměstí. Byl to velmi známý podnik, jehož majitelem byl pan rada Fusek, který byl poslancem lidové strany a věnoval se hlavně politice. Když otec hledal pro podnik novou sekretářku, dal do novin inzerát, v němž nabízel práci spolehlivé korespondentce, znalé těsnopisu a psaní na stroji, a dobré platové podmínky.

Z uchazeček se mu líbila jedna energická slečna, která bušila rychle do stroje, když jí na zkoušku diktoval dopis.

„Umíte také samostatně zakládat poštu?" zeptal se jí.

„Zajisté, pane šéf," odpověděla sebevědomě.

Když byla přijata, opatřila nové šanony a pečlivě roztřídila veškerou poštu a firemní účty. Pak zavedla nový systém, označila pořadače podle abecedy a obsahového rejstříku.

Když to zjistil otec, který až do té doby dával všechny doklady na jednu hromadu, byl příjemně překvapen. Velkou část korespondence firmy tvořily v té době dopisy zákazníkům. Týkaly se nového vynálezu uvedeného v podnikovém katalogu a inzerátech jako anténa za okno značky ROLTEX za 58 Kč.

Anténa Roltex měla prý odstranit všechny poruchy rádia. Někteří zákazníci však psali firmě, že si ji koupili a poruchy rozhodně nezmizely. Několik jich dokonce psalo, že mají dojem, že poruchy jsou horší od té doby, co mají anténu.

Otec diktoval v té době sekretářce odpovědi, v nichž zákazníkům tvrdil, že mají zřejmě špatné rádio a že sebelepší anténa nemůže zlepšit poslech zastaralého přijímače. Zároveň jim hned nabízel rádio PHILIPS. K dopisům přikládal nový reklamní prospekt s obrázkem přijímače, v němž se tvrdilo, že přístroj je rádiem nejvyšší výkonnosti a ryzího tónu, a to především dík bleskovému ladění systému LINODYN.

„JEDINÝ STISK PRSTEM A JIŽ ZAZNÍ STANICE JAKO NA POVEL!" stálo v prospektu.

„Proč nabízíte zákazníkům rádio, když si stěžují na anténu?" divila se sekretářka.

„Anténa stojí padesát osm korun, rádio tři sta padesát," vysvětlil otec sekretářce tajemství obchodu.

Brzy se začal otec věnovat korespondenci víc, než byl do té doby zvyklý. Diktoval slečně jeden dopis za druhým a bedlivému pozorovateli by jistě neušlo, že důvodem jeho počínání nebyli zákazníci ani anténa, nýbrž sekretářka.

Jednoho dne se jí otec zeptal, zda má hodně přátel.

Pravila, že ne.

Povzbuzen položil otec otázku další.

„Jistě jste ale často zadaná?"

„Ani ne," řekla slečna.

Když se otec slečny zeptal, zda má někdy volno, přestala raději psát, protože měla pocit, že by snadno mohla udělat překlep. Krom toho se jí zdálo, že otcova otázka je důležitější než odpověď zákazníkovi s nefungující anténou.

„Třeba na hodinku?" zeptal se otec.

Nevěděla, co říci. Vedoucí byl zvyklý jednat věcně a jasně a navrhl jí, aby s ním toho dne odpoledne šla do kavárny.

„Potřeboval bych si tam přečíst noviny," pravil suše.

Tak došlo k první schůzce matky s otcem.

Kdykoli jsme později slyšeli matku vyprávět o tomto setkání, zamýšleli jsme se nad otcovým počínáním. Představovali jsme si, jak sedí oba v kavárně, kde matka hledí na noviny, za nimiž je skryt náš budoucí otec. Často jsme pak kladli matce otázky. Zajímalo nás, zda si otec v kavárně doopravdy četl, nebo zda s matkou mluvil. Nevím proč, ale vždycky jsem si představoval, že si otec do novin udělal miniaturní otvor, kterým matku pozoroval. Někteří z mých sourozenců se ptali matky, co dělala ona, když byl otec za novinami, a co si v tu chvíli myslela. Michael se zajímal o to, jaké noviny otec tehdy četl, a chtěl vědět, zda ho zajímal sport, nebo jiná stránka.

Jan tvrdil, že se matka před lety přeslechla a že ji otec pozval, aby si šla přečíst noviny do kavárny s ním.

Někdo přišel s vysvětlením, že otec chtěl matce původně z novin číst, že však své rozhodnutí změnil, když zjistil, že zprávy nejsou dobré. Obě sestry, Kateřinu a Elišku, udivovalo, že matka s otcem do kavárny vůbec šla. Představovaly si první schůzku mnohem romantičtěji, na nějaké skále nebo alespoň v parku, jak tomu bývá ve filmu, když zazní hejna houslí. Matka ponechala naše dotazy bez odpovědi.

Jen se vždy tajuplně usmívala a vyprávěla o tom, jak se s otcem sešla podruhé, když ji pozval do kina. Pamatovala si film, který spolu tenkrát viděli. Krom toho byla pyšná, že přišla včas. Později se jí to už nedařilo a přicházela na schůzky pozdě. Otec, který chtěl být v kině včas, se zlobil a trhal lístky.

Myslím si, že nikdo nikdy neroztrhal tolik lístků do kina jako náš otec. Pokud si mohu vzpomenout, chodil vždy po bytě, oblečen v plášti a klobouku, a čekal na matku, která mu oznamovala z koupelny, že už brzy bude hotova.

Někdy čekal otec až do poslední chvíle. Pak se podíval na hodinky, řekl, že je vše prohrané, a lístky roztrhal.

Jednou se matce podařilo lístky ještě slepit. Od té doby je otec trhal na velmi malé kousky před různými pražskými biografy.

Matka tvrdí, že se otec už za svobodna pletl a často čekal před jiným kinem. Když se rozhodli, že se vezmou, nedostavil se na úřad, protože šel ze zvyku do kavárny Šroubek. Tam prý přemýšlel, u kterého kina se má s matkou sejít. Protože si tím nebyl jist, opustil kavárnu a obcházel kina na Václavském náměstí. Naštěstí tehdy dávali v kině Světozor nějaký americký film o novomanželích, a to otci připomnělo, že se žení. Sedl do taxíku a jel na radnici.

Tam už ho čekala matka se svědky.

„Kde máš kytku?" zeptala se ho, když dorazil na úřad.

„Já?" divil se otec, který byl zvyklý vídat květiny na svatebních fotografiích jen v rukou nevěst.

Když pak otec na poslední chvíli květiny sháněl, přemýšlela matka, zda si bere správného muže.

Nevím, zda mé počátky spadají ještě do doby, kdy matka odpovídala zákazníkům, kteří vlastnili anténu Roltex, nebo až do období, kdy otec uvedl do prodeje rádio Domingo. (PRAVÉ STRADIVÁRKY POZNÁTE OKAMŽITĚ, STEJNĚ OKAMŽITĚ ROZEZNÁTE I KVALITU PŘIJÍMAČE DOMINGO!)

O mém narození svědčí však jakýsi pamětní list, který se v rodině uchoval dodnes. Je na něm skupinka andělíčků od paní Fišerové-Květchové. Andělíčci nesou obláček s předtištěnou větou: V UPOMÍNKU NA SVÁTEČNÍ DEN ..., KDY NAŠ/E/... OTEVŘEL/A/ SVÁ... OČKA, ABY JIMI OZAŘOVAL/A/ ŠEDÉ DNY NAŠEHO ŽIVOTA.

Matka vyplnila můj první diplom krasopisně a vepsala do volných políček: 1. březen 1939, Ivoušek a hnědá. Někteří sourozenci mi diplom záviděli.

Nikdo mi však nezáviděl fotografii, otištěnou v rubrice Ze světa, v časopise Náš rozhlas. Fotografie vznikla, když mi bylo devět měsíců, protože otec potřeboval reklamu na nový přijímač. Sedím na obrázku v pěkném oblečku a punčoškových kalhotách, na hlavě mám sluchátka, zdvihám prstík a usmívám se. Pod obrázkem je text: NEJMENŠÍ POSLUCHAČ SE SVÝM HRAJÍCÍM DĚTSKÝM PŘIJÍMAČEM. Foto Pišvejc.

Vedle fotografie je poznámka o tom, že Benito Mussolini zhlédl první pokusné vysílání italské televize.

Jsem přesvědčen, že by mne byl otec použil ještě k dalším reklamám, nebýt muže s knírkem, který se těšil, že rádia využije k svým hlasitým projevům.

Po válce se z firmy stala Elektra, národní podnik. Pan Fusek odešel z Československa a radil otci, aby udělal totéž, ale tomu se pryč nechtělo. Zůstal ještě nějaký čas v podniku a pustil se opět s chutí do práce.

Na nových prospektech se objevila sestra Eliška.

Držela v ruce rádio SONORETA, oblečena jen do noční košilky, a tvářila se velmi spokojeně. Sestra byla hezká a fotogenická, a tak se rádio dobře prodávalo. Když byla větší, dal jí otec do ruky rádio TENOR a matka jí uvázala do vlasů mašli.

Michael pomohl s prodejem rádia TESLA, na němž pro změnu seděl a tvářil se tak, jako by vůbec neměl rád židle. Později vznikl ještě snímek bratra se stojacími lampami. Měl jich kolem sebe tolik, že to vypadalo jako v nějakém elektrickém lese. Bratr se však tvářil ustaraně (asi proto, že už nemohl sedět na svém oblíbeném rádiu), a tak snímek nebyl použit.

Nezasvěcenému by se mohlo zdát, že většina z nás přišla na svět také proto, abychom zvedli v obchodě obrat.

Později už otec další sourozence k reklamě nepotřeboval. Je to trochu škoda, protože zejména Jan by se byl dal skvěle využít, pokud by šlo o to, upozornit některé zákazníky na nerozbitnost výrobků.

V té době měli však rodiče jiné starosti. Matka neustále naléhala na otce, aby z Prahy odešli. Připomínala mu, že to měli udělat už před válkou, kdy ho také měla k odchodu, když viděla, že odchá-

zejí jiní. Tvrdila, že si otec mohl ušetřit léta vězení, kdyby byl po-
slechl.

„Kam bych chodil?" divil se otec, který byl po celý život přesvěd-
čen, že má žít tam, kde se narodil.

Matka však přesto začala vyřizovat doklady na cestu do Tanganji-
ky. Brzy se však narodil bratr Michael, který se tak postaral o to, že
rodina zůstala v Praze.

O dvacet let později seděl otec na lavičce v parku v Montrealu
a žasl nad tím, jak to vypadá na Západě. Nedaleko něho seděl něja-
ký pán, který si ho pozorně prohlížel. Nakonec si dodal odvahy a šel
k otci.

„Nejste náhodou pan Kraus z Prahy?" zeptal se.

„Jsem," řekl otec a podíval se také na toho pána a najednou si
uvědomil, že ho odněkud dobře zná. Ten pán se usmíval a otec si ho
prohlížel, až si vzpomněl.

„Jste to vy…, pane Fusek?" zeptal se.

Tak se po mnoha letech a na jiném kontinentě, ve velkém městě,
zcela náhodou sešel otec s panem radou. Pan rada byl prý tak dojat,
že plakal.

Bylo to také poprvé, co jsem otce slyšel hovořit o osudu.

„Jestli měl někdo plakat, tak jedině ty!" řekla matka, která se při
otcově vyprávění zamyslela nad životem.

Když jsme se po letech dozvěděli o Tanganjice, vytýkali jsme Mi-
chaelovi, co způsobil.

„Kde už já mohl být…," vzdychal Jan, „až někde v Austrálii!"

„Jak jsi přišel na Austrálii?" divila se Kateřina.

Když se ukázalo, že si Jan plete Tanganjiku s Tasmánií, požádala
ho sestra, aby byl tak laskav a překonal svůj vrozený odpor ke škole
alespoň při zeměpise a nevydával se na žádnou cestu dřív, než bude
mít jasno, že cestuje správným směrem.

K všeobecnému překvapení se pak bratr nějaký čas zeměpisem
skutečně zabýval. Když však zjistil, že se později stala z Tanganjiky
Tanzanie, ztratil o celou věc zájem. Prohlásil, že na nic není spoleh-
nutí, když se mění i státy na mapě, a odcestoval na Šumavu, o níž vě-
děl, že ji najde tam, kde má být.

Klášterní ulice

Když skončila válka, hledali rodiče v Praze znovu byt. Matka, která měla velmi přesnou představu o tom, jak by měl vypadat, a která chtěla opět bydlet blízko parku, se rozhodla pro Letnou.

Nebyla sama. Podobné rozhodnutí učinila spousta jiných lidí, takže se čtvrť jen hemžila zájemci.

Otec konkrétní představu o bytě neměl, a proto zpočátku souhlasil s matčiným rozhodnutím. Hledat byt ho však netěšilo. Když zjistil, že je mnohem více lidí než bytů, propadl skepsi a byl ochoten vzdát se parku i čtvrti a později i města.

Nelíbilo se mu, že musel čekat už od rána na ulici. Zdálo se mu nedůstojným závodit s jinými lidmi v běhu po schodech činžovního domu jen proto, aby doběhl k některému volnému bytu první. Matka mu vytýkala, že se často nechal odstrčit jinými, hrubšími běžci, kteří si při závodech nepočínali fair.

Občas nechala matka otce stát samotného u některého domu a sama zatím pospíchala na jinou adresu. Otec, který fronty vždycky nenáviděl, zřejmě trpěl. Tvrdil, že z front vznikají zástupy, z nich návally, z těch davy a v davu že není místo pro člověka.

Jednou ho matka našla ve frontě, která však nevedla k bytům, nýbrž do kina. Hráli v něm shodou okolností film o tom, jak dva manželé shánějí byt.

Muž, který hledal byt ve filmu, byl však tak vytrvalý, že byt nakonec získal. Matka ho dala otci hned za vzor. Později pátrala matka po bytě raději sama, protože měla pocit, že ji otec jen zdržuje a že neumí jednat se správci domů.

Jednoho dne konečně našla byt, který se jí líbil a který byl dosud volný. Otec se vydal na úřad, aby tam získal povolení.

„Bydlel jste za války v Praze?" zeptal se bytový úředník otce.

„Ne," odpověděl otec.

„Pak nemáte na byt nárok," pravil úředník.

„Bydlel jsem v Praze před válkou," vysvětlil otec.

Muž nahlédl do nějakých nařízení a sdělil otci, že to na věci nic nemění a že by měl bydlet tam, kde žil za války. Otec řekl, že to není naštěstí dost dobře možné, že po takovém bydlení ani netouží a že by rád bydlel v Praze.

Úředník pravil, že mu nemůže vyhovět, protože výjimku lze udělat jen u těch lidí, kteří za války trpěli.

„Jak se to pozná?" zeptal se otec.

„Mají na to potvrzení," řekl úředník.

Otec přemýšlel nad tím, zda je možné, aby v tak krátké době už vznikl úřad, který by se podobnými potvrzeními zabýval. Představil si, že bude muset opatřit v několika kopiích notářsky ověřené potvrzení s několika razítky a s dobrozdáním znalce, který utrpení studoval a má tudíž nejen diplom z toho oboru, ale také pravomoc posoudit, zda uchazeč o doklad trpěl dostatečně, aby získal byt, či ne.

Otec opustil úřad znechucen, maje pocit, že si mír představoval zcela jinak. Měl vrozenou nechuť k pochůzkám po úřadech, které mu měly potvrdit něco, co sám nepotřeboval. Ale uvědomil si, že nemá kdy bydlet, a tak svůj odpor k úřadům překonal a přišel za bytovým úředníkem znovu s dokladem.

Muž potvrzení prostudoval a řekl, že lituje, protože otec byt nemůže dostat.

„Jak to že ne?" divil se otec.

Úředník vyndal ze stolu nějaké doklady, chvíli do nich nahlížel a pak pokrčil rameny.

Otec se ho znovu zeptal, co bude s bytem.

Úředník se začal chovat vyhýbavě. Mnul si obličej, drbal se na hlavě, několikrát přerovnal tužky.

„Něco se zjistilo," řekl pak otci.

„Co?" chtěl vědět otec.

„Na něco se přišlo," řekl úředník.

„Na co?" ptal se otec.

„Na něco, co se nemělo," řekl muž.

„Co se nemělo?" divil se otec, který vůbec nechápal, oč jde.

„Mluvit moc často německy!" řekl konečně úředník a podíval se vážně na otce, který tou dobou už měl pocit, že poválečná čeština je jiná řeč než ta, kterou lidé užívali před válkou.

Nejprve se otec zamyslel nad tím, co se dozvěděl.

Že se zjistilo něco, co SE nemělo. A že SE nemělo mluvit moc často německy.

A protože měl pocit, že se vlastně nic nedozvěděl, rozhodl se dorozumět se s úředníkem v české řeči přímou otázkou, jak byl vždy zvyklý.

„Kdo mluvil moc často německy?" zeptal se.

Muž se znovu podrbal na různých místech těla, přerovnal papíry, posunul telefon a odpověděl: „Vaše žena."

Otec na úředníka chvilku zíral. Pak uvažoval o informaci, které se mu dostalo. Sdělení o němčině ho zaujalo. Že lze hovořit německy jen občas, nebo příliš často. Položil si v duchu několik otázek. Hovořil člověk, který řekl jednu německou větu denně, německy moc? Kolik slov směla taková věta obsahovat?

Uvědomil si, že matka nejen německy mluvila, ale také psala a dokonce i telefonovala, když byla za války zaměstnána jako sekretářka u německé firmy, neboť české firmy s neomezeným počtem českých slov ji odmítly zaměstnat, protože měla muže ve vězení. Napadlo ho, že dík matčinu zaměstnání mohl dostávat balíčky a mohl přežít, což bylo dobré hlavně k tomu, aby teď stál na úřadě před člověkem, který dostal zřejmě udání, psané perfektní češtinou, a který počítal povolená německá slova. Je možné, že se otec v tu chvíli taky zamyslel sám nad sebou, protože mluvil německy skoro šest let s těmi, kteří mu usilovali o život, i s těmi, kteří mu pomohli přežít.

Pak se v duchu vrátil k češtině, která byla také mateřštinou úředníka do té doby, než se zmocnil slova SE. Když otec převedl své pocity do řeči nové, skrývací a nedorozumívací, vypadaly asi takto: cítil, že bylo něco řečeno, co SE ho dotklo. Že na svobodě, na kterou se moc těšil, SE začíná pomlouvat a že člověk, který tu před ním seděl za stolem a rozhodoval o tom, co SE může a nemůže, je sám SE, o němž lze předpokládat, že SE nebude zdráhat razítkovat povolení nebo zamítnutí kteréhokoli režimu.

Ve skutečnosti nemohly otcovy úvahy trvat déle než pár vteřin. Pak se náhle bez varování na muže vrhl. Ten vyskočil ze židle a prchal. Honili se kolem stolu, vyhýbali se židlím a shazovali se stolu důvěrná sdělení, nařízení, předpisy, razítka a zamítnutí.

Ale úředník, který patrně proseděl za stolem mnoho let bez pohybu, neměl vůči otci, který se šest let pohyboval na vzduchu, mnoho šancí. Byl otcem dostižen, chycen, odnesen k oknu a odtud vyhozen.

„Já ti dám SE!" křičel za ním otec.

Matka tvrdí, že úředník se pádem zatvrdil. Brzy napsal rodičům dopis, že na byt nemají nárok podle nějakého paragrafu, protože byt je pro ně moc velký. Matka se však nevzdala. Šla na úřad a oznámila tam, že je v jiném stavu. Papírový černokněžník použil opět svého zaklínadla – pravil, že chce potvrzení, a proměnil tak matku opět v malou myšku.

Myška se však nedala a začala hledat lékaře, který by jí pomohl. Běhala od doktora k doktorovi a vysvětlovala, že má byt, na který potřebuje povolení, které nedostane, pokud nebude mít potvrzení.

Nakonec se před jedním lékařem rozplakala, a to pomohlo. Dal jí potvrzení, aniž žádal živou vodu nebo jinou protislužbu.

Otec dostal strach, aby doklad nepřivedl lékaře do nesnází. Pomohla však sestra Eliška.

Kde se vzala tu se vzala.

Narodila se včas a zbavila rodiče starostí s úřady.

Bylo to od ní hezké, a když se dozvěděla, jaké má zásluhy, byla na svůj čin pyšná a jen litovala, že to už nevěděla dříve.

Prý by trvala na tom, abychom jí v bytě odhalili pamětní desku.

Nedělní polévka

Vzpomínky na neděle mého mládí voní po cibuli a česneku. Matka chodila v ten den vždy do kostela a otec ji často žádal, aby byla tak laskava a vyřídila to tam i za něj. Někdy se matky ptal, zda jde také k prověrce, maje tím na mysli zpověď. Matka otci doporučovala, aby se styděl. Jindy chtěl otec vědět, zda je možné, aby pánbůh matce odpustil všechny hříchy, zejména ty, jichž se dopustila na něm, a navrhoval jí, aby zůstala v kostele ještě na druhou mši.

„To by se ti tak hodilo!" říkávala matka, která věděla, co má otec v plánu, a varovala ho, aby nevstupoval do kuchyně.

Otec nikdy nedbal zákazu, a sotva odešla, běžel do kuchyně vařit. Připravoval tam svou oblíbenou polévku, o které léta prohlašoval, že je výživná a zdravá. Vařil ji podle vlastního receptu – z vody, tuku a nesmírného množství cibule a česneku. Polévku také vařil celá léta spoluvězňům za války. Pan Kosch, který ji jedl několik let, řekl matce, že otec se polévkou stal slavným po celém táboře, protože všichni, kdož ji jedli, měli dojem, že je cítit po mase. Léta se prý otce ptali, jak je to možné, protože ve vězení se nikdo k masu nedostal. Teprve po letech, když otec seděl s přáteli, kteří válku přežili, v kavárně, se přiznal. Dával tenkrát do polévky maso myší.

Někteří otcovi kamarádi pak tvrdili, že se dožili konce války proto, že otcovu polévku jedli. Matka byla jiného názoru. Říkala, že přežili nejen Hitlera, ale i otcovu polévku, a dodávala, že si rozhodně nepřeje, aby ji otec dával jejím dětem.

Otec byl po léta přesvědčen o tom, že matčina strava neobsahuje dostatek cibule a česneku a snažil se to vždy v neděli svou polévkou vynahradit.

Myslím si, že jsem v životě nejedl tak silnou polévku jako tu, kterou vařil otec. Byla to tekutina, která přinutila i necitlivého člověka k pláči. Po několika lžících se člověku zdálo, že mu hoří vnitřnosti. Později jsem míval dojem, že nevidím. Stůl, talíř, celá místnost zmizela, i sourozenci se začali ztrácet v jakési bílé mlze, která posléze nabyla podoby česnekového háje, kde na cibulových jezírcích pluly pepřové labutě.

Otec nás obvykle pobízel, abychom jedli, a tvrdil, že po polévce budeme zdraví a odolní proti chřipce i jiným chorobám. Myslím si, že měl pravdu a že účinky polévky ani plně nedomyslel.

Pokud šlo o chřipku, vyhýbala se nám už z dálky, dokonce si někdy ani netroufla do třídy, do níž jsme chodili. Vlastně jsme tak chránili před chřipkou i své spolužáky.

Michael vyprávěl, jak mu jednou pokladní v kině nabídla poměrně vysoké odstupné za to, když do kina nevstoupí. Jindy hrál s kamarády fotbal a mužstvo, v němž hrál, zvítězilo neobyčejně vysoko, protože kdykoli bratr pronikl před branku soupeře, klesal brankář omámen výpary na nesprávnou stranu, nebo jen pouštěl míč z ruky a díval se nechápavě, jak mizí v brance.

Jan chtěl kdysi zkusit, co vydrží, a proto si polévku přidal. Otce, který si myslel, že Janovi chutná, to pochopitelně potěšilo.

Tenkrát po obědě však náhle bratr nabyl barvy mechu a uchýlil se na záchod, kde setrval až do pozdních odpoledních hodin. Ještě dlouho potom se mu dělalo nevolno jen při pouhém pohledu na talíř. Obvykle jsme jedli polévku co nejpomaleji a dívali jsme se přitom na hodiny, protože jsme věděli, že jakmile se matka vrátí, budeme zachráněni.

Když se matka z kostela vrátila, začichala hned u dveří a pak spěchala do kuchyně, odkud vynesla hrnec s polévkou do koupelny, kde ji vylila do vany. Pak celou vanu vyčistila nějakým prostředkem a velmi dlouho ji sprchovala horkou vodou z obavy, aby polévka nezničila její hladký povrch.

Jednou někdo vylil zbytky polévky do popelnice a bratr Jan pak vyprávěl, jak viděl popeláře nad nádobou plakat.

Jediným, komu polévka vždy chutnala, byl její tvůrce. Proto také tvrdil, že jsme všichni hloupí, protože on nikdy neonemocní chřipkou. Myslím si, že měl pravdu. Nejen chřipku nikdy neměl, ale patrně si polévku tak ochočil, že mu držela dveře v kavárně a uvolňovala místo v tramvaji.

Jednou pozřel bratr Jan opět několik lžic nedělní polévky a pak se náhle rozhodl, že půjde raději do kostela. Všechny nás tím velice překvapil a potěšil tak zároveň matku, která nám ho pak dávala za vzor. Ptali jsme se ho potom, proč do kostela šel, ale marně. Teprve později, když si otec stěžoval, že nemůže polévku vařit, protože není potřebná zelenina, propadl Jan nepopsatelné radosti, pobíhal po bytě a volal: „Funguje to... funguje to!"

Konečně jsme se dozvěděli, proč byl tenkrát v kostele. Prý se tam modlil za nedostatek česneku.

Poučné příběhy

Nemyslím si, že by otec měl něco proti pohádkám. Je ovšem možné, že si myslel, že by na nás nezapůsobily dobrým koncem, jímž obvykle takový příběh končí. Krom toho měl jakousi averzi k princeznám, králům a jiným podobným bytostem, které v jeho očích působily jako osoby bez stálého zaměstnání. Otcovy životní zkušenosti byly jiné. Proto dával vždy přednost příběhům ze života.

„Jestli to takhle s tebou půjde dál, skončíš jako ten právník," říkával otec často.

Pak vyprávěl o doktoru Rosenbaumovi. Byl to advokát, se kterým byl za války ve vězení. Pan doktor se prý dostavil do vězení v elegantních šatech, v bílé košili s kravatou. Později otec dokonce vyprávěl, že advokát měl i jelenicové rukavice. Dnes si myslím, že rukavice otec do vyprávění přidal, aby příběh patřičně zvýraznil.

Už prvního dne se doktor Rosenbaum nemyl, protože postrádal teplou vodu, koupelnu a žínku. Nejedl, protože se mu hnusilo plechové nádobí, nehledě k tomu, že jídlo mu nechutnalo. Později se přestal česat, a když dostal vši, nijak se jim nebránil. Zbytek času prý strávil tím, že seděl kdesi v koutě a zíral nepřítomně před sebe. „Doktor Rosenbaum nezemřel, nýbrž bídně zašel!" končil otec obvykle své vyprávění, z něhož hned také vyvodil poučení pro mne. Tvrdil, že skončím stejně jako pan doktor, jestli se nebudu denně mýt do půl těla studenou vodou.

Otcovo vyprávění nepůsobilo jen na mne.

„Was soll das?" ptala se matka.

„Ein Versuch aus deinem Kind einen Menschen zu machen...," odpověděl otec v hlavní domácí řeči, zatímco jsme už se sestrou běželi hledat slovník.

V podobných situacích přisuzoval otec mne i sourozence matce, která obvykle také nabídku přijala. Rychle použila celé řady přivlastňovacích zájmen a tvrdila, že si rozhodně nedá *své* děti kazit příběhy pochybného obsahu, které by si otec měl laskavě nechat pro *své* kamarády. Někdy také použila tvaru *tvůj* tábor, *tvé* vězení, nebo *tví* koncentráčníci. Otec se matce vždy smál a hovořil o pobytu ve vězení jako o nejlepších letech svého života.

Jednou, když Jan nemohl usnout, vyprávěla mu matka o pasáčkovi a radila mu, aby si představoval a počítal ovečky kráčející přes lávku.

Bratr to zkusil, ale druhého dne se přiznal, že dal raději přednost vším doktora Rosenbauma. Tvrdil, že usnul už při dvaašedesáti, kdežto při ovečkách byl vzhůru ještě po dvou stech.

Matce se bratrova metoda nelíbila a přemlouvala ho, aby se k hezkým ovečkám vrátil, ale ten tvrdil, že ho počítání drobného hmyzu víc unaví, takže dřív usne, a oblíbil si malé parazity natolik, že už o ovečkách nechtěl nikdy slyšet.

Když byl nemocný druhý bratr, Michael, požádala matka otce, aby mu četl o Budulínkovi. Otci se zřejmě pohádka nezamlouvala, protože dal přednost vyprávění „O dentistovi, který se všeho štítil". Bratrovi se příběh tolik líbil, že ho pak vyprávěl i ve škole. Matka pak musela do školy, protože učitelka chtěla vědět, odkud chlapec historku zná.

Když se matka ze školy vrátila, vynadala německy otci.

„Die Lehrerin ist meschugge," řekl otec a způsobil nám tak potíže, protože poslední slovo nebylo ve slovníku uvedeno.

Časem příběhů přibylo.

Někteří z nás rádi naslouchali historce „O inženýrovi, který se nedělil o balíčky", jiní dávali přednost vyprávění „O Polákovi, který stále lhal", nebo napínavé story „O klenotníku Feldmanovi, který podváděl". Občas vyprávěl otec něco nového, protože měl patrně dojem, že už staré příběhy tolik nepůsobí. Jindy pozměnil některé podrobnosti. V původní verzi „Inženýra, který se nedělil o balíčky" vyprávěl například, že inženýr dostal od spoluvězňů „deku", později v přepracované formě končil historku inženýrovým oběšením.

Jedno bylo většině historek společné. Jejich hrdinové působili odstrašujícím dojmem a dožili se katastrofálních konců.

Z kladných typů si vzpomínám jen matně na zloděje Jandu, který se otužoval i v zimě tím, že si masíroval tělo sněhem, na hodného esesmana, který otci půjčoval noviny, anebo na zámečníka Ištvána, který měl silnou vůli a dožil se konce války.

Jednou, když jsme byli na dovolené na Slovensku, zjistil otec, že nezdravím dost jasně a hlasitě v hotelu. Tenkrát se velmi rozčilil a vyprávěl mi „O Jehovovu svědku". Šlo o člověka, který přes otcovo varování odmítal zdravit dozorce a zaplatil to nakonec životem. Tenkrát mne vzal otec do hotelové kuchyně a přikázal mi, abych šel hned ke každému kuchaři i k jejich pomocníkům a abych každého zvlášť správně a hlasitě pozdravil.

„Dívej se jim při tom do očí!" nařídil mi přísně.

Obcházel jsem kuchaře stojící u kamen a velkých sporáků a volal na ně přes sykot omáček a polévek dobrý den. Otec, stojící nedaleko, to pozoroval. Pak jsem šel po chodbě a zdravil pokojské a uklízečky. Občas mne otec zavolal k sobě, řekl mi, že poslední pozdrav nebyl dost výrazný, a přikázal mi, abych pozdravil znovu. Dvakrát pozdravená slovenská pokojská, jíž jsem se dvakrát zahleděl přímo do očí, nevydržela pohled a zírala ještě udiveněji na otce, kráčejícího několik kroků za mnou, který, aby šel příkladem, zdravil také.

Vzpomínám si, jak jsme pak šli po cestě a já křičel na cestáře a lesní dělníky s pilami a čekal jsem, přesně podle otcových pokynů, až zvednou hlavu, abych jim viděl do očí. I hajného, který zrovna vyšel z lesa a nebyl na mne připraven, jsem poněkud vyvedl z míry. Nejtěžším úkolem však bylo zdravit lyžaře, jedoucí po louce do údolí. Vídali jsme je s otcem, když jsme jeli na saních. Jakmile se některý z nich přiblížil, vykřikl jsem pozdrav a díval jsem se jim do míst, kde jsem za vlněnými šálami a zamženými brýlemi tušil oči.

Tehdy mne také otec naučil podávat ruku tak, aby ji druhý člověk cítil. Tvrdil, že nejhorší dojem dělá v životě na člověka ten, který podává ruku mdle a bezvýrazně nebo ji dokonce druhému do ruky jen vloží.

„Člověk musí stisk tvé ruky cítit," vyvětloval. Přitom si vzpomněl na inženýra Kepiče, toho, který podával ruku, jako by byl už mrtvý.

„Neptej se raději, jak skončil," řekl mi.

Neudělal jsem to.

Věděl jsem, že toho člověka nemohlo potkat nic dobrého, protože by se otec jinak o něm ani nezmiňoval. A myslel jsem na to, když jsem podával ruku překvapeným číšníkům, kteří odkládali tácy s jídlem i pivem, nebo když jsem co nejsilněji tiskl ruku turistům na pláních, zatímco si udiveně svlékali palčáky.

Myslel jsem na otcovy příběhy a jejich hrdiny, jejichž jména si už dávno pletu, po letech několikrát. Ve chvílích, kdy se mi zdálo, že je mi nejhůř, objevili se sami, aby mi dali najevo, že můj pocit je jen zdánlivý a relativní. Mohu říci, že je na ně spolehnutí.

Od doby, kdy jsem se učil zdravit, čas nijak historkám na oblibě neubral.

Jednou se Jan odmítal v koupelně umýt.

Po krátkém zápase a ještě dalším vyjednávání svolil, že poslechne, když mu za to bude Michael, který ho měl na starosti, vyprávět. Dodnes slyším z koupelny bratrův hlas: „Byl jednou jeden doktor Rosenbaum…"

Textilní strýc

O matčině bratru, strýci Jaroslavovi, tvrdil vždy otec, že je to dobrodruh. „Ale má dobré srdce," říkávala matka, která už jako malá dělávala často za bratra úkoly do školy, když se věnoval obchodu.

Když strýc chodil do obecné školy, vzal doma dědovi tužky, rozřezal je pečlivě na malé a ty pak ve škole prodával spolužákům za plnou cenu. Vysvětlil jim, že malá tužka je nejnovější módou ve městě.

Děda prý tehdy spojil opasky, nedělní a na všední den, a strýce řádně ztrestal. Od obchodu však strýce neodradil. Strýc chodil po škole a za dva haléře na osobu ukazoval spolužákům modřiny.

Jednou, když provedl zase nějakou mladistvou obchodní transakci a utekl z domu, odložil děda trest až na den, kdy se syn vrátí.

Bylo to velmi správné rozhodnutí, protože strýc se neobjevil a poslal až za čas fotografii z Afriky, jak sedí na velbloudu.

Už před válkou procestoval celou Evropu. Pracoval jako barman, číšník nebo vrchní. Když se vrátil do Prahy, pracoval v hotelu svého bratra, Františka.

Byl tam velmi oblíben, protože dovedl hostům splnit každé přání.

Jedním ze stálých hostů hotelu Waldorf byl známý profesor, který tam chodil každý týden na oběd. Jeho oblíbeným jídlem bylo telecí žebírko.

Jednou, když měl strýc Jaroslav zrovna službu, dostavil se profesor a žádal opět své oblíbené jídlo. Ukázalo se, že mu nebude možno vyhovět, protože žebírko právě došlo. O profesoru bylo známo, že má mnoho vlivných přátel, a tak se strýc rozhodl, že žebírko raději vytvoří. Vzal kus telecího masa, vyrobil do něho otvor a vložil do něho kost. Strýcova hvězda pak svítila stále jasněji.

Brzy si pronajal vlastní hotel a v devětadvaceti letech už vydělal první milion.

Za války, když nastala nouze o potraviny, jezdil po venkově a sháněl jídlo pro sebe i příbuzné.

Jednou tak vezl v kufrech celé prase.

Na Wilsonově nádraží zjistil, že u východu stojí německá vojenská

kontrola. Když na něho došla řada a vojáci se ho zeptali, co má v kufrech, odpověděl po pravdě.

Vojáci se dali do smíchu, považovali ho za člověka se smyslem pro humor a nechali ho projít bez kontroly.

„V životě jsem se už tak nezpotil," vyprávěl pak, když v klidu popíjel slivovici, kterou také propašoval. Za války jsme s matkou strýce navštívili v Roudnici. Měl tam, jako ostatně všude, plno známých a s každým čile obchodoval. Tenkrát získal výhodně látku na německé prapory. Pak opatřil dobrého krejčího, kterého nechal za cigarety vyrobit z látky sukně, halenky, šátky a trenýrky. Všichni mí příbuzní pak nosili nějaký kus oděvu z německé látky. Já dostal k vánocům pyžamo.

Protože Němci si zřejmě nemohli dovolit dát na prapory kvalitní látku, pyžamo hrozně škrábalo. Dalo se v něm ležet jen docela klidně, bez hnutí. Nenáviděl jsem pyžamo, látku i Němce a těšil jsem se, až válka skončí. Někdy jsem si v posteli představoval, že po válce si bude muset Hitler obléknout mé pyžamo za trest. Dožil jsem se osvobození celý poškrábaný a byl jsem rád, když jsem se pyžama zbavil.

Už tenkrát měl strýc řadu milenek. Když se s některou chtěl rozejít, daroval jí psa. Slečny pak jezdily k dědovi na venkov a nechávaly zvířata u nás. Jeden čas jsme měli s dědou pět psů. Bernardýna, dva foxteriéry, vlčáka a pudla. Foxteriéři se dlouho nesnášeli a trvalo nějaký čas, než si na sebe zvykli. Milenky se však nesnášely nikdy. Jednou přijely na návštěvu dvě, které se obzvlášť neměly rády, a hned si vjely do vlasů. Děda je musel rozehnat s pomocí psa, který patřil jedné baletce z Ústí.

Po válce si strýc opatřil legitimace všech politických stran, protože nebylo jasné, která vyhraje, a on jako praktický obchodník nemínil nic riskovat. Legitimace uložil do sejfu ve své hotelové kanceláři, jen zástupci komunistické strany dal dva tisíce a požádal ho, aby byl tak laskav a legitimaci nechal u sebe.

Hotel se jmenoval Zlatý tygr a strýc v něm zařídil nový bar, který vypadal jako raketa do vesmíru. Číšníci byli oblečeni jako astronauti, hrála tam příjemná hudba a blikala světýlka.

Lidé se radovali z konce války, chodili do baru tančit, pít víno a snít, že letí do vesmíru.

Strýc chodil mezi zákazníky, netančil, ale zato se radoval z velkého obratu. Kromě hotelu se ještě věnoval obchodu s cigaretami, a to tak důsledně, že brzy kontroloval cigaretový trh v celém městě a říkalo se mu „Cigaretový král". Nový režim však strýci nevyhovoval. Proto musel jednoho dne opustit hotel i raketový bar a přijel do Prahy. Neměl s sebou ani milenku, ani psa, jen kufr a bylo vidět, že má starosti.

Brzy se u nás začal objevovat pan Sanchez, který ho učil španělsky. Ráno se strýc holil a říkal si, jak se řekne španělsky dům nebo mýdlo, a když se sprchoval, skloňoval nahlas slovo „seňora" nebo „výdělek". Při snídani nás zdravil Buenos días, a když se najedl, řekl matce, že to bylo dobré a Gracias. Pan Sanchez tvrdil, že se strýc učí velmi rychle a byl se svým žákem spokojen.

Potom si strýc opatřil lyže. Rozbalil je v pokoji, postavil se na ně a šel na nich bytem. Kráčel po koberci v pokoji, prošel halou, pak vešel do druhého pokoje, kde u knihovny lyže opět odepnul. Řekl matce, že lyže jsou dobré, pokud to ovšem může někdo, jako on, kdo na nich nikdy nestál, posoudit.

Jednoho dne si objednal taxíka a dal se zavézt do Stromovky. Cestou se ptal řidiče, jak se mu vede.

Muž řekl, že to ujde. Strýc urychleně vystoupil a nasedl do jiného vozu, kterým jel na Václavské náměstí. Zeptal se řidiče, co říká tomu, co se chystá, a když se dozvěděl, že muž očekává budoucí vývoj s klidem, opět přesedl.

Pak se dal vézt na Letnou, a když vůz přejížděl Vltavu, položil třetímu řidiči svou kontrolní otázku.

Tentokrát řekl řidič, že bude všechno stát za hovno, protože k moci přijdou rudí. Strýc se zaradoval, neboť věděl, že našel muže, kterého hledal, a dohodl si s taxikářem, kterému mohl věřit, za slušnou cenu výlet na Šumavu.

Doma si sbalil věci do ruksaku, rozloučil se s matkou a odjel.

Po cestě studoval příručku pro lyžaře začátečníky, zejména kapitoly PLUŽENÍ a PŘENÁŠENÍ VÁHY. Protože vážil skoro sto kilo, věnoval zejména druhé kapitole hodně pozornosti.

Řidič pak strýci dokonce poradil, aby vystoupil kus od hranic a jel zbytek cesty vlakem.

V lese si strýc připnul lyže, uschoval příručku do ruksaku a pak se rozjel po svahu. Vzhledem k tomu, že nikdy v životě na lyžích nestál, podal docela slušný výkon.

Ve zprávě, kterou poslal z Německa, pak psal, že se mu podařilo vyhnout několika pařezům i hlídce a že upadl až na svobodě. Matka, která o strýcových plánech věděla, byla ráda. Zato otec ihned ulehl do postele a žádal obklady. Neustále vzdychal, že to bude konec.

V noci nemohli rodiče spát a dlouze spolu hovořili.

Otec: Slyšíš?

Matka: Co?

Otec: Auto!

Matka: A co má být?

Otec: To už bude ono.

Matka: Co?

Otec: Jdou pro tebe.

Matka: Dej mi pokoj!

Otec (po chvíli): Měla by ses připravit…

Matka: Na co?

Otec: Na cestu.

Matka: Proč?

Otec: Protože máš šíleného bratra!

Matka: Ty jsi šílený!

Otec: To je pravda. Kdybych byl normální, vzal bych si jedináčka!

Někdy otec matku zasvěcoval do způsobů vězeňského života. Líčil jí v noci, že musí mít s sebou hlavně teplé prádlo a boty, nebo ji poučoval, jak držet v ruce krumpáč.

Když matka zůstala na svobodě, otec se uklidnil. A když došly od strýce první pohledy, docela si je rád prohlížel.

Strýc psal ze Španělska a přiložil k dopisu fotografii nějaké krásky, o níž psal, že je to Američanka, jejíž otec má papírnu v Missouri. Jindy poslal fotografii jiné slečny, jejíž otec byl zase senátorem nebo majitelem pivovaru.

Strýc létal po světě, a přesto že už vážil sto dvacet kilo, byl úspěšným stewardem. Ze všech míst posílal barevné pohledy nebo fotografie slečen a psal, že jejich otcové jsou prezidenty bank nebo kongresmany. Krom létání se věnoval přirozeně opět celé řadě obchodů, a tak obvykle psal, že se omlouvá, že tak dlouho nedal o sobě vědět, ale že má málo času, o čemž svědčí i to, že se při psaní dopisu musí dívat na televizi, aby se dozvěděl, jaký je kurs zlata nebo nějakých akcií. V zimě nám přál hezké vánoce a sděloval, že stoupl dolar, což prý je jeho štěstím, protože by jinak prodělal na nějakém byznyse a jeho svátky by nestály za nic. Otec po přečtení takového dopisu tvrdil, že je rád, že je o dolaru informován, protože jeho život tak má v Praze vyšší smysl, a navrhoval matce, aby strýci napsala o kvalitě české koruny. Strýc blahopřál matce k narozeninám a psal, že spěchá, protože dostal nějaký čerstvý tip na obchod s manilským konopím a musí si pospíšit, aby mu to někdo jiný nevyfoukl.

Otec pravil, že to strýc proti němu nemá lehké.

Někdy nám strýc přál hodně štěstí do nového roku a hned se zmínil o tom, že je také potřebuje už kvůli podílu na nějakém byznyse v Americe. Nebo přál hodně zdraví a omlouval se, že musí dopis končit, protože má schůzku s nějakou dámou, která je vdaná za velkodovozce textilu, s nímž má strýce seznámit, a sděloval, že když to klapne, tak vydělá dva tisíce za tři dny.

Později začal posílat balíčky s punčochami, čokoládou, kakaem anebo cigaretami. Někdy poslal svetr, sukni, nebo celé šaty. V kapsách bývalo několik kravat, žvýkačky nebo plnicí pera.

Otec se vždy o balíčky živě zajímal, ale matka ho pokaždé odháněla.

„To je od mého bratra, který byl podle tebe šílený!" připomínala mu. Otec se hájil a tvrdil, že by měl něco dostat jako odstupné za řadu probdělých nocí kvůli strýci a také za to, že musí žít s jeho sestrou.

Jednou strýc líčil v dopise, jak skoupil cigarety v nějakém arabském přístavu a prodal je až za několik týdnů, když cena stoupla, a jak ho pak ve městě honilo několik set silných kuřáků.

Když strýc poslal velký balík vlněné látky, byla matka nadšena a četla si nahlas, že je to PURE AUSTRALIAN WOOL FROM SYDNEY, PRODUCED IN HONG KONG. Dala mi pak neprozřetelně ušít z látky zimní kabát. Byl to nejtěžší kabát, který jsem v životě měl. V té době chodili spolužáci v lehkých zelených nebo hnědých hubertusech a já po takovém přirozeně také toužil. Matka mi však tvrdila, že jsem hlupák, protože mám jako jediný kabát z pravé australské látky. V jejích očích to byl tak vzácný materiál, že zakázala krejčímu, aby sebemenší kousek odstřihl, a naopak ho požádala, aby kabát mocně založil. Mám až do dnešního dne pocit, že v tom kabátě bylo založeno několik kabátů dalších. Nebylo snadné jít tam, kam jsem chtěl, kabát měl svou vlastní vůli, byl tvrdohlavý jako mezek. Docházel jsem do školy celý vyčerpaný a unavený z těch zápasů, a byl jsem proto velmi rád, když matka rozhodla, že ho bude po mně nosit bratr Michael. Byl už od přírody statnější postavy, hrál fotbal a byl vůbec sportovněji založen, a mohl proto kabátu užít k tělesnému tréninku. Ale ani on neměl kabát rád. Po čase Michaelovi pomáhal kabát nosit Jan, obvykle za nějakou odměnu, třeba za půl žvýkačky na týden. Teprve když Michael dostal žloutenku a musel držet dietu, dovolila mu matka, aby dočasně nosil něco lehčího. Kabát putoval do čistírny, kde se k matčinu zklamání a naší radosti konečně ztratil.

Dlouho jsem se však ze ztráty neradoval.

Matka mi darovala šaty, které strýc poslal z Jižní Ameriky. Strýc psal, že je získal výhodně od jednoho argentinského obchodníka. Nevím, jakou výhodu argentinský obchodník strýci poskytl, avšak na mě působil oblek krajně nevhodně. Byl divoce žlutočerně pruhovaný. Kdykoli jsem ho oblékl, musel jsem myslet na zebry, na pampy, na nějakou divočinu. Byl to oblek, v němž člověk vzbuzoval pozornost i u lidí, kteří už něco zažili a viděli. Navíc byl trochu větší, takže se na mém těle plandal až do maturity. Krom toho měl vlastnost, jakou evropské šaty nemají. Při sebemenším pohybu vydával podivný zvuk, připomínající chvílemi vzdáleně pleskot plachty. Dostal jsem k němu ještě jedny boty, které shodou okolností vrzaly. Zkusil jsem je hodně namazat, máčel jsem je ve vaně, chodil jsem v nich v dešti, ale nikdy se nechovaly tiše.

Chodil jsem v šatech a botách raději malými uličkami a vyhýbal jsem se živým místům. Když jsem se vracel ze školy domů, vzal jsem to raději přes park.

Tam jsem také jedou potkal pana Sancheze. Byl už starý, šedivý, ale pamatoval se na mne, protože mě hned oslovil a ptal se, jak se vede strýcovi. Řekl jsem, že dobře, i když jsem měl chuť dodat, že mně se vede hůř, právě pro strýcovy dary. Pan Sanchez se usmál, řekl, že je rád, že se strýcovi daří, a požádal mne, abych strýce, až mu budu někdy psát, pozdravoval.

Slíbil jsem, že to udělám, a chtěl jsem panu Sanchezovi ještě říci poslední novinku, že si totiž strýc právě otevřel v Mexiku nový hotel, ale v tu chvíli zadul vítr a oblek se rozhučel jako meluzína.

Pan Sanchez se podíval na nebe, a maje dojem, že se blíží bouřka, rozloučil se a pospíchal do města.

Díval jsem se za ním, jak mizí v platanové aleji, i když už vítr utichl a oblek konečně zmlkl.

Ještě dnes, když si vzpomenu na strýce, pocítím škrábání pyžama, tlak kabátu a někdy, když je vítr, zaslechnu zpěv šatů svého mládí.

Učit se, učit se

Do školy jsem začal chodit, když jsem býval ještě tygrem a kdy mi svět lidí moc neříkal. Trávil jsem tenkrát většinu času na lovu, pobíhal jsem po džungli a plížil se houštím, abych se na smluveném místě setkal se svým přítelem pardálem. Někdy jsem ležel na větvi stromu a pozoroval lovce s aktovkami a nákupními taškami nebo ženy lovců s malými mláďaty.

Když mne jednoho dne zavedli do školy, připadal jsem si náhle jako v kleci. Ještě horší to bylo s mým přítelem pardálem. Po čtrnáct dní se vytrvale bránil zajetí, prchal a každého rána ho do školy znovu dovlekli rodiče, které poškrábal a pokopal. Svým zoufalým nářkem pak dával najevo, jak touží po návratu do divočiny.

Myslím si, že malým mořeplavcům, pirátům – nebo pilotům škola tolik nevadí. Možná, že i kovbojové, policisté a indiáni ji snesou snáze než šelmy. Tygr nebo pardál nemá ke škole vztah. Jen velmi těžce se dá ochočit školní krotitelkou nebo krotitelem, protože mu chybí volnost a protože nechápe, že může být šelmou až po vyučování.

Proto docela chápu svou matku, když vzpomíná, jak se byla na mne poprvé zeptat, když jsem chodil do první třídy.

Když řekla učitelce mé lidské jméno, zatvářila se tato podivně.

„Je takový… takový… jak bych to řekla…,“ hledala učitelka slova.

Není pro matku zřejmě horší zážitek než učitelka, která není schopna popsat její dítě.

Ženě, která po léta studovala češtinu, aby tímto jazykem mohla vyučovat, se teď nedostávalo slov.

„Řekněte mi pravdu!“ požádala ji matka.

„Je takový… takový… divný,“ pravila učitelka.

„Divný?“ tázala se matka.

„Snad zasněný…,“ řekla učitelka nejistě. Pak řekla, že má dojem, že jsem při vyučování někde jinde.

„A kde?“ divila se matka.

„Myslím duchem,“ vysvětlovala učitelka a sdělila pak matce, že když jsem v počtech dostal za úkol sečíst jedno jablíčko a jedno jablíčko, vyšly mi dvě hrušky.

„Má je raději," řekla matka, která vždy znala každou podrobnost o svých dětech. Matka pak vysvětlila učitelce, že na mne měla patrně neblahý vliv válka i to, že jsem si musel často hrát sám.

Mám dojem, že jsem rodičům působil dost starostí.

Vracel jsem se ze školy v rozvázaných botách, které mi občas dokonce nepatřily. Do školy jsem chodil často pozdě, přestože stála hned za rohem. Obvykle jsem to vzal přes park, abych se alespoň přesvědčil, zda nikdo neobjevil mé skrýše a stezky. Jakmile jsem se octl v divočině, ztratil jsem pojem času, protože šelma vnímá jen východ a západ slunce, a zvonění školního zvonku jí nic neříká.

Krom toho tygři vůbec nemají rádi čísla.

Projevilo se to už při psaní jedniček, které mi působily potíže.

Když matka zjistila, že číslovku píšu obráceně, rozhodla se, že mi pomůže.

Sedávali jsme v pokoji u stolu, kde matka kreslila jedničky na papír a vysvětlovala mi, jak jednoduchá je to číslice.

„Podívej se, vypadá jako bičík!" vysvětlovala neustále. Pak mi dala do ruky tužku, vzala mou ruku do své a kreslili jsme jedničky dvojručně. Když měla pocit, že mi ruku vedla dost dlouho, nechala mne nakreslit číslici samotného. Namaloval jsem velkou, překrásnou jedničku, ale obráceně. Matka ztratila trpělivost a dala mi pohlavek. Pak křičela, abych se soustředil. Snažil jsem se, ale číslice se mi opět převrátila.

Výkřiky přilákaly do pokoje otce. Když se dozvěděl, oč jde, řekl, aby mne netrápila, protože budu s největší pravděpodobností zemědělcem, který s číslovkami nepřijde často do styku.

Tenkrát u nás bydlel strýc Petr, profesor matematiky a fyziky. Psal vědecké knihy a ve volných chvílích pracoval na několikadílném anglicko-českém technickém slovníku. Později v jedné ze svých prací dokonce popíral jednu část Einsteinovy teorie. Matka vždy tvrdila, že strýc je nejchytřejším člověkem v rodině. Strýc popřel i to.

Když zjistil, jaké mám potíže, nabídl se matce, že načas svou práci přeruší a jedničkám mne naučí.

„Hlavně nesmíš ztrácet nervy," řekl matce a mně slíbil, že mi dá některá vyznamenání, když se budu opravdu snažit. Medaile dostal za války, když byl v britském královském letectvu.

Myslím si, že vyznamenání Za statečnost mi strýc dal proto, aby mne povzbudil. Když můj boj s jedničkami, rozházenými po papíře, nepřinesl zlepšení, uschoval strýc krabici s medailemi do skříně a opatřil si nějaké prášky, které bral po každé stránce. A když zjistil, že mám také potíže s dvojkou, u které jsem maloval místo vlnovky několikacentimetrový ocásek, začal si hledat vlastní byt. Měl asi strach z toho, co ho čeká u dalších číslic, jejichž počet si jako profesor dovedl bleskově spočítat.

Objevil se u nás až později, když jsem už postoupil do druhé třídy. To už jsem si s číslicemi věděl rady a chodil jsem dokonce i včas do školy. Zato se objevila jiná potíž. Začali jsme se učit rusky a nešla mi azbuka. Když to matka zjistila, začala se učit rusky sama, ale pak dala přednost soukromé učitelce, Nině Dmitrijevně. Chodil jsem dvakrát týdně k bývalé ruské hraběnce na hodiny.

Docela jsem se na hodiny těšil. O přestávce jsme vždy pili čaj. Nina Dmitrijevna a její muž Nikolaj si vždy dali do úst kostku cukru a pak upíjeli z hrnečků. Zkoušel jsem to také, ale nedařilo se mi to. Pil jsem čaj normálně, stejně jako pes foxteriér, jemuž Nina Dmitrijevna lila nápoj do misky.

Při hodině sedával Nikolaj v houpacím křesle a tiše si broukal nějakou dumku. Když zemřel, objevila se na příborníku mezi porcelánovými kozáky urna s nápisem Moj golubčik. Občas stála urna na stole hned vedle samovaru a já od ní nemohl odtrhnout oči.

Někdy odcházela Nina Dmitrijevna k oknu a předstírala, že se dívá ven, ale já viděl, jak pije z láhve vodky, kterou měla za záclonou.

Když jsem napsal bez chyby diktát o Čapajevovi, dala mi pusu, která hřála.

Když jsem se vracel z hodin, vítala mne matka ve dveřích hlasitým „Zdravstvujte". Otec, který měl dojem, že hovoří nějakým maďarským nářečím, se jí ptal, zda je už zcela „verrueckt".

„Dělám to proto, aby se procvičil," řekla matka.

Na gymnáziu jsem měl nejraději profesora fyziky Hemerku, který byl proslulý tím, že nikdy nestačil zkoušet. Před koncem čtvrtletí pobíhal po ústavě v modrém plášti a žádal nás o pomoc. Většinou vběhl do třídy a uklidňoval nás.

„Já vím, že dnes nemáte fyziku, ale prosím, pojďte na chvilku se mnou," vysvětloval horečně a žádal nás, abychom ho doprovodili do jeho kabinetu. Po cestě potkával žáky jiných tříd a zval je na další přestávky také k sobě.

V kabinetě otevřel své záznamy a začal vyjednávat.

„Jelikož jsem se kvůli schůzím a funkcím opět octl v časové tísni a nemám možnost vás vyzkoušet, musíme se nějak dohodnout…," říkal vždycky.

Pak se obrátil na někoho z nás, zeptal se, jak se jmenuje, nahlédl do zápisníku a řekl: „Dal bych vám trojku, co říkáte?"

„Nejste spokojen?" divil se, když tázaný mlčel.

Podíval se znovu do svých poznámek a zjistil, že žák měl minule známku, kterou mu právě nabídl.

„Člověče, co chcete, vždyť jste trojku měl! Tak dobře… Prosím, můžete dostat dvojku, když se na ni cítíte, ale v tom případě není vyhnutí. Musím vám dát kontrolní otázku. Co víte o pohybu valivém?"

„Pohyb valivý… pohyb valivý je pohyb…" začal spolužák.

„Dobře, vidím, že to odpovídá," zvolal profesor, dívaje se na hodinky.

Jednou takto vyjednával v kabinetě, ale pak si uvědomil, že musí na schůzi o chmelové brigádě, a nabídl nám všem stejnou známku s tím, že je ochoten dát známku o stupeň lepší těm, kteří mu pomohou opravit pomůcky.

Řada z nás tehdy na tuto obchodní transakci přistoupila.

Jednou si profesor Hemerka dal dokonce závazek, že nás všechny včas vyzkouší, ale po čtvrt roce byl opět ve stejné situaci, protože musel sepisovat závazky všech učitelů i žáků a neměl tak čas dodržet vlastní. Tenkrát měl dokonce tak naspěch, že musel požádat jednoho spolužáka, aby vedl celé jednání za něho, protože musel připravit zprávu o protiatomovém cvičení.

„Prosím, buďte fair! Nežádejte lepší známky, než které odpovídají vašim znalostem! Spoléhám na vaši čest!" volal ještě na schodech.

Když přišel na gymnázium bratr Michael, působil tam profesor Dráb, který sice našel vždy dost času k tomu, aby žáky vyzkoušel, ale zato si je nepamatoval. Krom toho si pletl také třídy a ptal se často, v které třídě je a kterému předmětu tam učí.

Toho všichni využívali, často tak, že se dávali vyvolat ti žáci, kteří ovládali látku, a nechali pak profesora psát známky kamarádům. Když byl jednou vyvolán bratr, sdělil profesorovi, že chybí. Ten si to poznamenal a řekl, že ho vyvolá, jakmile ve škole bude.

Těžké chvíle nastaly matce, když do školy začal chodit Jan.

Už v obecné škole nastaly potíže, na které matka nebyla zvyklá u žádného z nás.

Jan zapomínal ve škole čepice, kabáty, rukavice, ztrácel sešity i knihy nebo celou tašku. Domů nosil cizí svačiny a mašle spolužaček.

Někdy jsme měli my starší službu a dohlíželi jsme na něho.

Během školního roku musela být matka neustále ve styku s bratrovými učiteli. Krom toho chodila pravidelně do školy, aby vyslechla všechny stížnosti učitelského sboru. Vyprávěla pak, že učitelé stáli v řadě a stěžovali si jeden po druhém.

Učitel zpěvu žádal matku, aby Janovi domluvila, aby nezpíval.

Tvrdil, že bratr má dobrou vůli a že se snaží, ale že jeho zvláštní hlas ničí budovatelskou píseň, kterou profesor s třídou nacvičuje. Později Janovi doporučil, aby si při hodinách zpěvu kreslil.

Učitel kreslení naopak tvrdil, že bude lépe, když si Jan při jeho hodinách půjde na dvůr hrát s míčem. Protože však tělocvikář odmítl Janovi svěřit školní míč, nosil si bratr na hodiny kreslení vlastní. Během let, kdy Jan chodil do školy, se matka nesmírně vzdělala. Učila se dějepisu, šila monogramy, nahlížela do atlasu a přes neděli dělala pokusy se sodíkem.

Jenom geometrické rysy jí nešly. Tvrdila, že na to nikdy nebyla, a dávala Janovi raději deset korun, aby si je objednal u spolužáka.

Shodou okolností to byl bratr toho kamaráda, u kterého jsem si před lety objednával rysy já. Jen cena za tu dobu nepatrně stoupla.

Protože Jan už jako kluk hrál ve filmu, byl čím dál tím víc zaneprázdněn a do školy chodil jen zřídka. Jednou bylo dokonce nutné vyzkoušet ho telefonicky. Myslím si, že to bylo poprvé v celé historii školy. Bratrovi se tenkrát zkoušení líbilo, protože seděl u psacího stolu a odpovídal profesorovi pěkně v pohodlí. Otec se divil, jak matka dokázala něco takového vyjednat, a hlavně ho zajímalo, kdo bude platit telefon. Na normální gymnázium už Jan vůbec neměl čas. Matka ho tedy přihlásila na večerní, kde byl bratr docela spokojen. Tvrdil, že večer jsou učitelé mnohem přijatelnější než ve dne. Krom toho mělo večerní studium i jiné výhody.

Jednou jsem byl zrovna u matky, když se Jan ze školy vrátil.

„Co je nového?" ptala se ho matka.

„Celkem nic," řekl bratr, pokládaje na stůl nějaký balík.

„A co je tohle?"

„Vepřové kotlety," pravil bratr a dodal, že je matce posílá spolužák – řezník, který jí tak děkuje za pomoc při slohovém cvičení.

Poklad

Jsou v životě okamžiky, na které člověk nikdy nezapomene. Pro mne je jedním z nich ten, kdy jsem zbohatl. Jednoho dne mne otec náhle a nečekaně zavolal do pokoje, kde otevřel svůj psací stůl, vzal z něho peníze a dal mi je do ruky. Pak šel ke knihovně, otevřel nějakou knihu o motýlech, kterou nikdy nečetl, vzal z ní další peníze, které tam měl uloženy, a přikázal mi, abych to všechno utratil.

Položil jsem peníze zpátky na stůl, i když jsem se na ně stále musel dívat. Myslel jsem si, že mne otec zkouší, že chce vidět, jak se zachovám, zda peníze odmítnu a řeknu, že jsem si je nevydělal, že mi nepatří, protože je musím vydělat poctivou prací. I když jsem si uvědomoval, že jde jen o zkoušku a že otec chce slyšet to, co mi často kladl na srdce, zdál se mi způsob, kterým to udělal, dost přehnaný. Bylo by stačilo, kdyby použil padesátikoruny, a já abych se zachoval tak, jak očekával.

Když mi však nařídil, že peníze musím utratit do večera, uvěřil jsem, že to myslí vážně. Řekl to dokonce tak přísně, jako kdyby mi přikazoval, abych šel mýt nádobí.

Posbíral jsem peníze rozechvělýma rukama, maje pocit, že bych je měl hladit. Nikdy v životě jsem takovou částku neměl v ruce. Sledoval jsem přitom nenápadně otce, který mi nedal nikdy víc než dvacet korun, a to jen tehdy, když jsem splnil, co mi přikázal. Byl jsem přesvědčen, že se zbláznil, a očekával jsem, kdy mi řekne, abych začal házet knihy z okna. Bylo mi divné, že otec vypadá docela normálně, a měl jsem pocit, že třeba najednou vyskočí a zaštěká nebo provede nějakou jinou pomatenost.

Napadlo mě, že třeba přišel o rozum, jen pokud jde o peníze, a že ho možná budeme muset hlídat, aby, až se bude vracet z práce, nerozdal peníze cizím lidem. Poděkoval jsem, vyčkal jsem ještě malou chvilku, abych se přesvědčil, zda si to ještě nerozmyslel, a šel jsem za matkou, o které jsem věděl, že jí budou jako obvykle peníze chybět. Sotva jsem se zmínil o tom, co se stalo, už mi matka přikazovala, abych šel a udělal to, co otec říká, protože druhého dne budou peníze bezcenné.

Zeptal jsem se jí ještě pro jistotu, zda mohu vše utratit, jak chci a za co chci, a když přisvědčila, šel jsem úkol splnit. Cestou jsem uvažoval nad tím, jak je možné, aby se pomátli oba rodiče zároveň, a co udělám, až zase přijdou k rozumu a budou se peněz dožadovat.

Potkal jsem kamaráda, který šel utrácet peníze od rodičů i od babičky. Nevěděl také, proč je dostal, ale slyšel prý babičku proklínat komunisty. Z toho jsme usoudili, že naši rodiče jsou patrně normální. Jindra řekl, že o komunistech sice nikdy moc nepřemýšlel, ale jestli to takhle půjde dál, budou mu sympatičtí, protože budeme mít zřejmě od rodičů slušné příjmy.

Šli jsme do obchodního domu, do hračkářského oddělení. Koupili jsme tam dva balóny, rakety na pingpong, několik revolverů, luk a šípy, helikoptéru a dvě stavebnice. Nakonec se kamarád ještě rozhodl koupit nafukovacího krokodýla a hru Člověče, nezlob se.

Když jsme zaplatili, zjistili jsme, že jsme stále ještě velmi bohatí, ale že máme plné ruce věcí. Stavili jsme se u kamaráda, kde jsme nákup nechali, a šli jsme se do kavárny Belveder trochu osvěžit. Dali jsme si limonády a zmrzlinu. Jindra chtěl zkusit, kolik sní zmrzliny, když si jí jednou může dát, kolik chce. Snědl tři a půl porce, ale pak mu bylo

trochu špatně. Když se vrátil ze záchodu, řekl mi, že tam potkal jednoho kluka, který mu radil, aby nechodil pěšky, jinak že peníze neutratí. Vzali jsme si tedy taxíka a jeli jsme do zoologické zahrady. Tam jsme vynechali ptactvo a taky plazy, protože jsme si uvědomili, že čas běží, a jeli jsme zase taxíkem do města. Stavili jsme se u řeky, kde jsem dostal skvělý nápad. Zeptal jsem se majitele půjčovny lodí, zda bychom si nemohli předplatit jeden člun na měsíc dopředu.

„Co bych z toho měl?" ptal se zamračený majitel půjčovny.

Protože jsme mu nedokázali dát odpověď, dal si ji sám. „Hovno," řekl a začal počítat, o kolik peněz přijde. Svezli jsme se tedy na člunu a pak jsme šli do restaurace, kde jsme si dali řízky, protože Jindrovi už bylo zase dobře.

U vedlejšího stolu seděla nějaká paní, která pila jeden rum za druhým a která si mluvila pro sebe. Stále se smála a opakovala: „...zlatem podložený..."

Pak jsme si vzali taxíka a jeli jsme do Stromovky na houpačky a atrakce. Taxikář, který nás vezl, celou cestu nadával. Kamarád to počítal a zjistil, že řekl celkem patnáckrát banda zlodějská a osmkrát svině.

Projeli jsme se několikrát na ruském kole, na pekelné dráze i na lochnesce. Pak jsme si předplatili autíčka a já řídil a kamarád přepočítával peníze.

Když jsme se vystřídali, dali jsme si buřty a cukrovou vatu. U stánku s vatou stál nějaký pán, který tvrdil, že je žebrák. Jindra mu chtěl nějaké peníze dát, protože jich měl ještě dost a bylo mu toho pána líto, ale ten mu řekl, že to nejsou peníze, ale hadry.

Vrátili jsme se pak do města, kde jsme uvažovali nad tím, že bychom koupili štěně kokršpaněla, ale když jsme zatelefonovali domů, dozvěděli jsme se, že psa nemáme kupovat. Tak jsme místo toho koupili rybářský prut a podběrák a šli jsme do kina. Po biografu jsme navštívili cukrárnu, kde jsme koupili dva polárkové dorty, o nichž jsme věděli, že vydrží v lednička do druhého dne.

Když jsme se vraceli domů, zbyly Jindrovi ještě nějaké peníze, a tak koupil tenisák a kapesníky.

Na ulici si to uvědomil a řekl, že nechápe, proč kupuje to, co dostává pravidelně k vánocům a co nenávidí.

Mě napadlo, že třeba moc zmrzliny najednou působí nějak škodlivě na mozek.

Večer, když se rozsvítily lucerny, stáli jsme před domem a nějak se nám nechtělo domů, protože jsme věděli, že den, kdy jsme zbohatli, končí. Nechtěl jsem dát najevo, že je mi to líto, a tak jsem řekl, že čas jsou peníze, a kamarád přisvědčil.

Pak jsem se rozhodl, že se zachovám jako statečný boháč, a řekl jsem, že mít peníze není snadné, ale že taky není snadné je utratit, a kamarád to pochopil a dodal, že to může být pěkná dřina.

Doma jsem dokonce dostal chuť říci rodičům, že nechci peníze na nějaký čas ani vidět, ale nemohl jsem se rozhodnout, na jak dlouho, a tak jsem raději mlčel.

I tak to vypadalo, jako by četli mé myšlenky.

Pan rada

Náš děda byl vysoký, urostlý muž, který až do třiadevadesáti let chodil vzpřímeně jako mladík. Matka, která byla na svého otce pyšná, vyprávěla, jak za mladých let nesl přes celou vesnici tele. Při vyprávění si dávala záležet na podrobnostech. V jedné verzi nesl děda tele vesnicí, v jiné dokonce přes pole. Příběh však pokaždé končil tím, že děda nakonec zvíře položil na zápraží domu, v němž žila žena, kterou miloval – babička. Matka dbala často na to, aby vyprávění slyšel otec, o němž bylo známo, že jí jen jednou přinesl květiny a hlávkový salát.

Když si matka postesla, že by otec něco takového nedokázal, poznamenal otec, že jeho nejtěžším pracovním nástrojem je už po léta telefon. Přesto však na něho muselo vyprávění zapůsobit. Zvíře mu nešlo z hlavy. Řekl bych dokonce, že se mu v hlavě usadilo, i když tato básnická ozdoba nepůsobí dobře.

Otec tvrdil, že by tele, nesené po Václavském náměstí, působilo hodně rozruchu, a že muž, který nese takové zvíře městem, se pozornosti neubrání. Později se zabýval podrobně dopravou telete po městě a uvažoval nad tím, jaké by měl se zvířetem potíže v tramvaji a jak by se asi zamlouvalo personálu kavárny, kde se zamlada s matkou scházel.

„Tele v šatně neodložíš," řekl tehdy matce.

Když se jednou zamýšlel nad tím, zda by bylo možné, aby matka brala dobytek s sebou na procházku do Riegrových sadů na Vinohradech, kam mne vozila v kočárku, a jak by to bylo v zimě v této čtvrti se senem, požádala ho matka, aby zvíře pustil z hlavy. Cítila, že příběh působil na otce nevhodně a vyprávěla nám místo něho jiné. O tom, jak si kdysi nechal děda na vesnici jako první zavést elektřinu. Byla to velká událost, i když sousedé tehdy pozorovali stavení zpovzdálí, protože se báli proudu.

Podobný rozruch děda způsobil, když začal hluboko orat. Někteří sousedé se obávali, že na něho neblaze působí proud a že přišel o rozum. Když měl později lepší úrodu, obcházeli pole a dívali se, co dělá. Někteří sedláci se schovávali v křoví a předstírali, že tam něco hledají. Později, když dědova řepa a obilí byly vystaveny v muzeu ve městě, opouštěli sedláci křoví, přicházeli k dědovi a začínali rozhovor o počasí nebo o chorobách a pak se ho ptali na to, co je zajímalo.

Všichni sousedé věděli, že se děda vyzná nejlépe v počasí. Ráno zkoumal oblohu a východ slunce, večer za slunného počasí sedl do vozu a vyjel na pole. Pak běželi sedláci ze stájí a volali na sebe přes ploty, že přijde určitě bouřka, protože Vincenc jede sklízet.

Jednou v létě, v neděli, kdy na nebi nebylo ani mráčku, sedl si děda na vůz a jel pryč. Vrátil se večer, s prázdným vozem, ale opálený a spokojený. Když se sousedé dozvěděli, že se byl v rybníce koupat, zakleli a při měsíčku znovu vezli seno nenápadně na pole.

Za války, když jsem s dědou na vesnici žil, měl vždycky nejraději neděli. Ráno se pečlivě vykoupal, oholil, upravil si knír, naleštil si boty a oblékl se do svátečních šatů. Na hlavu si posadil tmavý klobouk a kalhoty si sepnul sponkami. Na zápraží pak neopomněl nikdy říci babičce, že kdo jde po něm, jde pozdě. Pak mne posadil na kolo a jeli jsme na mši.

Kostel byl v sousední vesnici na vysokém kopci. Vedla k němu dlouhá, strmá cesta, vroubená topoly. Děda vždycky rozjel kolo naplno po rovině, abychom nabrali dostatečnou rychlost a dostali se co nejdále do kopce. Pak usilovně šlapal stále stejným tempem, až vyjel k chrámu. Brzy si toho všimli ostatní muži, nabrali na svá kola vnuky a vrhli se také na kopec. Každou neděli tak docházelo k závodům, které se brzy staly natolik populární, že před kostelem už stál dav zvědavců i s panem kaplanem. Někteří se sázeli mezi sebou, zda se někomu podaří to, co dědovi. Vzhledem k tomu, že dědovi bylo tenkrát už přes pětašedesát, byl to úctyhodný výkon.

Mnozí sousedé si pak už v sobotu odpoledne chystali kola. Odstraňovali světla, zvonky i blatníky, aby kola byla lehčí. Většina z nich však musela v polovině kopce slézt.

Někteří se nedokázali s dědovým výkonem smířit.

Novák z Pole byl několikrát viděn, jak v sobotu vpodvečer jízdu trénuje. Místo vnuka měl na kole pytel brambor. Jeho bratr, Novák-Modrovous, jel ke kostelu s půjčeným chlapcem, ale pan farář ho diskvalifikoval, protože Adámek byl tuberkulózní a měl hodně pod váhu.

Většina sedláků brala závody vážně, a když se jim nepodařilo vyjet na kopec, kleli a stáli pak frontu u zpovědnice.

V neděli odpoledne sedával děda v kuchyni v bačkorách a četl si ve Svatováclavském kalendáři nebo v bibli.

Sedával jsem pod stolem a pozoroval boty, které přicházely na návštěvu. Bývaly naleštěné, většinou už ve dveřích pozdravily, zavrtěly se na rohožce a pak šly dál. Pak to zavonělo hořkou, kmínkou nebo slivovicí, boty se usadily na trnoži nebo se znovu postavily na podlahu, když zacinkaly skleničky. Bývalo jich kolem stolu i deset, dvanáct párů a já hádal, komu které patří. V čele sedávaly bačkory. Ostatní boty se k nim obracely, ptaly se, co je nového, co hlásil Vatikán nebo Londýn a zda už brzy válka skončí. Někdy bačkory přešláply a vyprávěly, že až válka skončí, povezou Hitlera ve velké kleci všemi městy a vesnicemi, aby na něj mohl každý člověk plivnout.

Ten nápad se mi líbil natolik, že jsem začal trénovat, abych tu šanci nepropásl a vůdce trefil. Plival jsem na různé vzdálenosti, dělal si znamení, trefoval se na cíle pevné i pohyblivé a byl jsem koncem války skutečně ve formě.

Když jsem se pak dozvěděl, že z okružní jízdy nic nebude, byl jsem zklamán.

Po válce děda musel hospodářství opustit a přestěhoval se do Prahy. Věnoval se mým sourozencům, kterých neustále přibývalo. V parku, kam s nimi chodil na procházky, našel nové přátele. Byli tu dědečci, kteří měli obchod nebo byli řemeslníky. Dva dědečci byli kdysi továrníky a jeden měl dokonce obchodní dům. Děda měl také přátele v parku u Wilsonova nádraží a v sadech v Liberci, kam jezdil na prázdniny k tetě Anně.

Všude mu říkali „pane rado".

Také ostatní penzisté vodili do parku svá vnoučata. Bavili se o starých časech, o tom, oč který z nich přišel, a stávalo se, že byli tak zabráni do hovoru, že zapomněli na děti. Když se některé z dětí ztratilo, vydali se ho všichni hledat. Nejlépe si v takových chvílích vedl jeden dědeček, který býval policejním inspektorem.

Za špatného počasí zůstával děda doma a četl sestře a bratrovi pohádky nebo jim vyprávěl o Edisonovi a Napoleonovi.

Někdy také vzpomínal na Lenina, kterého viděl, když byl za první války v Rusku.

„Lenin měl moc ošklivou nemoc," řekl jednou Janovi a Kateřině. Když to zaslechla matka, běžela hned do pokoje a dala dědovi vařečkou znamení, aby vyprávět přestal.

Jednou, když se Kateřina s Janem vrátili z procházky, zaslechla matka, jak se přou o to, kdy bude převrat.

Matka se polekala a hovořila o věci s otcem. Ten pravil, že je na vězení už zvyklý, ale že považuje za nespravedlivé, aby se tam dostal znovu kvůli tchánovi. Děda si zřejmě uvědomil, co způsobil, protože pak přikázal sestře a bratrovi, aby o převratu nikde nemluvili, protože by přišli o otce.

Kdykoli se děda vrátil z parku s novými zprávami a začal už v předsíni hovořit o tom, kdy to praskne, spěchala matka do koupelny, kde pustila vodu do vany i umyvadla a nechala otevřené dveře, aby dědu přehlušila.

Někdy měl děda dojem, že ho matka neslyší, a volal proto datum puče co nejhlasitěji.

Děda se v parku často dozvídal i podrobnosti. Většinou očekával převrat na jaře. Jeden dědeček, který býval dříve soudcem, například tvrdil, že převrat začne tím, že rozhlas zahraje náhle hymnu a pak budou všude ve městě houkat sirény. Jiný, který si už okartáčoval legionářskou uniformu, tvrdil, že konec komunistů ohlásí všechny kostelní zvony o půlnoci. Některá léta se zprávy lišily v čase.

Letenští dědečci očekávali převrat na jaře, liberečtí tipovali s jistotou podzim.

Občas přinesl děda nové zprávy, když se sešel s jedním profesorem botaniky, který byl teď metařem na Vinohradech. Nebo jel na Žižkov za jedním bývalým profesorem, který sbíral papír a který dědovi občas schoval bibli a vyměnil ji s ním za obrázek prezidenta Masaryka. Obrázky získal děda v Liberci od jednoho učitele dějepisu, který tam působil jako popelář.

„Kultura je v popelnicích," říkával vždycky děda, když se vracel ze svých pochůzek.

V osmdesáti letech si někde opatřil pravidla ledního hokeje jen proto, aby mohl sledovat mistrovství světa a držet palce našemu mužstvu v zápase proti Sovětům.

Jednou, když jsem se připravoval na hodinu zoologie a učil se zpaměti, kolik litrů mléka nadojí slavná sovětská kráva Poslušnice II., zaslechl děda čísla a chtěl vědět, kde jsem k údajům přišel. Řekl jsem, že je mám od naší učitelky.

Děda si poznamenal informace do svého zápisníku a já si myslel, že to dělá proto, aby mohl o věci hovořit druhého dne s penzisty v parku.

Proto jsem byl nesmírně překvapen, když se druhého dne objevil ve škole.

Přišel během vyučování a učitelka, která měla dojem, že se jde ptát na prospěch, mu řekla, aby počkal do přestávky.

Děda odmítl čekat. Řekl, že záležitost spěchá a nesnese odkladu, a požádal učitelku, aby přerušila vyučování. Pak vystoupil na stupínek a představil se, jak byl zvyklý.

„Jsem bývalý rolník – nyní v penzi," pravil svým hlubokým hlasem. Otevřel zápisník, přečetl údaje o litrech mléka a zeptal se učitelky, zda informace pocházejí od ní.

Ta, nemajíc zřejmě ponětí, oč jde, přisvědčila.

Pak se děda rozhovořil.

Obrátil se ke čtyřiceti spolužákům a sdělil jim, že měl nejvýkonnější krávy v celém hradeckém kraji, které patřily k nejlepším v republice. Mluvil o Krávě Stračeně, která dojila až osmnáct litrů plnotučného mléka, i o Bětě, která to dotáhla ve svých nejlepších letech na sedmnáct. Řekl, že získal za dojivost tři diplomy, z toho jeden ve zlaceném rámu v roce 1937, kdy byl s dojnicí vyfotografován v novinách. Vysvětlil, jak o krávy pečoval a jak je krmil.

Zmínil se o americké krávě Bessie ze státu Nebraska, která nadojila třiadvacet litrů mléka v roce třicet pět, a její sestře Winnie – Rose, která dosáhla jednadvaceti o rok později. Zmínil se také o kravách v JZD a o kravách, které viděl kdysi v Rusku, a označil je vesměs za bídné dojnice.

To už se učitelka vzpamatovala, a když viděla, že se jí nepodaří dostat dědu ze třídy, poslala jednoho spolužáka pro posilu.

Ředitel se dostavil do třídy zrovna v okamžiku, kdy náš děda končil svou přednášku prohlášením: „Rus se rýpal suchou větví v černozemi, když už Američan jezdil na kombajnu!"

Učitelka sdělila řediteli, že muž vnikl do třídy přes její výslovný zákaz a že tak narušil vyučování. Byla nervózní a tvrdila řediteli, že kvůli dědovi budeme pozadu v hnojivech.

Děda se pak uklonil, nasadil si klobouk a nechal se ředitelem vyprovodit ze třídy.

Hned potom zahájil ředitel vyšetřování.

„Čí je to stařec?" ptal se přísně.

Přihlásil jsem se a přiznal se, že děda je můj.

Učitelka řekla, že je mi to podobné. O přestávce mi někteří spolužáci k dědovi blahopřáli. Učitelka však trvala na tom, aby se matka ihned dostavila do školy.

Tak se stalo, že matka šla do školy poprvé kvůli svému otci.

Domovní schůze

Domovním schůzím se otec vždy vyhýbal. Obvykle zůstal déle v kanceláři a vracel se až večer, když už byl čistý vzduch.

Jednou si patrně nevšiml nápisu, a když se vracel z práce, zjistil, že domovní chodba je plná nájemníků v teplácích. Duchapřítomně zmizel z dohledu a pak uvažoval, jak se dostat do bytu. Rozhodl se, že půjde zadem přes dvory, kde vleze oknem do sklepa. Byla to také jediná možnost, jak se dostat ke schodům a vyhnout se chodbě.

Vešel do sousedního domu a šel na dvůr.

Tam si odložil aktovku na zeď, položil vedle ní klobouk a pak na zeď vylezl. Když překážku překonal, vzal aktovku, posadil si na hlavu klobouk a pokračoval ke druhé zdi, která dělila sousední dvůr od našeho. Postupoval stejně jako poprvé, jenže se nějak zachytil na zdi kabátem. Snažil se prý vší silou vyprostit, ale nedařilo se mu to.

Když byl takto zaměstnán, otevřelo se náhle v přízemí zadního domu okno a v něm se objevila nájemnice. Pohlížela na otce, visícího za kabát, a po chvíli se ho zeptala, co dělá. Je samozřejmé, že za normálních okolností by otec s paní klidně hovořil, ale v situaci, v které ho zastihla, by byl dal přednost tomu, aby nebyl rušen. Měl starosti s tím, jak se dostat znovu na zem, a uvědomoval si zřejmě svou bezmocnost i to, že se na zeď dostal jen proto, aby se vyhnul schůzi. To, že ho paní v okně znervózňovala, se také projevilo v jeho odpovědi. Otec ženě sdělil, že je na houbách.

Vnímavějšímu člověku by odpověď jistě stačila, protože by pochopil, v jakém nervovém stavu člověk visící v kabátě je, ale jsou lidé, kteří jsou naivní a zvědaví zároveň.

„Na houbách? Teď v noci?" divila se paní.

„Ve dne nemám čas," řekl suše otec a začal sebou prudce vrtět, aby se vyprostil.

Myslím si, že otec byl prvním mužem, který takto na zdi visel, a musel tudíž paní velmi zajímat. Nestávalo se jistě často, aby měla příležitost něco takového pozorovat. Na dvoře se toho dělo vůbec málo. Přes den tam chodili lidé s nákupy, běhaly tam děti, ale v noci se nedělo skoro nic. Otec na zdi byl proto pro paní vítanou změnou.

Patrně proto ho pozorovala a položila mu otázku další, prozrazující určitou osamělost.

„Chodíte sem často?" zeptala se ho, když sebou znovu trhal.

Otec, v němž déle trvající pobyt v těch místech vyvolával rostoucí znechucení nad každou další otázkou, odpověděl, že každý druhý čtvrtek v týdnu.

V tu chvíli se mu podařilo kabát natrhnout, takže povolil, a otec přistál za zdí na zemi.

Vzal klobouk, aktovku, popřál dobrou noc a šel pryč. Byl uprostřed dvora, když se paní najednou rozkřičela a volala o pomoc.

Otec se duchapřítomně skryl v křoví.

Okna ve všech bytech se rozsvítila. Z chodby vběhl na dvůr správce domu s ostatními nájemníky. Správce požádal ostatní, aby zachovali klid. Pak patrně běžel sám ve tmě ke zdi, protože najednou někdo volal „Nadběhněte mu – támhle je!" a z druhé strany zdi přeběhli dva muži v teplákách a křičeli „Už ho máme!" Jeden z nich se na správce vrhl.

„To jsem přece já, krucifix," zlobil se správce. Ostatní přistoupili ke zdi a prohlíželi si ho.

Někdo přinesl baterku. Správce slezl se zdi a prohlásil, že je nutno propátrat celé území.

„Musíme udělat řetěz!" řekl inženýr Janeba, který začal stavět nájemníky do řady. Správce pak dal povel, aby všichni postupovali pomalu a obezřetně. Po několika krocích jeden člověk vykřikl, že se šťouchl do oka. Někdo v zadním domě v posledním patře nabízel, že hodí dolů borovou vodu.

Inženýr volal, že je to nesmysl, že by to mohlo někoho zabít. Pak si pan Dener všiml ženy v okně a zeptal se jí, zda neví, kdo křičel o pomoc.

„To jsem byla já," řekla paní.

„Proč to neřeknete hned?" ptal se inženýr.

„Nikdo se mne neptal," řekla paní uraženě.

Pak se ujal slova správce a zeptal se, jak vypadal lupič.

„Měl klobouk…," začala paní s popisem.

V tu chvíli zavrzala vrátka u dvora. Někdo vykřikl „za ním" a pár lidí se tím směrem vrhlo. Hned potom někdo začal nadávat. Ukázalo se, že to byl penzista, který přišel vysypat odpadky.

Správce pokračoval ve výslechu.

„Byl ozbrojen?" zeptal se přísně.

Paní se zamyslela a řekla, že to neví, ale že asi zbraň nepotřeboval, když byl na houbách.

„Kde?" ptal se udiveně správce.

„Na houbách," opakovala žena.

Inženýr vzal baterku a posvítil si na paní v okně.

Paní si zakryla oči a požádala inženýra, aby na ni nesvítil. Pak sdělila správci, že ten člověk jí to sám řekl.

„Vy jste se s ním bavila?" ptal se správce.

„Proč ne?" divila se paní.

K oknu přistoupil doktor Kubička. Chvíli si paní zblízka prohlížel a pak se jí něžně zetal, zda měla dojem, že ten člověk houby skutečně hledal. Paní zírala udiveně na doktora, který měl obličej od hlíny, a pak vyslovila podezření, že ten člověk je on.

Spráce řekl, že je to nesmysl, protože doktor byl také na schůzi a přiběhl na dvůr, až když se ozvalo volání o pomoc.

Doktor vzal správce stranou a něco mu šeptal. Správce přikývl a zeptal se ženy, zda viděla na dvoře muže poprvé. Ta přisvědčila a pravila, že je jí to divné, když ten člověk chodí na dvůr každý druhý čtvrtek v týdnu.

„Každý druhý čtvrtek v týdnu?" opakoval doktor Kubička a šel se znovu na paní zblízka podívat.

Pak přistoupil k správci, ukázal si na čelo, kývl směrem k paní a předal znamení inženýrovi, který si také začal klepat na čelo a vysvětloval to sousedovi. Někdo vzdychl. Někteří si prohlíželi paní, jiní se začali rozcházet.

Správce se ptal doktora, zda je paní nebezpečná.

Doktor řekl, že není, protože senilita je rozšířena u lidí zralého věku, že je však možné, že ta osoba trpí halucinacemi. Chtěl ještě dodat nějaké statistické údaje, ale spráce ho přerušil a požádal o listinu přítomných. Doktor se divil, že by listinu měl mít on.

„Vždyť jsem vám tem papír dával," vysvětloval správce.

„To není možné," řekl doktor a začal se rozhlížet kolem sebe.

Otec, který šel za nimi po schodech, upozornil pana doktora na to, že má v ruce nějaký papír. Pan doktor mu zdvořile poděkoval a předal doklad správci.

Poslední otázku položila otci toho dne matka.

„Kde sis roztrhl ten kabát?" ptala se ho.

„U advokáta!" řekl otec, když si čistil aktovku od hlíny.

Děda v kině

„Měli bychom vzít dědu také do kina!" navrhl jednou otec matce.

Matka, která si nebyla jista, zda by děda měl o něco takového zájem, se ho zeptala, zda by do biografu chtěl jít.

Děda si vzpomněl, že byl v kině dvakrát. Jednou, když dávali pěkný film Svatý Václav, o kterém psali tenkrát v katolickém kalendáři, a podruhé, když ukazovali nějaký film z první světové války.

Řekl matce, že by s námi do kina šel docela rád, zejména půjde-li o vzdělávací nebo zábavný film, jinak že by si nerad kazil oči.

Když se dozvěděl, že dávají starou veselohru s Vlastou Burianem, byl pro. Pak listoval v zápisníku a chtěl vědět, kdy se má do kina jít. Matka pravila, že je to jedno, že to může být kterýkoli den v týdnu. Děda se znovu podíval do zápisníku a zjistil, že by se mu nehodil čtvrtek, kdy se má sejít s jedním penzistou, který mu má opatřit papírové odřezky, a také ne pátek, kdy má schůzku s jedním inženýrem, co míval továrnu na mýdlo a teď je metařem na Žižkově. Nakonec souhlasil se středou a napsal si modrou tužkou do zápisníku poznámku: pozván dcerou a zetěm na biografické představení, pozvání přijal, V. V.

Pamatuji se, že to bylo jedno z těch mála představení, kdy jsme přišli do kina včas. Patrně to bylo právě tím, že s námi šel také děda, který neustále sledoval své velké kapesní hodinky Omega a hlásil matce správný čas. Otec, který jako vždy chtěl vidět týdeník, byl velmi rád. Ale právě týdeník způsobil komplikace.

Nejprve ukazovali vysoké pece a kolem nich rozesmáté dělníky, kteří podle komentátora plnili skvěle plán. Děda je sledoval s nedůvěrou. Pak se objevila na plátně továrna na jakousi výrobu. Nebylo vidět, co se v továrně vyrábí, ale zato bylo slyšet mistra, který v hluku strojů křičel do mikrofonu reportéra, že těžkostem, které mají, budou rozhodně čelit.

Děda se začal vrtět na židli a pak se ptal matky, jak dlouho se ještě na takové věci bude muset dívat, a vyčítal jí, že mu neřekla, co ho v kině čeká. Matka ho uklidňovala a šeptala mu, že týdeník už brzy skončí. Zřejmě rušila nějakého pána za námi, který několikrát sykl.

Na muže, který sykl, zasyčel někdo jiný na konci řady. Otec, který se snažil matce pomoci, nabídl dědovi, že mu půjde koupit oříšky nebo bonbóny, aby ho nějak zabavil, ale děda pravil, že nic nechce ani nepotřebuje, že by si jen přál, aby se nemusel dívat na plátno, protože je to stejně všechno podvod.

Muž za námi opět zasyčel a navrhl dědovi, aby šel raději domů, když ho film nezajímá, ale dopustil se chyby, protože přitom dědovi tykal. To přirozeně rozčílilo otce, který muži také tykl, a navrhl mu, aby šel domů laskavě sám. Mezitím ukazovali na plátně nový fejeton o pilných dětech, které někde na Moravě nasbíraly několik tun různě-barevných kovů a pomohly tím našemu hospodářství cosi překročit. Nebylo dobře rozumět, protože otec se přel s člověkem za námi, který mu začal tykat. Někdo přivolal uvaděčku, která obcházela řady a svítila lidem do obličeje, ve snaze najít toho člověka, co ruší. Protože však už syčelo víc lidí, ztratila uvaděčka přehled a pobíhala kolem dokola s rozsvícenou baterkou jako světluška.

Na plátně naskočil obraz černých horníků s bílými zuby.

Vyfárali právě z dolu a reportér byl nadšený, protože horníci si dali nějaký závazek.

Muž s mikrofonem obcházel horníky, kladl jim otázky, jak se jim těží, a ujišťoval je, že si jich společnost velmi váží.

Horníci se na reportéra dívali nedůvěřivě a odpovídali skoupě. Jeden z nich se neustále otáčel dozadu, jako by měl chuť zmizet opět v dole. Pak se reportér otočil do hlediště s otázkou, kdo je víc, a někdo v hledišti mu něco odpověděl a lidé se tomu smáli. Zmatená uvaděčka vybízela nějakého staršího pána, aby opustil kino, protože rušil. Ten člověk se velice zlobil, říkal, že si zaplatil a že jediný, kdo ruší, je právě uvaděčka.

To už se na plátně objevil film z nějakého zemědělského družstva. Komentátor chodil po stáji, vyhýbal se loužím a pak se zastavil u nějaké krávy. Vypadalo to, jako by ji už znal z jiného týdeníku. Tvrdil, že družstvo plní plán na víc než tři sta procent.

„To je sprostá lež!" vykřikl děda, který už měl všeho dost.

Někdo se zasmál. Z druhé strany se k nám řítila uvaděčka. Posvítila matce do obličeje a chtěla vědět, zda k ní děda patří. Když matka přisvědčila, požádala ji uvaděčka, aby si dědu odvedla pryč.

Ten vstal, zdvihl hůl proti proudu světla vycházejícímu z promítačovy kabiny, takže vypadal jako nějaký věštec, když se jeho tmavá

postava objevila na plátně, a velmi spisovnou češtinou se představil udiveným divákům: „... Dámy a pánové... jsem bývalý drobný, nyní vyvlastněný rolník. Pracoval jsem padesát let na poli i v chlévě..." začal svůj projev. Pak řekl, že to, co ukazují ve filmu, je lež, a to bohapustá, jaké se mohou dopustit jen lidé, kteří zničili poctivé dílo mnoha generací, lidé, které on jako křesťan a poctivý rolník nemůže nazvat jinak než lháři a křivopřísežníky..."

Matka se snažila dědu nějak uklidnit, ale bylo to docela marné. Nějaký pán dědu hájil a křičel, ať ho nechají mluvit. Na plátně poběhla kolem dědovy postavy prasata, komentátor nadšeně vykřikoval cosi o skvělých přírůstcích, kterých bylo dosaženo prací družstva. Děda komentátorovi odpovídal, že lže, že by se měl stydět, že on to musí vědět, protože na vesnici vyrostl a pracoval na poli celý život. To už uvaděčka sehnala posilu a přiběhla i s promítačem. Oba křičeli na dědu, ať okamžitě zmizí z kina. Otec žádal muže, který seděl vedle něho, aby ho pustil ven. Hlediště se rozdělilo na skupinu dědových příznivců a odpůrců. Vzájemně si hrozili, kdo komu co udělá.

Děda se prodíral z řady ven. Na plátně vypadal jako velký Chaplin, který se ohání holí mezi kojenci, protože právě běžel nějaký film z porodnice. Pak jeho silueta zmizela, protože zmizel i z proudu světla. Na druhé straně hlediště volal někdo – výborně. Vzadu se ozval dědův spojenec, který vyběhl z řady a tiskl dědovi ruku. Ke dveřím nás doprovázeli promítač s uvaděčkou.

U východu se děda otočil a zvolal: „Pravda vítězí!"

Do šatny jsme už nemuseli. Šatnářky na nás čekaly a házely na nás kabáty i šály. Jedna držela dokonce dveře a šeptala matce, že nás stařec přivede ještě do maléru.

„Už se stalo," pravil otec, který to zaslechl.

Po cestě domů se děda velmi zlobil. Tvrdil, že si ve svém věku nezaslouží, aby ho někdo při kinematografickém představení takhle urážel. Krom toho znovu vypočítával, kolik čeho za léta hospodaření vypěstoval a co všechno bolševici zničili za těch pár let, co jsou u moci. Ještě na schodech domu se dovolával Churchilla a Roosevelta a proklínal Stalina.

Pak odjel k tetě Anně do Liberce, aby se tam trochu zotavil.

Poslal nám pohled, v němž sděloval rodičům, že nepůjde tak dlouho do kina, dokud tento režim bude existovat.

Matka dědovi napsala v dopise, že bude lépe, když bude své pohledy příště posílat v zalepené obálce.

Děda uposlechl.

Za nějaký čas přišla obálka, na jejíž zadní straně děda připsal: „Drazí, posílám pohled chrámu sv. Pavla v obálce, abyste neměli nepříjemnosti s režimem."

Brigáda

Jednoho dne se v našem domě objevilo oznámení, keré napsal správce.

BRIGÁDA V SOBOTU NA DVOŘE ZA ÚČELEM NAHNUTÉHO STROMU.

Stromem mínil spráce starý kaštan na dvoře, na který se dle jeho tvrzení přišla podívat nějaká komise, která usoudila, že strom je třeba porazit. Správce pak ještě obešel nájemníky a vysvětlil, že k poražení stromu bude zapotřebí mužů.

Otec, který byl sice toho názoru, že stojící kaštan je méně nebezpečný ncž ten, který bude skupina lidí vedená správcem porážet, se musel akce zúčastnit také, už proto, aby se bratr Michael dostal na gymnázium. Kdyby otec nahnutý strom nepomohl porazit, dozvěděl by se o tom domovní důvěrník, který by takovou věc uvedl v posudku. Na gymnáziu by se dozvěděli, že bratr má pasívního otce, který se nezúčastnil. Je docela dobře možné, že by posudek obsahoval i zmínku o tom, že nezúčastněnému otci je jedno, zda dvůr bude lepší a bezpečnější. Posudek by mohl přirozeně naznačit otcův odklon od kolektivu, který se snažil problém nakloněného stromu vyřešit. Důvěrný příběh by mohl popsat ještě další otcovy sklony, třeba k samotářství nebo k egoismu. Mezi otcovými sklony a skloněným stromem by pak došlo třeba k jakémusi poměru. Důvěrník by mohl pokračovat a popsat následky počínání egoistického otce, jemuž jsou lhostejné osudy nevinných dětí na dvorku, jímž hrozí dík stromu neustálé nebezpečí. V dalších verzích rozrůstajícího se románu o otci by autoři, kteří sice otce neznali důvěrně, avšak měli naprostou důvěru lidu, psali o muži, který má sklony ubližovat dětem a který k tomu používá ohnutého stromu.

Otec si uvědomil, že kdyby bratra na školu nepřijali, zcela jistě by to porazilo matku, a dal proto přednost porážení kaštanu.

Správce sice nejprve hovořil o tom, že potřebuje muže silné, ale později připustil, že se bude hodit každá ruka. Zřejmě si uvědomil, že za silné muže může považovat jen našeho otce a pana Denera z přízemí. Proto na dvůr přišli i slabší, zato však technicky vzdělaní pánové: doktor Kubička a inženýr Janeba. Akademický malíř Sychra nepatřil ani k prvé, ani k druhé skupině. Tvrdil však, že si velmi rád zacvičí, a oblékl se proto do lyžařského úboru.

Někteří pánové zřejmě v životě žádný strom nekáceli. A byli mezi nimi dokonce i takoví, kteří se patrně v životě nedostali ani do blízkosti pařezu. Jinak by se třeba doktor Kubička nebyl objevil ve starší hasičské helmě, kterou si někde vypůjčil. Krom toho oznámil ostatním, že si prostudoval statistiku pracovních úrazů v lese.

„Na Šumavě připadá jeden lehce poraněný na šest jehličnatých stromů," vysvětloval.

Některé brigádníky zpráva trochu zneklidnila. Malíř Sychra si rychle navlékl velké rukavice. Inženýr Janeba řekl, že něco takového se ovšem může stát jen při n e o d b o r n é m   k á c e n í.

Správce pravil, že se nikomu nic nestane, když budou všichni dbát jeho povelů a chovat se ukázněně. Obcházel přitom ostatní pány jako nějaký důstojník.

Malíři zastrčil šálu do větrovky.

Potom se ujal slova inženýr Janeba.

„Propočítal jsem výšku kmene, a když jsem získal těžiště T, počítal jsem při odhadu výšky stromu V přibližný úhel dopadu, tedy bod, který těleso protkne v okamžiku pádu …," vysvětloval, nahlížeje do malých papírků.

„*Těleso?*" podivil se pan Dener, který míval obchod s koženým zbožím.

„Strom," vysvětlil správce.

„… mohl bych samozřejmě vypočítat úhel přesněji, za předpokladu, že bych dosadil jednu neznámou…"

„Koho?" ptal se pan Dener.

„… řekněme, že by neznámou byla síla větru, označme ji třeba S, protože ta je rozhodujícím faktorem při ovlivnění pádu…"

Pan Dener znetrpělivěl. Řekl, že přišel na dvůr, aby porazil strom, a ne aby poslouchal cosi o neznámých. Správce také ztratil trpělivost a řekl, že to stačí. Inženýr chtěl ještě mluvit o tom, že bude záležet na větru, zda bude foukat proti, nebo po směru, ale pan Dener už přinesl štafle, aby mohl vylézt na strom a upevnit tam lano, které správce právě rozmotal. Správce pak vysvětlil malíři a doktorovi, že budou později lano tahat, až bude strom naříznut. Malíř byl nedočkavý a chtěl to hned zkusit, ale správce ho zarazil. Inženýr řekl správci, že může klidně vypočítat povrch celého stromu nebo jeho objem, ale správce nic takového nezajímalo. Inženýr pokrčil rameny, schoval papírky do kapsy montérek a zatvrdil se. Mezitím udělal správce do stromu znamení nožem a řekl, že je možno začít.

Nejprve se do řezání pustil otec s malířem. Ukázalo se, že malíř se k pile nehodí. „Tahat!" vysvětlil mu otec. „Aha," řekl malíř. „Tahat, ne tlačit," řekl otec. „Jistě," řekl malíř a ohnul pilu. „Povolte!" „Prosím?" „Abyste povolil!"

V tu chvíli malíř pilu pustil a otec, který něco takového nečekal, klesl vedle stromu.

Správce usoudil, že bude čas muže vystřídat, a do řezání se dali pan Dener s panem doktorem Kubičkou. Pan Dener nasadil rychlé tempo a doktor si pochvaloval, jak jim to jde. Náhle však zrudl a začal se opírat volnou rukou o strom. Brzy to vypadalo, jako by pan Dener netahal jen pilou, ale i doktorem. Správce, který zřejmě dostal o doktora strach, řekl, že to stačí a že bude lepší pány vystřídat. Pan Dener řekl, že se sotva zahřál a že potřebuje jen jiného partnera. Otec, který rychle odhadl, že mu opět hrozí malíř, se vrhl k pile.

Potom se práce ujal správce s inženýrem, který upozorňoval na to, že se pila při práci velmi zahřívá. Řekl, že je pro něj hračkou vypočítat podle jednoduchého vzorce, na jak dlouho bude nutno udělat přestávku. Správce řekl, že stačí na pilu sáhnout.

Bylo vidět, že inženýr správcem vyloženě pohrdá.

Po krátké přestávce se pily znovu zmocnil malíř, jemuž se práce zřejmě velmi líbila, a ptal se, kdo mu pomůže. Pan Dener dělal, že si zavazuje tkaničku u boty, otec se díval do země. Nakonec si dodal odvahy doktor Kubička. Upravil si helmu, poklekl opět ke stromu.

Ostatní pánové instinktivně ustoupili stranou.

Doktor navrhl, aby si dali nejprve znamení a pak začali řezat. Malíř souhlasil.

Prudce zatáhl, mrštil doktorem ke kmeni a řekl: „Teď!"

Doktor se pomalu zvedl, ohmatal si čelo a chvilku na malíře zíral.

„To mi nevyšlo," pravil malíř.

Doktor vysvětlil malíři znovu, že musí nejprve dát znamení a teprve pak začít pohyb. Malíř pravil, že to samozřejmě udělá, že se mu práce s pilou velmi líbí, že není nad opravdickou fyzickou činnost a že hrozně rád maká jako chlap. Když se oba připravili a zaujali znovu pozice, dal malíř znamení, ale zapomněl zatáhnout.

„Pardon, já se nesoustřdil," vysvětloval, zatímco ostatní pánové pomáhali doktoru Kubíčkovi na nohy. Doktor kupodivu mlčel, ale všelijak gestikuloval jako mim. Ukázalo se, že se mu nedostává dechu, který si pádem vyrazil. Správce pak vzal za všeobecného pochvalného mručení panu Sychrovi pilu. Pánové si nástroj předávali opatrně, jako by měli strach, že se ho malíř znovu zmocní.

Pan Sychra chodil kolem stromu a hovořil o tom, že jedině manuální činnost a opravdová prácička zbavuje člověka duševního napětí. Správce pak prozkoumal zářez a řekl, že to už mohou zkusit. Zároveň rozdělil úkoly. Sám zůstal s inženýrem u kmene, ostatní poslal tahat za lano. Malíři dovolil, aby šel také k lanu, ale upozornil ho, že musí utéci, až bude strom padat. Malíř byl nadšen, protože ještě nikdy za lano netahal, a hovořil o tom, že teď musí všichni spojit síly. Zkusili to, ale kmen se nepohnul.

Pak Dener řekl, že to chce ještě trochu naříznout, ale sotva se pustili s inženýrem do práce, ozval se praskot.

Později si nikdo nemohl vzpomenout na přesný sled událostí. Správce tvrdil, že v běhu pozoroval padající strom. Inženýr měl dojem, že se vyhýbal malíři, ale nebyl si jist, zda to byl on nebo někdo jiný, protože si chránil obličej rukou.

Někdo však patrně vrazil do doktora Kubíčky, jemuž přilba sklouzla do čela a zakryla mu na chvíli zcela výhled. Je možné, že doktor ve zmatku běžel v protisměru a strčil do malíře, kterého padající strom zasáhl větví a srazil k zemi.

Otec tvrdil, že viděl, jak nejdříve padl strom a pak malíř, ale inženýr Janeba byl jiného názoru.

Malíř ležel na zemi a žádal, aby zavolali jeho ženu. Inženýr listoval v zápisníku a hledal první pomoc.

Pan Dener odběhl pro lékaře, pan doktor pro malířovu ženu.

Když přišla na dvůr, rozepínal právě správce malíři košili a podkládal mu hlavu složeným svetrem.

Pan Sychra řekl ženě, co má udělat s obrazy.

Mezitím inženýr nalezl poučení o popáleninách a předčítal je nahlas. Přišel lékař, prohlédl pana Sychru a prohlásil, že mu nic není, že má jen malý šok.

Malíř ležel na zemi a hovořil s ženou.

„… polabský cyklus odkazuji rodnému Pelhřimovu, oranžové období, to na kredenci, si nech…"

„Vždyť ti nic není, Vašku," uklidňovala tvůrce žena, když spolu zvolna opouštěli dvůr.

„To nevadí," řekl malíř a pokračoval v závěti.

Přehlídka

Každý rok se devátého května konala na letenské pláni vojenská přehlídka. Protože se jí pravidelně účastnila i jízda a vojáci na koních jezdili naší ulicí, očekával otec tento den, kdy se nám naskytla příležitost získat hnojivo pro květiny, s nedočkavostí.

Už den předtím chystal kbelíky, lopatky a další nářadí a upozorňoval nás večer, že musíme jít brzy spát, protože nás druhého dne očekává důležitý úkol. Obvykle nám také připomínal, že jen ti, kdo se budou snažit, mohou získat hodně hnědého „zlata" a že nám celá akce dává příležitost dokázat, za co stojíme jako rodina. Druhého dne vyhlížel už od rána na balkóně koně. Naše pětičlenné družstvo očekávalo plně vyzbrojeno jeho povel.

Během let se ukázalo, jak důležitou roli hraje při akci naše výstroj. Proto jsme byli oblečeni do teplákú a kecek, abychom se dokázali co nejrychleji pohybovat po silnici. Zároveň šlo také o to, jak co nejlépe čelit konkurenci, kterou byla rodina pana Denera v přízemí. Denerovi měli také hodně květin, ale nebyli v takové výhodě jako my, už proto, že jejich družstvo tvořili jen tři členové, kdežto naše bylo nepoměrně silnější. Nejlepším členem Denerova družstva byl syn Richard, jemuž pomáhaly jeho dvě mladší sestry. Navíc měla naše rodina se sběrem koňského trusu víc zkušeností. V prvních letech jsem sbíral já s otcem, a když přišli na svět další sourozenci, učili se už od mládí tím, že nás pozorovali při práci. Později byli jeden po druhém zařazováni do mužstva. Otec pak převzal funkci velitele a řídil celou operaci z balkónu, odkud nám velel. Brzy každý znal už svou funkci a pan Dener nás dával za vzor svým dětem.

Krom toho otec neustále zdokonaloval systém a hlavně taktiku, kterou rok od roku měnil kvůli konkurenci. Občas se mu tak dařilo vnést do soupeřova družstva zmatek.

Jednou použil válečné lsti.

Otevřel časně ráno okno do světlíku tak, aby jeho povel bylo slyšet k sousedům, a pak zvolal: „Už jedou!" V tu chvíli jsme začali dělat hluk nářadím a volali jsme na sebe povely, abychom vyvolali ten správný dojem, že spěcháme do práce. Pan Dener rozčileně budil děti a křičel na ně, ať sebou hodí, jinak jim všechno vysbíráme.

Matka, která sledovala za záclonou bojiště, tvrdila, že první byl na ulici Richard, oblečený jen do trička a trenýrek. Po něm přiběhla starší sestra, která však měla svetr přes obličej a měla tudíž potíže s orientací. Nakonec se objevila nejmladší sousedova dcera, která však zapomněla nářadí a přiběhla s malým medvídkem, který rozhodně nepatřil k výstroji.

„V každém případě byli venku v dobrém čase," sdělila nám tehdy matka, a tak se ukázalo, že rozhodně není dobré podceňovat soupeře a spoléhat se na to, že jsme favority soutěže.

Když se tehdy koně objevili doopravdy, běželi jsme po schodech naopak velmi tiše. Bylo to však zcela zbytečné, protože sousedova rodina včetně velitele spala. Pan Dener si pak z otcovy lsti vzal ponaučení a od té doby střídal v okně hlídky.

Když bratr Jan zjistil, že si pan Dener opatřil na přehlídku jeden větší kbelík a více lopatek, pochválil otec bratra jako výborného člena družstva, který ani ve volných chvílích nezahálí a přispívá k úspěchu ostatních už tím, že provádí dobrou špionáž.

Někdy změnil také soused taktiku, ale nebylo mu to nic platné, protože otec se o tom včas dozvěděl. Michael například zjistil při rozhovoru s mladší sousedovou dcerou, co se chystá. Jeden z členů protivníkova mužstva měl běhat s kbelíkem a ostatní mu měli nosit materiál. Bratr to včas sdělil otci, který pohotově vymyslel nový plán pro naše družstvo. Jan, který se uměl neuvěřitelně rychle pohybovat, dostal za úkol odříznout konkurenčním závodníkům přístup ke kbelíku, zatímco my ostatní jsme se věnovali sběru. Běželi jsem v řadě, vyzbrojeni každý vlastním nářadím. Plán vyšel skvěle. Sousedovo družstvo znervóznělo a zcela selhalo. Krom toho se starší sousedova dcera zapovídala s jedním vojákem a pan Dener nechtěl, aby mu po závodech chodila na oči.

Otec dobře věděl, jak důležitou roli hrál morální stav každého jednotlivce. Proto nás vždy také hlasitě povzbuzoval, abychom dosáhli nejlepších výsledků.

„Za oleandry! Za kaktusy! Za fíkus!" volal otec na nás z balkónu, dodávaje nám hesly morální síly.

Když přehlídku jednoho dne zrušili, označil to otec za sabotáž.

Naštěstí se bratru Janovi zalíbili koně zřejmě natolik, že začal chodit do jízdárny a naše květiny tak zachránil.

Brzy dodával cenný materiál i sousedovi, který mu za to nabídl odměnu a který ho tak přivedl na myšlenku hledanou surovinu prodávat. Nevím, jak dlouho bratr obchodoval a zda udělal dostatečný průzkum trhu, protože jeho nadšení brzy polevilo.

Když se ho otec později ptal po příčině úpadku, dal mu bratr odpověď hodnou budoucího podnikatele:

„Protože je to hovno obchod!"

Návštěva

Domovnímu důvěrníkovi nikdo v domě moc nedůvěřoval. Otec se mu vyhýbal, jak mohl. Krom toho se stranil i správce a dbal na to, aby se nesetkal ani s inženýrem Janebou.

Zvykli jsme si na to, že jakmile někdo zazvonil, mizel otec do pokoje, kde očekával znamení. Znamením byl kašel. Zpočátku nám smluvené kašlání dělalo trochu potíže, ale časem jsme dosáhli takového cviku, že otci nehrozilo žádné nebezpečí. Nejlépe dávala znamení matka, kterou bylo v pokoji slyšet dokonce i tehdy, když hrálo rádio.

Brzy jsme vytvořili poměrně dokonalý systém:

Správce – jedno zakašlání,

inženýr Janeba – dvojí,

důvěrník – jedno zakašlání, jedno zachraptění.

Potíže nastávaly občas v zimě, kdy jsme měli rýmu a raději jsme proto vypínali zvonek, aby nevzniklo nedorozumění. Všichni příbuzní i známí věděli, že mají klepat třikrát na dveře, abychom se pojistili. Později jsme si sami zvykli třikrát zvonit v případě, že někdo z nás neměl klíče.

Ještě dnes, po letech, zvoním třikrát, kdykoli se vracím domů bez klíčů. Žiju sice už dávno v jiné ulici a v jiné zemi, ale toho znamení se už nezbavím.

To že pan Kalousek, který byl důvěrníkem, překvapil jednou otce, se stalo nedopatřením. Tenkrát se Jan sice snažil dát otci znamení, ale nepodařilo se mu to. Měl totiž v okamžiku, kdy pan Kalousek zvonil, v puse bábovku. Snažil se prý zákusek nebrat při signalizaci na vědomí, ale začal se bohužel dusit. Šlo prý sice o jediný drobeček, ale bratr byl mladý a věděl, že má život před sebou a musel tudíž učinit rozhodnutí. Rozhodl se, že raději dojí bábovku, a obětoval tak otce.

Návštěva se mohla obejít bez komplikací, nebýt toho, že v pokoji byl ještě děda, který si tam četl noviny. Když se pan Kalousek objevil, měl děda radost, že bude příležitost si pohovořit. Byl ovšem zvyklý na to, že k nám na návštěvu chodili lidé slušní, s nimiž se dalo hovořit otevřeně, a považoval patrně pana Kalouska za některého z otcových známých.

Matka, která věděla, že důvěrník píše posudky, byla celá nesvá a snažila se dostat dědu z pokoje, což se jí nepodařilo. Spěchala tedy honem udělat kávu, aby se co nejdříve mohla vrátit.

Pan Kalousek se zeptal otce, jak se mu daří.

„Ujde to," řekl otec.

„Zdraví je poklad, který je třeba chránit," pravil děda významně.

„To je moudře řečeno," řekl pan Kalousek.

„Inu … to je také to jediné, co vlastním," řekl tiše děda, a když pan Kalousek přemýšlel, jak pokračovat v rozhovoru, dodal děda, že už o vše ostatní přišel.

Otec sebral noviny se stolu a začal je skládat. Děda sledoval chvilku otce a pak pravil, že je lepší noviny vyhodit, protože jsou stejně plné lží.

„Prosím?" zeptal se pan Kalousek, který poslední slovo nezaslechl díky otcovu šustění.

V tu chvíli se vrátila matka s kávou a bábovkou. Pan Kalousek řekl, že káva výborně voní, a matka řekla, že to bude tím, že ji sama praží a že pražená káva voní víc než nepražená, a proto ona dává přednost té, kterou upraží, i když upražení zabere čas, ale kdo by nepražil kvůli vůni. Bylo vidět, že je matka poněkud nesvá, ale pan Kalousek si toho naštěstí nevšiml, protože ho zaujala bábovka, která mu zachutnala, a hned se zeptal, zda ji matka sama pekla.

Matka řekla, že ano, a chtěla jistě ještě hodně dlouho mluvit o bábovce, ale udělala neprozřetelně pauzu, a děda toho využil.

„Kupovaná se přece nedá jíst," poznamenal.

V tu chvíli začala matka nesmírně míchat svou kávu lžičkou. Děda chtěl ještě něco říci, ale matka začala znovu míchat kávu, a to nejprve dolevá a pak doprava, a když se na ni všichni tři páni podívali, pravila, že se káva musí řádně zamíchat, a nervózně se zasmála. Pan Kalousek se díval, jak matka kávu míchá, pak vzal lžičku a taky si zamíchal kávu, a když viděl, že matka stále ještě míchá, pokračoval v téže činnosti, i když bylo vidět, že si není jist, proč to dělá.

„Dřív bábovky voněly máslem," řekl děda a chtěl ještě pokračovat, ale otec se znovu ujal novin a vytvořil z nich za nesmírného šustotu objemný balík. Pan Kalousek zíral na otce, jak skládá noviny. I dědu otcova činnost zaujala. Ještě nikdy neviděl zetě zacházet takto s tiskem. Mezitím vytvořil otec z novin jakési papírové, nepravidelné těleso.

Děda pravil, že se vše změnilo, když bol… a dál se nedostal, protože zasténal.

„Není vám dobře?" zeptal se pan Kalousek.

„Noha mne zabolela," řekl děda a dodal, že ve svém věku musí být na okončetiny opatrný. Díval se přitom pod stůl.

„Letos je ale pěkně," pravila nervózně matka.

„Ačkoli je podzim," dodal otec.

„Podzim?" dodal důvěrník.

„Pěkně," vysvětlila matka.

„Bol…" řekl děda, ale hned zaúpěl a rychle se podíval pod stůl. Pak řekl, že ho někdo kopl. Pan Kalousek řekl, že on to nebyl, a otec rychle skádal noviny, které teď vypadaly jako nějaké zvíře s ušima. Matka si začala opět míchat kávu všemi směry. Pan Kalousek se díval z jednoho na druhého.

Chvíli bylo ticho.

Pak si začala matka náhle skákat s otcem do řeči. Vzpomínali na podzimy. Na loňský a předloňský. Pan Kalousek se pak připojil a vzpomněl si, kdy začalo padat před rokem listí. Matka upřesnila, do kdy listí padalo. Pak se otec podrobně zabýval – podzimy v letech padesát až padesát šest. Matka mu pomáhala s informacemi o větru. Otec se pak zaměřil na déšť, matka na teplotu. Matka pak znovu překontrolovala některé z těch podzimů, kterými se zabýval otec.

Když matka vzpomínala na jeden z předválečných říjnů, chtěl ještě děda něco říci, ale hned se chytil za nohu a nemohl si ani postěžovat, protože otec znovu do matčina vyprávění přerovnal balík novin.

To už bylo na pana Kalouska zřejmě moc, protože se náhle zvedl, řekl, že přišel vlastně jen na skok, na kus řeči a že už musí jít.

Podal všem ruku, podíval se na otce a jeho balík a odešel. Rodiče i děda byli celí vyčerpaní.

Od té doby se důvěrník naší rodině vyhýbal.

Děda sedal ke stolu s nedůvěru.

Pod stolem ho tenkrát kopala matka.

Přiznala se, že to dělala jen velmi nerada.

Měla totiž strach, aby děda před návštěvou nevyslovil svou oblíbenou větu, kterou jsme už všichni znali: „Bolševik nám nechal jen pěsti na zatnutí, zuby na skřípění a oči pro pláč."

Ilegální ovoce

Skoro každý člověk zná nějaké místo, bez něhož by se obešel. Pokud jde o mne, obešel bych se jistě bez Libčic nad Vltavou. Vůbec by mi nevadilo, kdyby toto místo zmizelo z mapy a bylo jednoduše zrušeno. Kdybyste jeli do Libčic (což vám přirozeně nedoporučuji), zmocní se vás okamžitě pocit, že jste v místě, které se nedokázalo rozhodnout. Libčice nejsou město ani městečko, protože zcela postrádají náměstí. Chybí jim dokonce i slušná větší ulice, ta, které se říká hlavní a o níž má člověk dojem, že ji tak může nazvat, aniž přehání. Libčice nejsou ani vesnicí s kostelíkem a idylickým hřbitovem. Když už člověk věří, že je na vesnici, promění se najednou bleskově v řadu vilek a malých zahrádek, a sotva si na to člověk zvykne, už po pár krocích ho zaskočí domky a les, který končí nepořádně fotbalovým hřištěm; v jeho sousedství je hřbitov, před nímž stojí telefonní budka. Ta telefonní budka u hřbitova mne vždy fascinovala. Jediným slušným místem v Libčicích pro mne bylo nádraží, protože jsem věděl, že mohu zase jet pryč.

Nikdy jsem nechápal, co vedlo otcovy rodiče k tomu, aby si zrovna v tomto místě postavili domek, poté, co žili v krásných jižních Čechách.

Je možné, že bych měl Libčice raději, kdybych tam jezdil za dědou a babičkou a nevěděl, že odtamtud museli pryč, do míst, odkud se nikdy nevrátili. Nevím. Zdá se mi, že můj vztah k tomuto hnízdu je patrně také ovlivněn válkou a tím, co jsem tu během války zažil. Matka musela časně ráno jezdit vlakem za prací do Prahy. Vždy mne probudila a pak jsme běželi na nádraží, právě kolem toho hřbitova s telefonní budkou. Později mne nechávala doma u paní sousedky, která je pro mne jediným světlým zjevem toho místa.

Do Libčic také jednou časně ráno přijeli američtí vojáci. Bušili na dveře a volali, ať otevřeme, že nám vezou tátu, ale když vešel a objímal matku a mne, dostal jsem z něho strach a brečel jsem, protože jsem se ho snad trochu bál. Myslel jsem si, že táta je někdo jako Popelka, o kom mi matka vyprávěla, ale kdo nikdy nevejde do našich dveří.

Dovedl bych patrně hovořit o Libčicích líp, kdybych nemusel vzpomínat na chvíle, kdy jsem se bál jako třeba při náletech, kdy mne sousedka nosila do sklepa a ukládala do vany, vystlané peřinami, ale uvědomuji si, že jsem zažil nálety i jinde a že jsem žil za války u řady lidí příbuzných i cizích na venkově i ve městech a žádné z těch míst mi nebylo tak nesympatické jako toto.

Mohu také říci, že žádný z mých sourozenců a ani otec neměli Libčice rádi. Po válce jsme tam jezdili většinou v sobotu nebo v neděli na zahrádku trhat ovoce.

V domku bydlela rodina pana Bárty, kterého tam nastěhoval národní výbor, hlavně kvůli paní Bártové, o níž nám sdělili sousedé, že se jí všichni bojí. Paní Bártová byla nejen velkou straničkou, ale také redaktorkou závodního časopisu v cihelně. Myslím si, že jedním z těch, kteří se paní Bártové báli, byl pan Bárta, protože jsme ho několikrát našli schovaného v kůlně, když jsme tam prchali před deštěm. Dělal, že čistí lopatu nebo že počítá hřebíky. Kdykoli jsme do Libčic přijeli, byl pan Bárta rád, že s námi může být na zahradě a že není se svou ženou sám. Občas měl zavázanou ruku nebo nohu v sádře, a když jsme se ho ptali, co se mu stalo, říkal, že žena prudce zavřela dveře nebo že mu držela žebřík, když něco opravoval. Věděli jsme, že neříká celou pravdu, protože nikdy nic na chátrajícím domku neopravoval.

Když jsme lezli po stromech a trhali ovoce, stával pan Bárta často pod stromem a upozorňoval nás na jablka nebo požádal otce o cigaretu a kouřil ji otočen zády k oknu domu. Když jsme ovoce očesali a odcházeli na vlak, býval docela smutný a ptal se, kdy zase přijedeme.

Cesta zpátky se obvykle neobešla bez komplikací. Vlak býval vždycky přeplněný a lidé, kteří cestovali bez ovoce, neviděli naše zavazadla rádi. Stávali jsme obvykle na chodbičce, kde košíky překážely lidem v chůzi. Otec nám říkal, kdy máme kterým košíkem pohnout, nebo posunoval kufry. Navíc měl starosti se svým velkým ruksakem.

Jednou uvízl v chodbičce a nemohl se hnout ani jedním směrem. Já i Michael jsme se do ruksaku opírali a pokoušeli jsme se mu pomoci, ale marně. Pak mu pomáhal nějaký pán z Holešovic, který věděl, jak s ruksakem zacházet, protože v něm za války vozil maso. Když ani on neměl úspěch, otec rozhodl, že nezbude než zavazadlo zmenšit. Brali jsme z ruksaku jablka a kladli je na košíky a pak jsme požádali o pomoc cestující. Michael žádal lidi v kupé, aby byli tak hodní a podrželi na chvíli pár jablek. Když se otec konečně vyprostil, sbírali jsem zase ovoce a dávali je do ruksaku, pak sestra obešla všechna kupé a kontrolovala, zda jablka nechybějí.

Z nádraží jsme šli na tramvaj, kde jsme v zadním voze zaplnili košíky i kufry celou plošinu. Někdy se lidé ptali, odkud vezeme tak pěkné ovoce, a chtěli pár kilogramů koupit.

Jednou stál pod otcovým ruksakem nějaký malý muž, který se necítil v té pozici dobře, protože se otce ptal, kolik asi ruksak váží a zda má pevné popruhy. Když se dozvěděl, že je to ještě staré předválečné zavazadlo, docela se uklidnil.

Později jsme do Libčic jezdili jen zřídka, protože stromy byly často holé a paní Bártová nám oznamovala písemně, že byla špatná úroda nebo že jablka smetla náhlá vichřice a že tedy nemusíme jezdit. Někdy jsme jeli do Libčic přesto. Pan Bárta býval zamčen v domku a mával nám přes kompoty a velké láhve zavařeniny.

Libčice byly neoblíbené, ale k větším nepříjemnostem docházelo kvůli jižnímu ovoci. Na pomeranče nebo banány byl otec přímo alergický. Neměl proti ovoci nic, pokud bylo v obchodě, ale rozčilovalo ho, jakmile se objevilo u nás doma na stole. Byl vždy přesvědčen, že takové ovoce je jednak neslýchaně drahé a že je nikdo z nás nepotřebuje, že nám rozhodně stačí jablka nebo hrušky.

Matka byla ovšem jiného názoru a tvrdila, že potřebujeme občas pomeranče, protože mají vitamíny. Otec hájil jablka, která podle jeho názoru měla vitamínů dost, a připomínal matce, že sám nepoznal pomeranče do pětadvaceti let, aniž tím utrpěl jeho vývoj. Matka však pomeranče hájila, i když byly finančně nedostupné. Myslím si, že ji patrně trápila představa, že by například Michael měl žít jen s teoretickou znalostí banánů. Šla možná tak daleko, že měla i strach, že by třeba Jan uviděl až ve zralém věku banán (asi v nějakém cizím filmu), a dostal by z toho šok, takže by ho pak bylo nutno s ovocem jen ve velmi malých dávkách postupně seznamovat. Snad si matka prostě nedovedla představit, že bychom to v životě bez jižního ovoce mohli někam dotáhnout. Krom toho měla jiný argument.

„Jsem si jista, že ministři mají na stole banánů dost!" říkala otci. Ten něco takového nepopíral, ale připomínal, že on ministrem není.

„To je ti podobné," řekla matka, čímž ho patrně uvedla do stavu hlubokého přemítání, protože bylo známo, že sama režim nesnáší.

Proto jsme takové ovoce jedli občas ilegálně.

Bylo to jen tehdy, když otec nebyl doma. Matka, která nic neponechala náhodě, rozdělila úkoly pro případ, že by se otec neočekávaně vrátil. Každý z nás věděl, co v takové situaci dělat. Krom toho si časem osvojil každý z nás vlastní metodu, jak banán nebo pomeranč jíst.

Jan dával přednost procházkám. Šel se svým pomerančem do parku, kde, jak tvrdil, se mu jedlo mnohem lépe.

Kateřina jedla svou porci v koupelně, kde se vždy zamkla a pustila vodu, aby tak přehlušila mlaskot.

Když se jednou otec vrátil a chtěl jít do koupelny, ptal se za dveřmi, kdo v místnosti je.

„Há," pravila sestra.

„Co tam děláš?" tázal se otec.

„Houpu se," odpověděla sestra.

Michael si bral nejradši ovoce na cestu, třeba na hodinu klavíru. Jednou prý potkal otce a stačil duchapřítomně strčit již oloupaný banán bleskově do rukávu. Učitelka hudby tehdy sdělila matce, že bratr se stále nelepší ve hře a že navíc znečistil klávesnici. Také mne jednou otec přistihl právě v okamžiku, kdy jsem se těšil na čerstvě oloupaný pomeranč. Ve zmatku mne nenapadlo nic jiného než hodit celý plod do úst. Abych zakryl rozpaky, začal jsem se na otce usmívat.

„Je ti něco?" zeptal se otec.

Zavrtěl jsem hlavou a běžel jsem do kuchyně, kde jsem vzal prázdný kbelík a nesl ho ven. Protože jsem nechtěl nic riskovat, nechal jsem pomeranč v puse a podržel si cestou úsměv a odložil ho až na dvoře, kde jsem pomeranč konečně snědl.

Přes všechna bezpečnostní opatření se jednou stalo, že někdo hodil bezmyšlenkovitě pomerančové slupky do odpadků, aniž je přikryl a zakryl tak stopy. Bylo to zrovna ve chvíli, kdy se vrátil otec z práce.

Matka tenkrát projevila nesmírnou duchapřítomnost, protože otce zabavila a požádala ho, aby hádal, co stojí pár holínek. Zatímco se otec jen s nechutí věnoval této činnosti, pronikl Jan s odpadky na chodbu, aby ilegální činnost nebyla ohrožena.

Otec tehdy cenu gumové obuvi neuhodl.

Nebyl to také lehký úkol, protože matka chtěla zároveň vědět, kolik má otec dětí a kolik budou stát holínky pro všechny. Také se ho ptala, jaký díl jeho platu na boty padne.

Otec řekl, že buď má moc dětí, nebo potřebujeme moc bot najednou, a sdělil matce, že podle předpovědi má být v příštích měsících slunné počasí a o dešti nemůže být ani řeči.

„Snad bys nechtěl, aby všechny děti nosily jeden pár?" ptala se matka ironicky.

Otec zabručel, že měl zřejmě adoptovat děti cizí, které by už holínky měly. Pak si vzal klobouk a opustil dům.

Matce to zcela vyhovovalo.

Měla totiž v plánu seznámit nás konečně s fíky.

Číslo do nebe

Všechno vlastně začalo tím, že můj kamarád Josef měl motocyklového strýce. Byl na něho pyšný, protože strýc jezdil závodně na motorce, a dával to Rudolfovi a mně patřičně najevo. Rudolf zase vlastnil spoustu vzácných skleněných kuliček. Tím se přirozeně nemohl nikdy vyrovnat Josefovi, protože závodní strýc byl nesrovnatelně víc než sebelepší sbírka kuliček, ale měl alespoň něco. Když jednou Josefův strýc utrpěl dokonce úraz, o němž psaly noviny, naše postavení se ještě zhoršilo, protože Josef někde získal vzácný výstřižek, který nosil stále s sebou, jako by to byla nějaká legitimace.

Dostal jsem se tak do společnosti, která mne brala na milost jen za určitých podmínek.

Musel jsem se ptát, jak se strýci daří a kolik přibylo kuliček.

Josef vyžadoval, abychom naslouchali jeho vyprávění o strýcově tréninku a o potížích s motocyklem. Později propadl stihomamu a tvrdil, že by sice nerad někoho jmenoval, ale že má dojem, že jsou mezi námi lidé, kteří by ho moc rádi připravili o noviny, v nichž bylo popsáno, co si kdy vzácný strýc vyvrkl nebo zlomil, spolu s celkovým počtem hodin, které superstrýc strávil za poslední léta v nemocnici.

Bránili jsme se takovému nařčení a ujišťovali jsme Josefa, že se mýlí. K čemu by nám byl článek, nevlastníme-li strýce?

Josef se za několik dní uklidnil, ale pak se najednou zeptal, zda nehovoříme o jeho strýci jako o svém. Museli jsme přísahat, že bychom se nikdy nedotkli bližního svého, natož příběhů či motocyklu jeho.

Rudolf, který přirozeně také nechtěl zůstat ve stínu strýce a jeho majitele, zase občas tvrdil, že se s námi nemůže sejít, neboť musí přepočítat své kuličky, protože má dojem, že jich pár chybí. Josef ho ujistil, že on kuličky samozřejmě nepotřebuje, nehledě k tomu, že by ani neměl čas na to, aby je sbíral, protože ho strýc pozval na závody.

Nejhůř jsem na tom byl zase já. Musel jsem přísahat, že bych se ani prstem kuliček nedotkl a že bych nikdy křivě nepoužil strýce. Pak se má situace ještě zhoršila, když mne Josef ze svého strýce začal zkoušet. Musel jsem vyjmenovat strýcovo umístění ve všech závodech za poslední dobu a také jména všech jeho milenek.

Tenkrát jsem si uvědomil, že nadešel čas, kdy musím strýci vyhlásit boj dříve, než mne přejede svým motocyklem nebo mne promění v pouhý patník.

Řekl jsem, že se zkoušce nepodrobím. Odmítl jsem dokonce říci počet koňských sil motocyklu přesto, že jsem látku znal, a řekl jsem, že si musím pamatovat věci mnohem důležitější.

„Jaký?" ptal se Josef.

„Například tátovo číslo," řekl jsem a hned jsem cítil, jak v tom tichu rostu, jak se narovnávám a jak muž na motocyklu, kterého jsem nikdy neviděl, mizí a jak se kuličky mění v prach.

Vychutnával jsem pak zvědavost obou spolužáků a odpovídal jsem skoupě, koutkem úst, jak jsem to vídal ve filmu dělat pana Bogarta, když jednal s podřízenými gangstery. Musel jsem ovšem své tvrzení dokázat, abych se vyhnul podezření, že jsem si celou věc jen vymyslel, a pozval jsem proto oba kamarády k nám. Když se přesvědčili, že můj otec má skutečně na ruce vytetované číslo, nastaly mi nové časy.

Maje očíslovaného otce, stal jsem se naprosto svobodným.

Oba kamarádi se mnou jednali uctivě.

Rudolf mi nabídl část kuliček a Josef byl ochoten půjčovat mi výstřižek o strýci každé pondělí, středu a pátek, když jim prozradím, co otcovo číslo znamená. Byl jsem však moc dlouho otrokem a metody otrokáře mi byly známy. Krom toho jsem si uvědomoval, že by pan Bogart jednal stejně, a nedal jsem se obměkčit. Řekl jsem spolužákům, že je chápu. Ale naznačil jsem, že se ani kuličky, ani závodní strýc nemohou rovnat číslu, které otci dala tajná organizace, jejíž jméno on sám nesmí prozradit. Pak jsem je požádal, aby mi věc nedělali ještě těžší a raději se mne už na nic neptali.

A protože mne číslo začalo taky zajímat, zeptal jsem se matky, kdo ho otci dal.

„Jaké číslo?" polekala se.

„To na ruce."

„Na jaké ruce?" ptala se matka velmi nervózně.

Pak se chovala vyhýbavě. Sama mi kladla otázky, nebo odpovídala na ty, které jsem nepoložil.

Jednou, když jsem se jí znovu ptal, řekla mi, že by otec zrovna tak mohl mít třeba kotvu.

„Kotvu nemá," řekl jsem.

„Tak vidíš," pravila matka důrazně.

Někdy si místo odpovědi začala narychlo zpívat nějakou dlouhou píseň, a protože žádný syn nebude svou matku rušit ve zpěvu, nezbývalo, než abych šel po svých.

„Někteří manželé mají prostě číslo," řekla mi později. To, že označila otce za manžela, ve mně vyvolalo pocit, že zřejmě šlo o nějakou organizaci, kde manželé byli očíslováni, patrně aby se neztratili. Když už jsem matčiny písně znal nazpaměť, přestal jsem číslu věnovat pozornost. Krom toho mne zajímala víc čísla hráčů fotbalové jedenáctky a čísla aut. Teprve později, když už jsem pátral po telefonním čísle jedné dívky, jsem se dozvěděl, kde otec ke svému číslu přišel. Otec tvrdil, že je to číslo do nebe, a když to říkal, smál se tomu. Matka, která se však zřejmě nikdy nedokázala zbavit strachu, který v ní doba, kdy se čísla přidělovala, vyvolala, dávala otci najevo, aby se se mnou o tom nebavil.

Snad proto se tak polekala o pár let později, když Kateřina chtěla vědět, co znamená to, co o ní řekla jedna spolužačka.

„Co řekla?" ptala se matka.

„Ta mazaná židovka," pravila sestra.

Matka se dala hned do zpěvu a byla tak nesvá, že pletla dvě melodie dohromady. Pak řekla sestře, že se jistě přeslechla. Kateřina tvrdila, že slyšela dobře. Matka si chvíli neklidně prozpěvovala a pak začala sestře vysvětlovat, co znamená slovo mazaná.

Pravila, že má význam totožný se slovy bystrá, chytrá, moudrá, důvtipná nebo inteligentní.

Neopomenula vyložit slova: rozumná, uvážlivá, rozvážná i přemýšlivá. Pak se zabývala příbuznými výrazy. Nevynechala rozumbradu, mudrocha ani chytráka a zvláštní péči věnovala rčení liška podšitá. Použila také řady příkladů, aby sestra výraz správně pochopila.

Kateřina, kterou prvé slovo vůbec nezajímalo, vyčkala, až matčina přednáška skončí, a pak se opět zeptala na slovo druhé.

„Dojdi rychle pro chleba," řekla jí matka, odvádějíc tak nenápadně pozornost od tématu. Pak šla telefonovat otci. A protože už od války byla zvyklá hovořit v náznacích (tak, aby to nebylo nebezpečné, kdyby někdo poslouchal), hovořila tak i v míru.

Otec, jsa povahy výrazně otevřené a nešpionážní, obvykle jen těžko chápal. Rozhovor vypadal takto:

Matka: Nazdar.

Otec. Nazdar.

Matka: Kateřině někdo ve škole řekl, že je to, co za války... (matka položila důraz na slovo to).

Otec: Že je co ?? (udiveně)

Matka: To, co za války!

Otec: Co co za války?? (nechápavě)

Matka: Ježišmarjá, mysli!

Následovala chvíle, kdy se překvapený otec snažil přemýšlet.

Matka: Už chápeš? (po chvíli vyhrazené k myšlení)

Otec: Esesačka? (nejistě, váhavě)

Matka: Bože můj, jak může být někdo tak tupý!

Na tomto místě si začali oba rodiče vysvětlovat, kdo je tupý. Otec chtěl vědět, proč matka mluví nejasně. Ta se mu pak snažila pomoci.

Matka: Ta holka řekla o Kateřině, že je OPAK toho, co si myslíš!

Otec: Opak?

Matka: Jo.

Otec: Partyzán??

V této části rozhovoru ztratila matka nervy a trpělivost a opustila náznaky. Použila několika přímých, hrubších výrazů a pak požádala otce, aby přišel domů dříve, když je tak tupý.

Otce ještě zajímalo, zda by mohl přijít domů později, kdyby tak tupý nebyl, ale matka se rozzlobila a odhodila sluchátko.

Když otec konečně pochopil, oč jde, řekl, že nevidí, proč si dělat starosti. Matka pravila, že ho poznává, že je celý on, a připomněla mu, že někdo si v rodině vždycky starosti dělat musí. Řekla, že před válkou si také dělala starosti a otec ji nebral vážně, a jak to dopadlo. Pak otce požádala, aby celou věc nechal na ní. Otci to docela vyhovovalo, protože válku měl za sebou. Napadlo ho sice, že by bylo nejlépe říci sestře pravdu, ale když viděl, že je matka proti tomu, nesnažil se ji přesvědčit.

Kdykoli se Kateřina znovu zeptala, snažila se matka odvést pozornost tím, že sestru poslala na nákup nebo do biografu. Sestra, která se vždy až nápadně podobala matce tím, že se vším zabývala do nejmenšího detailu, se však nepřestávala ptát. Matka jí tehdy předplatila divadlo i koncerty, posílala ji na procházky a do zoologické zahrady. Když to nestačilo, koupila jí kolo. Kateřina viděla spoustu filmů, her, poznala zvířata a projela na kole celé okolí Prahy. Kudy jezdila, tudy patrně myslela na to, co ji zajímalo. A protože byla důsledná, vzala jednoho dne kolo a zajela na něm do knihovny, aby se konečně dozvěděla, co chtěla.

Jednou, zrovna když se obě vrátily z kostela, zeptala se Kateřina matky, zda si vůbec uvědomuje, že i Kristus byl žid.

„Prosím tě, na co to zase myslíš?" lekla se matka, a protože nechtěla přenechat dceru tak nebezpečným úvahám, sdělila jí, že i boží syn byl pokřtěný.

„Hm," pravila sestra, „ale moc mu to taky nepomohlo."

Třídní boj

Někdy hovořila matka s otcem zvláštním způsobem.

„To jste způsobili vy!" vytýkala mu, když se právě vrátila z nějaké fronty. Jindy, když třeba nejela dlouho tramvaj, vrátila se matka pozdě domů, ukázala na otce a řekla: „To je taky vaše vina!"

Otec brzy pochopil, že s ním matka hovoří jako se zástupcem strany, jejíchž ostatních pár set tisíc členů není zrovna po ruce. Z vrozeného pudu sebezáchovy se v takových chvílích choval velmi nenápadně.

Jednou mu matka přinesla ukázat kávu, kterou právě v obchodě koupila. Udělala to spontánně, bez nějakého úvodu nebo varování, jak bylo jejím zvykem. Otec, který byl až do té doby zvyklý kávu sice pít, ale ne pozorovat, nebyl zcela připraven.

„Jen se podívej!" vybízela ho matka, ukazujíc mu pytlíček.

Otec, kterého matka poněkud zaskočila, zíral střídavě na kávu, kterou rozhodně neviděl poprvé v životě, i na matku, o níž se do této chvíle domníval, že ji zná.

„Co tomu říkáš?" zeptala se ho matka po chvíli, kterou otec věnoval pozorování pytlíčku.

Otec mlčel. Bylo to zřejmě poprvé, kdy dostal takový úkol. Ještě ho nikdy nikdo nepožádal, aby se o kávě vyjádřil. Byl jistě schopen hovořit na jakékoli téma, ale káva ho neinspirovala.

Řekl bych, že káva nechávala otce chladným.

Rád ji pil, ale nikdy ho nenapadlo o ní hovořit.

„Pořádně se podívej!" vybídla matka otce zvýšeným hlasem.

Otec poslechl a díval se skutečně tak, aby mu nic neuniklo, ale ať pozoroval kávu sebevíc, nic ho nenapadlo.

V tu chvíli matka ztratila trpělivost a požádala ho, aby se laskavě podíval na cenu. Pak mu přidržela pytlíček blízko obličeje a oznámila mu, že cena kávy opět stoupla. A když otec bezradně pokrčil rameny, zamávala matka kávou a vykřikla: „Takhle vedete hospodářství!" Jindy byl zase slabý plyn; matka, která nemohla dovařit oběd, vyzývala otce, aby se šel podívat do kuchyně, co způsobil. Otec pravil, že netouží po tom dívat se na velmi slabý plyn, protože si něco takového umí představit, a chtěl zůstat v pokoji, ale matka ho nakonec donutila, aby do kuchyně šel a tam na plyn zíral.

„Styďte se!" řekla mu matka po prohlídce, po níž se otec vrátil do pokoje, aby si tam dočetl nějaký článek o úspěších socialismu.

Otec nebyl jediným členem strany v rodině. K soudruhům patřili také strýc Rudolf, teta Kateřina a strýc Petr.

Strýce Rudolfa jsme měli velmi rádi. Jako advokát hájil kdysi před soudem Dimitrova. Spolu s tetou Kateřinou a synem Petrem byl za války v Anglii, protože Němci na něho vydali hned po okupaci zatykač.

Strýc byl těžce nemocný a strávil přes dvacet let na lůžku.

Jednou ho navštívil nějaký ministr a přinesl mu vyznamenání. Strýc uložil vyznamenání do krabice a hodil ji pod postel. Nelíbilo se mu, že strana může mít v čele takové lidi, jako byl právě ministr. Strýcova žena, teta Kateřina, pěstovala krásné kaktusy a v pozdním věku psala neustále nějaké knihy o velmi malých pionýrech a ještě menších dělnických dětech. Knihy nechtěl nikdo vydat, protože teta si mnoho nepamatovala a spoustu věcí si pletla. Později, když byla také nemocná, obsluhovalo ji několik zdravotních sester. Teta jim říkala soudružky. Jedna se starala o tetu ve dne a druhá v noci. Další chodila nakupovat a zalévat kaktusy. Soudružka, která měla na starosti kaktusy, byla pro tetu nejdůležitější soudružkou. Matce, které šlo na nervy, že teta píše o socialismu a nezná ceny potravin, se zdálo, že i kaktusy dostávají nějakou speciální výživu, která je kaktusům nestraníků nedostupná.

Mezi příbuznými, kteří byli ve straně, panovaly také rozpory. Otec si výborně rozuměl se strýcem Petrem a oba se strýcem Rudolfem, jemuž raději tajili, co je nového, protože by to patrně nepřežil. Žádný ze strýců si nerozuměl s tetou Kateřinou, přesto, že jeden byl jejím manželem a druhý jejím synem.

Zvláštní bylo, že otce měli rádi všichni katoličtí příbuzní. Zejména matčina sestra, teta Anna, ho obdivovala především proto, že dokáže žít s matkou. Také teta Marie, která pocházela z továrnické rodiny, měla k otci slušný vztah.

Nejlépe si však otec rozuměl s dědou, který byl tím nejzavilejším nepřítelem strany z celé rodiny.

Léty se názory některých příbuzných měnily. Teta Marie, která nejprve vzpomínala na staré dobré časy, si zvykla a tvrdila, že se nějak žít musí. Strýc Petr prchl do USA, odkud poslal straně do Prahy zpátky svou legitimaci a do doporučeného dopisu připsal, že si dal závazek, že se už nikdy nevrátí.

Velmi složité politické vztahy v rodině působily i na mne. Chodil jsem na návštěvu ke strýci Rudolfovi a tetě Kateřině, pil kávu vařenou jednou soudružkou a jedl bábovku, kterou upekla ta druhá. Jeden čas jsem chodil pravidelně k tetě Marii, kam docházela Miss Jane, která mne i bratrance učila mluvit anglicky.

O přestávkách, při čaji, vzpomínala teta anglicky na své tovární dětství, strávené na zahradě vily, a na služky, které pobíhaly po zahradě s ovocnými dorty. Zrzavá Miss Jane pila čas a vzdychala perfektní angličtinou: „Oh, how lovely... oh, how beautiful!"

O prázdninách jsem zase jezdil k tetě Anně a pěti zbožným bratrancům, kteří mne brali do kláštera a tvrdili, že jen církev ze mne může udělat v tak zlé době člověka.

Doma jsem trávil většinu času s dědou, který označoval všechny komunisty za zločince, vrahy a podvodníky, nebo s otcem, který si u toho četl Rudé právo, a matkou, která souhlasila s dědou.

Jediným členem strany, kterého děda neodsuzoval, byl náš otec.

Matka odsuzovala stranu celou, včetně otce.

Pod vlivem toho všeho jsem i já dospěl k rozhodnutí a oznámil jsem jednoho dne hned zrána otci, že přijde den, kdy ho budeme muset zlikvidovat.

„Cože?" divil se otec.

„Budeme tě muset oběsit, tati," řekl jsem, snaže se zachovat klid, jak se na takového revolucionáře sluší.

Otec se tenkrát na mne chvíli nechápavě díval přes stůl, pak odložil noviny a zeptal se: „Kdo?"

„Já a Pavlásek," řekl jsem hrdě.

Pavlásek byl můj spolužák, který se rozhodl začít odboj přímo ve vlastní rodině a mýtit zlo u kořene.

K mému velkému překvapení se otec po této informaci uklidnil a pokračoval klidně v četbě novin. Klid, s jakým bral na vědomí svůj osud, mne šokoval. Věděl jsem sice, že po letech vězení byl už na ledacos zvyklý, ale přiznám se, že jsem očekával, že alespoň trošku zblední nebo že se mu budou chvět ruce. Myslel jsem si, že ho bude rozsudek, který jsem nad ním vynesl, víc zajímat, že bude chtít vědět víc o důvodech, které mne k rozhodnutí přivedly. Představoval jsem si, že se třeba začne hájit, aby dostal mírnější trest, třeba doživotí.

Nic takového se však nestalo. Otec klidně pokračoval v četbě novin a pil jednu z těch káv, která byla opět dražší.

Nic nepřivede revolucionáře z míry víc, než když ho jeho třídní nepřítel ignoruje. Rozzlobil jsem se a rozhodl jsem se, že budu ihned informovat zbylé příslušníky rodinné reakce. Sdělil jsem proto okamžitě svůj plán dědovi a matce.

Jenže mí spojenci mne zcela zklamali.

Děda, který po léta najisto počítal s převratem (vždy na jaře kolem deváté hodiny ráno; znamením mělo být houkání v rádiu a zvuk kostelních zvonů), mi najednou hrozil holí, když ještě někdy budu takhle mluvit s otcem.

Matka, kterou jsem považoval za svou revoluční učitelku, šla ještě dál.

Hrozila, že mi zarazí kapesné.

Něco takového by ovšem pro třináctiletého revolucionáře znamenalo bankrot.

Zklamán zbabělostí vlastní rodiny, oznámil jsem spolužákovi, jak vypadá situace.

Ukázalo se však, že i jeho revoluční nadšení poněkud polevilo. Sdělil mi totiž, že doba není ještě zralá, a že proto jede se svým třídním nepřítelem na ryby.

Jak jsme slavili první máj

Koncem dubna obcházel správce domu nájemníky a upozorňoval je, že je třeba umýt okna, protože se blíží První máj. Matka tou dobou už obvykle přerovnávala knihovnu. Brala z ní „Hovory s Masarykem" a „Volá Londýn" a odnášela je s obrázkem TGM do ložnice, kterou zamykala. Věděla, že nás správce s domovním důvěrníkem brzy navštíví právě kvůli prvomájové výzdobě a že bude muset pány vést do pokoje kolem knihovny.

Jednou přišel správce neobvykle brzo a matka musela knihy odstranit na poslední chvíli a přenést je z pokoje pod zástěrou.

Správce neobcházel partaje sám. Doprovázel ho doktor Kubička. Pan doktor měl na starosti seznamy těch, kteří měli být nalepeni, i těch, kteří je měli nalepit. Zpočátku dával pan doktor nájemníkům ještě portrét prezidenta Beneše, ale později ho v seznamu škrtl, protože nastala změna.

Některým nájemmíkům působili noví státníci potíže, protože na ně nebyli zvyklí.

Jednou vylepil pan Dener v přízemí do svých oken dva Staliny a pan doktor se na něho zlobil a vytýkal mu, že nepřemýšlí.

„Co jsem dostal, to lepím," hájil se pan Dener. Jeho žena do něho strkala a dávala mu tak najevo, aby raději mlčel, protože měla strach, aby si to ještě více nepolepil.

Největší potíže působil panu doktorovi bývalý krejčí, pan Reiber. Byl to už starý pán a nemohl si na novou dobu nějak zvyknout.

Jednou chyběl našim sousedům Kopeckým obrázek Marxe a pan doktor pobíhal nervózně po domě, nahlížel do seznamů a tvrdil, že dostal Marxů přesně na podpis a že to musel někdo splést.

Ukázalo se, že pan Reiber měl jednoho Marxe navíc.

„Teď vám zase chybí Engels," řekl pan doktor panu Reiberovi, když mu vzal jednoho hledaného Marxe.

Ukázalo se, že pan Reiber Marxe od Engelse nerozezná.

Přehraboval obrázky třesoucíma se rukama a mumlal, že ti dva jsou si podobní, protože oba mají vousy.

Pan doktor ukazoval starému krejčímu trpělivě oba státníky, upo-

zorňoval na to, čím se oba liší, a žádal pana Reibera, aby si je dobře prohlédl a naučil se jim nazpaměť.

Pak se pustil do hledání chybějícího obrázku. Chodil od rodiny k rodině a zjišťoval, kolik má kdo Engelsů. V našem patře obrázky souhlasily, ale jednoho Engelse navíc měl pan doktor Sobotka v druhém patře. Pan doktor býval dříve advokátem a měl několik vil, sportovních vozů a milenek. O vily i auta přišel, z milenek mu zůstala ta poslední, slečna Jáša, o které bylo známo, že chodí celé dny po domě v župánku.

Slečna Jáša prohlížela obrázky v předsíni s panem doktorem Kubičkou, velice se divila, že mohlo dojít k omylu, a volala pak do koupelny: „Měli jsme jednoho Engelse navíc, brouku!"

Aby nedocházelo k nedorozuměním, vymyslel si později pan doktor Kubička zcela nový systém. Označil obrázky písmeny a ta sdělil nájemníkům.

„Vy jste A, B, C, D," sdělil panu Reiberovi.

Starý pán z toho byl nervózní.

Pan doktor rozložil před panem Reiberem velký plán všech oken domu, na němž byl také zakreslen byt pana Reibera. Okna byla označena písmeny.

„Budeme lepit obrázky zleva doprava," vysvětloval.

Protože pan Reiber stále nechápal, co má dělat, rozhodl se pan doktor, že mu pomůže. Napsal jména politiků na kousky papíru a ty položil k oknům. Pak požádal krejčího, aby papírky nehýbal až do té doby, než obrázky nalepí. Pan Reiber slíbil, že raději nebude ani otvírat okna. Když později přibyly obrázky Gottwalda a Zápotockého, musel pan doktor vymyslet nový systém. Panu Reibrovi sdělil, že je 1, 2, 3 a 4. Pan Reiber, který už počítal napevno s tím, že je A, B, C, D, byl k novému označení nedůvěřivý a chtěl vědět, proč se to zase mění. „Protože mi v druhém patře došla abeceda," vysvětlil pan doktor. Také s čísly byly komplikace, protože některé byty měly jen tři okna do ulice, jiné čtyři, a šest předepsaných obrázků mělo být vyvěšeno v určitém pořadí.

Pan doktor se dal do nového systému. Pomáhal mu inženýr Janeba. Občas jsme ve světlíku slyšeli, jak oba pánové počítají a jak se přou o správný postup. Když jim vyšli státníci s desetinnou čárkou, vzal jim správce obrázky, chodil po domě a lepil je sám na okna.

Kdo přišel na alegorický vůz, se nepodařilo zjistit. Někdo říkal, že to byl domovní důvěrník, pan Kalousek, ale pan Dener tvrdil, že si to vymyslel právě inženýr Janeba, který si to potřeboval zlepšit v zaměstnání. Jisté je, že to byl inženýr, kdo přišel s nápadem, že vůz bude vypadat jako továrna, protože chtěl uplatnit svůj přístroj na výrobu kouře.

Inženýr s důvěrníkem pak požádali malíře Sychru, aby vůz vyzdobil. Mistr sice tvrdil, že s něčím takovým nemá žádné zkušenosti, protože se už dvanáct let specializuje na Polabí, ale nakonec to udělal, protože měl strach, že by mohl přijít o ateliér.

Scénu vymysleli inženýr se slečnou Jášou, která bývala tanečnicí v operetě, i když pan Dener vyprávěl dědovi, že tančila před válkou nahá v baru. Slečna Jáša chtěla nastudovat nějaký balet, ale inženýr byl proti tomu, protože by to prý nešlo dobře dohromady s jeho kouřem. Nakonec se slečně Jáše podařilo prosadit alespoň malý sólový taneček. Když se nájemníci dozvěděli o tom, co se chystá, dostali strach, aby nemuseli účinkovat. Pan doktor Sobotka odjel do lázní, otec zmizel tenkrát na služební cestu už koncem dubna a pan Dener si opatřil od nějakého známého lékaře potvrzení o tom, že nesmí dlouho stát. Tak se na voze nakonec objevil pan Hulena, který býval kdysi ředitelem banky. Prozradil matce ve frontě na maso, že to dělá jen proto, že doufá, že se jeho dcery dostanou na nějakou školu.

Pan Hulena dostal roli utištěného dělníka. Utiskoval ho továrník, kterého hrál náš soused, pan Kopecký mladší, syn domácích, kterým kdysi náš dům patřil. Pan doktor Kubička dostal roli černocha. Proč se na voze objevil ještě černoch, je záhadou. Pan doktor Kubička si myslel, že černoch se do scény nehodí, ale pan Kalousek tvrdil, že je to důležitá role, a slečna Jáša ho podporovala, protože měla možnost nacvičit malý taneček.

„Ráda bych, aby to bylo takové vervní," říkala neustále. Pan doktor z toho byl hodně nesvůj, protože prý nikdy netančil, ale slečna Jáša ho ujistila, že se nemusí bát, protože každý má rytmus v těle.

Celý příběh vypadal takto: jakmile se vůz rozjel, pustil se pan Hulena jako dělník do práce a dělal, že přenáší něco velmi těžkého. Po chvíli nošení začal pod nákladem klesat a jevil i jinak známky těžkého přepracování, protože se potácel, až se musel opřít o zeď, která byla papírová.

Pak přistoupil k panu Hulenovi pan Kopecký mladší, který byl až do té doby na druhé straně vozu, a ukazoval divákům, že má dva velké pytle peněz. Krom toho měl veliký doutník a velké hodinky na řetízku ze zlaceného papíru. Pan Kopecký měl také břicho vycpané polštářem, aby byl dostatečně tlustý. Tím břichem pan Kopecký mladší do pana Huleny strkal, tiskl ho ke zdi a dělal, že ho utiskuje. Pak se pan Hulena nedaleko řidičovy kabiny náhle zamyslel a díval se utiskovateli dlouho a upřeně do očí. Tato scéna působila prý při nácviku největší potíže. Po chvíli srazil pan Hulena, který býval dříve ředitelem banky, syna domácích pana Kopeckého mladšího na podlahu vozu a postavil se vítězoslavně na něho.

Pan Hulena šlapal na pana Kopeckého velmi opatrně, protože měl strach, aby mu neublížil, a pan Janeba se za to na něho zlobil, že to nevypadá věrohodně.

Když scéna skončila, vyskočil pan doktor Kubička a zatančil svůj černošský taneček.

Během celé doby se kouřilo z továrního komína.

Šel jsem se tenkrát na alegorický vůz našeho domu podívat, když jel po hlavní třídě.

Za vozem šel pan inženýr Janeba, který musel občas kontrolovat přístroj na výrobu kouře, se slečnou Jášou a paní Kopeckou. Paní Kopecká nesla manželovi piva v tašce a podávala mu je mezi výstupy. Slečna Jáša musela občas panu Kopeckému upravit břicho, protože polštář mu při hraní klesal do kalhot.

Na konci hlavní třídy, na Strossmayerově náměstí, došlo k nehodě. Vůz zaměstnanců pojišťovny, na němž několik žen zakládalo každých patnáct minut pantomimicky zemědělské družstvo a tahalo velkou řepu, narazil do našeho vozu.

Pan Hulena ztratil rovnováhu a padl na pana Kopeckého mladšího, který šlápl na doktora Kubičku, jenž se zrovna chystal zatančit.

Nějaká zdravotní sestra musela pak pana doktora Kubičku ošetřit. Řidiči obou vozů se začali hádat, kdo srážku zavinil. Nárazem se také rozbil přístroj inženýra Janeby na výrobu továrního kouře. Inženýr pak tvrdil, že jen pro tu nehodu nedostal vůz první cenu v soutěži. Ale doktor Kubička byl jiného názoru. Vyprávěl, že viděl vůz, který první cenu dostal, a přiznal, že byl skutečně lepší. Šlo o scénu, kterou nacvičila skupina prodavaček Pramene. Tančily jako mandelinky, zatímco vedoucí dělal agronoma, který je během tance postupně hubí.

Od té doby se už náš dům nikdy podobné soutěže nezúčastnil.

Největší radost z toho měl náš otec, protože nemusel myslet na to, kam zase odjede.

Chodil do průvodu rád, dokud byl sociálním demokratem, ale později ho oslavy přestaly bavit. Jednou musel nést spolu s dvěma jinými zaměstnanci nápis, který namaloval podnikový aranžér na tři tabule.

Otci připadlo slovo SOCIALISMU, které prý bylo zejména za větru nejhůře ovladatelné. Krom toho se kolega, který nesl slovo VÍTĚZSTVÍ, neustále zpožďoval a muž, který nesl ZA, šel zase neustále napřed. Kvůli nápisu musel otec zůstat v průvodu až do konce, protože musel tabuli zase odevzdat. Vzal si z toho poučení a od té doby chodil každoročně jen na seřadiště, kde počkal, až si ho zatrhnou na listině přítomných, a pak nenápadně mizel.

Ve škole organizoval průvod obvykle učitel tělocviku. Zkontroloval, zda jsou všichni přítomni, seřadil nás a pak upozornil krajní na to, aby v zatáčkách dávali pozor a přešlapovali na místě, aby řada byla pěkně vyrovnaná. Nedaleko Václavského náměstí nás tělocvikář upozornil, že nebudeme odpovídat na hesla těch, kteří byli u mikrofonů na balkónech domů a na tribunách jednotlivě a neuspořádaně, nýbrž že budeme všichni dávat pozor na jeho znamení, aby náš hlasový projev byl jednotný a výrazný.

Hned na kraji náměstí, když na nás volal první člověk do mikrofonu, že zdraví mladou generaci, mávl pan učitel rukou a my vykřikli hurá. Učitel nebyl spokojen, a když se průvod zastavil, vysvětlil nám, že nejprve zvedne ruku, abychom se mohli nadechnout, a že počtem zdvižených prstů taky ukáže, zda máme křičet jednou, dvakrát nebo třikrát. Když pak mávne rukou k boku, bude to znamenat, abychom na heslo odpověděli.

U příštího hlasatele se to už povedlo lépe, i když to učitel měl těžké, protože křičeli také ti před námi a ti za námi a my zaslechli jen část hesla: naši mládež, která.

Další člověk křičel, ať žijeme, a my odpověděli dvakrát, a když volal, že jsme nová a že jsme Gottwaldova, reagovali jsme docela přesně na mávnutí. Pak se do pozdravů přimíchala dechová kapela a bylo ještě těžší rozpoznat, co kdo vykřikl.

Ale učiteli to zřejmě nevadilo, protože se dokonce stačil dívat, zda správně pochodujeme a zda je řada rovná.

Někdy měl hlasatel svůj pozdrav už rozkřičen, když jsme se k němu blížili, volal, že za mír a za socialismus, a tělocvikář to stihl se znamením, takže naše hurá vyšlo, a když takový vyvolávač toho ještě neměl dost, křičel znovu za upevnění nebo za udržení a učitel počkal, odhadl vypadlé slovo, vycítil, zda to byl mír, nebo něco jiného, a teprvc pak nám pokynul, abychom reagovali.

Občas se pan učitel díval a pak překřikoval hlasatele a volal na nás, abychom se snažili, protože kdo nebude řvát pořádně, dostane nejen horší známku z tělocviku, ale také z mravů.

Když se z balkónu vyklonil další křikloun, že se Sovětským svazem, že za úrodnější a za výnosnější, odpověděli jsme mu v krátkých dávkách třemi hurá.

Potom jsme slyšeli, že ve šlépějích, ale učitel počkal se znamením, protože bylo třeba dát člověku u mikrofonu čas, aby dokřičel Stalina, Lenina nebo Gottwalda, a čím více bylo těch, v jejichž šlépějích, tím více bylo našich výkřiků.

V dolní části náměstí se na tribunách objevili zahraniční hosté, vyznamenaní zemědělci a horníci, a vyvolávači tu byli ještě divočejší, patrně proto, aby zahraničním hostům ukázali, jak jsme radostná, jak nová a jak kráčíme do světlé, protože přesně tohle křičeli do mikrofonů a my museli dávat hodně pozor na znamení, abychom jim odpovědí neskočili do výkřiků.

To už jsme věděli, že nám na konec náměstí k hlavní tribuně zbývá jen kus cesty a pan učitel velel, abychom v těch místech také zároveň mávali a dali do křiku skutečně energii, protože se blížíme k našim představitelům. Sám šel příkladem a rozeřval se vší silou a když hlas v mikrofonu ječel, že jedině strana a vláda, zařvali jsme jako tuři hurá, hurá, hurá.

Těsně před vládní tribunu přibylo vyvolávačů a křiklounů, řvali do mikrofonů jeden přes druhého, že neochvějně, že jsme socialistická, nová, Gottwaldova a že vstříc krásným vyšším a ušlechtilým.

Učitel nařídil slávu a dal tříprstovou trojí dávku a pak další a další a my se sotva mohli nadechnout, dříve než znovu mávl rukou, ale už to bylo jedno, protože před hlavní tribunou se řev pomíchal tak, že nebylo rozeznat, kdo na koho křičí.

Pak jsme je uviděli. Stáli tam, jak jsme je znali z fotografií, obrázků i známek. Připadali mi starší a unavenější, než jak jsem je znal z novin. Dívali se někam za nás, jako by se už těšili, až uvidí konec průvodu, který byl někde v nedohlednu, až to budou mít za sebou.

Za tribunou dal učitel rozchod. Ochraptělí a vyřvaní a usípaní jsme se vrhli ke stánkům s limonádami a zmrzlinou.

Pak jsme se cestou domů brodili zvolna nápisy a hesly, kopali jsme do papírových kvítek a mávátek a šlapali po vlaječkách.

Za několik dní obešel správce nájemníky a posbíral obrázky.

Tou dobou matka přenesla knihy opět do knihovny. Uložila tam také obrázek prezidenta Masaryka, toho, který byl přesvědčen, že pravda vítězí.

Maturita

Léta jsem trpěl při hodinách matematiky a snil o dnu odplaty a pomsty. Sedával jsem nedobrovolně při hodinách té divné vědy v první lavici a čekal, až se ozve mé jméno. Stokrát jsem pak stál u popravčího stolku a dozvídal se podmínky, jež jsem měl splnit, abych si alespoň částečně zachoval svou čest. Byly to kruté a rafinované úlohy.

Tak jsem měl třeba zjistit, kde bude prvý vlak, jestliže vyjede o hodinu dřív druhého a potká se s třetím, jehož hodinu odjezdu mi profesor laskavě sdělil tajemným způsobem, připomínajícím ilegálního pracovníka.

Jindy se zase shodou dodnes nevysvětlitelných okolností stalo, že vyplula od jednoho břehu náhle loď. Kolébala se pak po tabuli směrem k druhému břehu, nikým neočekávána, až na profesora, který ten incident způsobil, abych se, jak říkal, procvičil. Jednou se mi profesor svěřil s podivným příběhem. Vyprávěl o bazénu, do něhož vtékala voda současně třemi trubicemi, z nichž každá byla jiného průměru. Očekával jsem, že se mi přizná, že je náruživým potápěčem, který touží po tajemství neproniknutelných vod, ale mýlil jsem se. Náhle mi poručil, abych osobně zjistil, za jak dlouho se taková nádrž naplní. Protestoval jsem, že s takovou věcí nechci mít nic společného a že pokud o bazénu ví i další podrobnosti, měl by je neprodleně hlásit policii, ale trval na svém. Teprve když jsem zjistil, že se bazén naplní za dvaadevadesát let a že zbyde navíc kolem dvou deci vody na praní, vrhl se můj profesor k oknu a drže se za srdce, rychle vdechoval. K zaručeně nejhorším příkladům patřil určitě ten s příbuznými důstojníky. V životě jsem už nikdy o něčem podobném neslyšel. Každý z těch divných lidí sloužil totiž u jiné zbraně, v jiném městě, a šlo o to, zjistit, jak dlouho který z nich sloužil. Pracovali jsme na tomto bojovém úkolu skoro měsíc, k velké radosti spolužáků, oddávajících se spánku. Těsně před tím, než jsme dospěli ke konečnému výsledku, zajistil si profesor lázně. Udělal dobře.

Vyšlo totiž něco, co muselo zůstat v tajnosti, obludný výsledek, který by vyřčen na veřejnosti, mohl znamenat celonárodní pohromu – demisi vlády, v čele s ministrem obrany. Někteří z důstojníků sloužili totiž kolem tří set let u tankistů. Nejvíc Karel a Vláďa. Jiní naopak nesetrvali z podivných příčin u dělostřelců déle než pět vteřin. A to jsem pro jistotu ještě zaokrouhloval.

Pak přišla maturita. Dodnes ji podezírám, že přijela, a to některým z těch podivných vlaků, co vyjížděly později než prvé, ale dříve než druhé, aby se pak setkaly a dorazily nakonec jako první. Velká inkvizitorka přispěchala. Přišla, aby mne ztrestala za mé hříchy početní a aby sejmula nejtěžší břemeno z beder mého profesora.

V osudný den, oba parádně vyšňoření, předstoupili jsme před komisi. Inkvizotory byli inspektor, ředitel školy a lid, zastoupený pro tu vážnou chvíli mlékařkou, domovním důvěrníkem a okrskářem VB. Inspektor s ředitelem na mne pohlíželi s nedůvěrou. Zato lid očekával umění svého syna s největší nedočkavostí.

Ze školníkovy rádiovky jsem si vytáhl otázky a přečetl jsem je nahlas. Profesor přistoupil k tabuli a psal poznámky.

A pak jsme se do toho dali.

„A ku B má se jako …?" tázal se profesor.

„A ku B," opakoval jsem, „… má se jako…"

„Přece jako C," pokračoval profesor.

„Jako C," řekl jsem o poznání samozřejměji.

„… Ku?" tázal se profesor.

„Ku,"opakoval jsem.

„Dé," pravil profesor.

„Dé," řekl jsem hlasitě a pak jsem to celé napsal na tabuli.

„Správně usuzujete," řekl profesor. „Teď už můžete celý příklad řešit!"

První příklad zvládl slušně. Když dopočítal, prohlásil, šlehnuv po mně očima, že jsem se „jistě pilně připravoval". To potěšio mne i komisi. Horší to bylo s druhou úlohou.

Šlo o látku, kterou zřejmě moc neznal, neboť byl tehdy v lázních. Pomohl inspektor.

„Myslím, že příklad tohoto druhu lze řešit jedině složitou rovnicí," řekl.

Dal jsem samozřejmě najevo, že je to i můj názor.

„Jistě," řekl profesor, který se celý zachvěl. Ale bylo vidět, že stejně neví jak na to. Znervózněl a ztratil přehled.

„V takové situaci je nejlépe zopakovat si celé zadání," pomáhal znovu inspektor. Mezitím se začal třást i ředitel, který už patrně předem ohlásil na okrese vynikající předpokládaný průměr maturitních zkoušek.

Zopakoval jsem zadání, aby se profesor mohl trochu soustředit. Pomohlo to. Vzpomněl si na vzoreček a jakž takž příklad vyřešil. Když skončil, prohlásil, že jsem „zpočátku trochu bloudil, ale pak že jsem to napravil!"

U posledního úkolu se pokusil o úhybný manévr. Řekl, že si myslí, že by stačilo, kdybych řešení jen naznačil, protože jde o jednoduchý příklad. Inspektor nesouhlasil. Po předchozích příkladech se mu profesor zdál zřejmě slabý v základních početních úkonech, neboť se dvakrát spletl v násobení a jednou v dělení. A tak se profesor musel procvičit. Rval se statečně. Vrhal se na tabuli jako Quijot na větrný mlýn. Kryl se trojúhelníkem, uskakoval a znovu kružítkem útočil. Když dopočítal, podtrhl jsem třikrát výsledek, neboť profesor už neměl sil. Pak jsem ledabyle odhodil křídu a s vítězoslavným úsměvem jsem pohlédl na komisi.

Zatím profesor, dívaje se kamsi do neurčita, hovořil o tom, jak mi to během roku nešlo, ale jak jsem se teď vytáhl. Na řediteliově obličeji se objevil úsměv. Bylo vidět, že mu spadl kámen ze srdce. Nejhorší počtář prošel. Plán bude splněn. Profesor skončil hodnocení, podal mi ruku a poděkoval. Okrskář kýchl. Mlékařka se vzbudila a s údivem se rozhlížela kolem sebe.

Opouštěl jsem bojiště s hrdě vztyčenou hlavou. Jako vítěz. Pravda, profesor svými znalostmi sice nijak zvlášť neoslnil, ale prošel.

A o to mi šlo.

Jdi do zemědělství

Podle křestního listu se otec narodil v jižních Čechách. Matka však tvrdila, že pochází z některé pražské kavárny. I když to nemohu tvrdit s jistotou, myslím si, že matka je pravdě rozhodně blíž.

Chodil jsem s otcem do kavárny už od mládí.

„Vezmi s sebou děti na čerstvý vzduch!" říkávala matka vždy v neděli otci, když se scházel s kamarády. Otec nás bral do parku a odtud do nejbližší kavárny. Vzduch tam byl bleděmodrý, až šedý, prosycený vůní kávy a cigaret.

Nepamatuji se, že bych kdy byl hrál fotbal. Léta jsem neznal prak a okno jsem rozbil jen jednou, ne kamenem, ale lžičkou.

V osmi letech jsem sice ještě nejezdil na kole, ale zato jsem už bezpečně rozeznal vrchního od obyčejného číšníka a vyznal jsem se ve spropitném.

Nikdy jsme také s otcem nepodnikli větší výlet do přírody. Zato jsme putovali od jedné kavárny ke druhé a pátrali po rukavicích, které si otec někde zapomněl. (Jeden čas měl otec ve skříni dvanáct levých rukavic, ale žádnou pravou.)

Viděl jsem otce, jak v kavárně čte nebo pracuje. Pozoroval jsem, jak uměl nenápadně přivolat číšníka, aniž na něho volal nebo dokonce luskal, jako to dělají ti, kteří do kavárny zabloudí, nebo venkované. Naučil jsem se od něho, jak nechat v kavárně vzkaz nebo adresu a jak to zařídit se šatnářkou, když bylo třeba, aby tam došel dopis.

Chodil jsem s otcem do kaváren, kde měl své číšníky, kteří mu – podobně jako před válkou – chystali na stolek noviny a časopisy, a slyšel jsem ho vyprávět o tom, jak dříve bylo možno mít číšníka na celý život. Naučil jsem se od něho všemu tomu, co musí umět muž, který potřebuje kavárnu k životu.

Dodnes vidím otcův udivený pohled, kterým mne měřil, když mne jednoho dne potkal u šatny. Tenkrát v jedné kavárně vyvolal číšník jméno hosta, který měl jít k telefonu, a jistě netušil, že se tak sejdou dva lidé téhož příjmení. Otec tehdy jistě přemýšlel, jak rychle čas utíká, a zíral na syna, který vyrostl a byl už natolik samostatný, že došel do kavárny sám. Snad tenkrát na okamžik i zavzpomínal na doby, kdy mne vodil ještě za ruku do Reprezentačního domu, ke Šroubkům, do Slavie, Belvederu a všech těch míst, kde jsem vyrůstal.

Jedno však otcův pohled postrádal. Klid muže, který zjistil, že jeho syn ví, co chce, a je ochoten za tím jít. Tu nenápadnou pýchu, jakou patrně cítí sedlák v okamžiku, kdy vidí svého potomka orat první brázdu, nebo tu radost, kterou pocítí řemeslník při pohledu na první výrobek svého nástupce – to otcův pohled nevyjadřoval.

Od toho dne mne začal pozorovat, jako by náhle zapochyboval o tom, že mi byl celou tu dobu správným příkladem.

Když zjistil, že mne baví divadlo, snažil se mi to rozmluvit. Tvrdil, že je to velmi nejistá existence, při níž není jisté, zda si člověk vydělá na kafe. Mohl tehdy použít celé řady jiných příkladů a vyjmenovat desítky jiných věcí, které si člověk od divadla nemůže dopřát, od potravin až po auto, ale zmínil se o kávě. Věděl, že mne tak zasáhne na nejcitlivějším místě. Když pak mne po čase v divadle navštívil a zjistil, že není vyprodáno, zhrozil se.

„Neříkal jsem ti to?" ptal se vyčítavě u kávy, na kterou mne pozval. Zval mne občas do kavárny na zmrzlinu. Věděl, že ji mám rád jako on už od mládí, kdy mne často posílal ke zmrzlináři se džbánem.

Řekl bych, že otec uměl zmrzliny použít.

V sedmnácti letech jsem se rozhodl, že budu básníkem, a napsal jsem dvě básně o ňadrech. Zjistil jsem, že je to moc málo na sbírku, kterou jsem chtěl přes neděli vytvořit. Tehdy stačila jen porce jahodové zmrzliny, abych se poezie vzdal.

O rok později jsem chtěl být režisérem akvarelově barevných filmů. Pracoval jsem (v kavárně) na scénáři s přítelem, který se také rozhodl pro filmovou dráhu. Otec nás pozval oba na čokoládovou zmrzlinu, aby nám rozhodnutí rozmluvil. Nemusel se tehdy ani moc namáhat, protože nám chybělo několik milionů korun na natočení filmu a navíc jsme se pohádali s hlavní představitelkou, která sice věřila, že fotoaparát mého přítele je kamera, ale tvrdošíjně odmítala se do nás zamilovat.

Nejlepší zmrzlina, na kterou mne kdy otec pozval, byla ta, kterou objednal, když mi bylo dvacet. Bylo to v době, kdy už jsem byl v situaci, před kterou mne otec varoval (byl jsem v divadle a chodil jsem na kávu buď do kantýny nebo na dluh), a proto jsem pozvání s radostí přijal.

Tenkrát objednal otec největší zmrzlinu, jakou jsem kdy v kavárně jedl. Dal ji pokrýt několika vrstvami čokoládové polevy a šlehačkou, požádal číšníka o nástroje a mlčel.

Nechtěl jsem věřit, že by mne pozval na zmrzlinu jen tak, a proto jsem čekal, kdy začne hovořit. Když jsme snědli šlehačku, byl jsem nervózní. Teprve když jsme se dostali k první vrstvě jahodové, zvedl otec hlavu a pravil: „Jdi do zemědělství!"

V prvním okamžiku se mi zdálo, že jsem se přeslechl. Seděli jsme v kavárně, jedli tu nejlepší zmrzlinu a v nejlepší čas, protože venku už svítilo slunce a číšníci otevírali okna.

Byla to ta chvíle, na kterou člověk celý rok čeká, protože bylo jaro a to je v kavárně nejkrásnější.

Snědl jsem jahodovou zmrzlinu, odhalil maličko vanilkovou a přemýšlel jsem, zda snad otce nová vrstva nepřivede dokonce na myšlenku horší, jako je třeba hornictví.

Na konci vanilkového pole, tam, co se už v tenkých proužcích objevila bílá citrónová, kterou jsem měl vždycky nejraději kvůli kontrastu, někde v těch místech řekl otec, že zemědělství má velkou budoucnost. Řekl to jako vždy nahlas, a zaujal tím obsluhujícího číšníka, který zjevně o otcově informaci přemýšlel, protože se zastavil nedaleko našeho stolku, opřel se o zeď a poslouchal.

Rozhlédl jsem se kolem sebe. Po hostech i číšnících, pohybujících se v jarním slunci, a modrých, kouřových obláčcích. Představil jsem si pole, chlévy, stodoly i hnůj. I krávy jsem zahlédl a k tomu všemu mladého muže, trpícího paradentózou (jak tvrdila matka), který se potácí na silném, kyslíkem přesyceném venkovském vzduchu. Mladík měl v ruce vidle, na nohou holínky. Zahnal jsem tu vidinu a uviděl jsem otce, čekajícího na mou odpověď. Přestal jsem jíst citrónovou zmrzlinu, i když jsem si tím škodil, protože právě otec vždy tvrdil, že citrónovou je třeba jíst v tuhém stavu, aby si člověk pošmákl.

A položil jsem otci otázku: *„Kam bych tam chodil na kafe?"*

Otec mi tenkrát neodpověděl.

Jedl zmrzlinu zvolna, ale nepřítomně. Otázka ho zřejmě přivedla k úvahám, kterými se dřív nezabýval.

Zdálo se mi dokonce, že otec jí zmrzlinu najednou bez požitku, a když jsme dojedli, platil, aniž se podíval na účet.

Po čase jsem pozval otce do kavárny sám.

Zmrzlina byla výborná, káva taky.

Mně však bylo nejlíp, když jsem zavolal číšníka a ohlásil mu, že *platím*.

Bylo to totiž v životě poprvé a mohl jsem to udělat dík honoráři za povídku, kterou jsem v téže kavárně napsal.

Pokud jde o číšníka, kterého otcův návrh zajímal, už jsme ho v kavárně nikdy neviděli.

Byl to patrně jediný člověk, kterého otec pro zemědělství získal.

Matka a úřady

O vynálezci dotazníku nevíme nic bližšího. Galilea, Edisona nebo Einsteina zná každý, ale jméno muže, který objevil formulář s otázkami a rubrikami, tak zůstává stále nedoceněno. Je to nespravedlivé, zejména když si člověk uvědomí, jak důležitou roli takový doklad v životě hraje.

Poměrně pozdní objev dotazníku také lecos zjednodušil. Kdyby existoval už ve středověku, nemusel například zrovna Galileo před pověstnou komisi. Bylo by stačilo předložit mu dotazník s rubrikou: Váš názor na zemskou rotaci.

a) Země se otáčí kolem slunce.

b) Naopak.

Nehodící se škrtněte. Galileo sice odvolal, ale kdyby žil dnes, mohl to udělat písemně a navíc do tří týdnů!

Naštěstí se od té doby vývoj civilizace nezastavil. Řada úřadů po léta už pracuje na tom, aby dotazníky byly dokonalejší, otázky přesnější a náš život tak neplynul bez povšimnutí.

Dnes už žádný úředník člověku neuvěří, že se narodil, pokud o tom nepředloží doklad. Některý úředník je sice ochoten připustit, že jsme na živu, ale rozhodně ne proto, že nás na vlastní oči vidí, nýbrž proto, že se mu ještě nedostal do ruky náš úmrtní list.

Můj první dotazník je z dvacátého března tisíc devět set čtyřicet tři a uchovávám ho jako vzácnou památku. Myslím si totiž, že se jen málokdo může pochlubit tím, že už ve čtyřech letech dostal daňové přiznání jako já. Navíc je dvojjazyčné. Německy se nazývá Einbekenntnis zur Kultussteuer fuer das jahr 1943, česky zní titul Přiznání k dani náboženské nemojžíšských Židů na rok 1943. Dotazník má několik stran a hodně rubrik, protože šlo o to, jaký jsem měl v té době majetek. Rubriky jsou rozděleny na firmu, pozemky, cenné papíry, domy, hotovost, vklady v bance a jiné.

V poučení se praví, že i nezletilý příslušník rodiny je považován za její hlavu, a musí tedy podat daňové přiznání.

Z hlediska říšských úředníků jsem byl v nepřítomnosti otce hlavou rodiny už ve svých čtyřech letech. Stal jsem se tak vlastně vedoucím podniku, v němž byla zaměstnána ještě má matka. Dotazník mi byl doručován pravidelně a mohu se dokonce pochlubit i tím, že jsem tehdy také dostal svou první upomínku. O tom, že mi doklad byl posílán oprávněně, svědčí v poučení paragraf 6, nařízení říšského inspektora v Čechách a na Moravě, bod bB, podbod cc, který zní takto: „Za žida se též považuje míšenec, který pochází z manželství s židem (lit.a), uzavřeného po 15. 9. 1935."

Tento paragraf mne fascinuje. Uvědomuju si, že stačilo, aby se mí rodiče vzali 14. září toho roku před půlnocí, a už by mne tehdejší úřady nebraly vážně. Musím obdivovat člověka, který s tímto paragrafem přišel.

Musela to být těžká a odpovědná práce, hledat v neomezeném počtu let, měsíců a dnů ten jediný den, kdy bylo možno na hodinu rozhodnout, kdo z mých tehdejších kolegů na písku je vedoucím firmy a kdo je jen pouhým soukromým dítětem. Dnes vím, že ten člověk byl úřední génius. Ale tenkrát mne to nenapadlo.

Měl jsem především dost starostí se svým medvídkem, také při produkci báboviček jeden nevěděl, kam dřív skočit. Naštěstí vedla veškerou korespondenci s úřadem má osobní sekretářka, kterou jsem předtím zaměstnával jako kojnou. Ta se ve své nové funkci plně osvědčila. Psala na dotazníky trpělivě *odcestoval, změnil adresu,* nebo je proškrtávala a posílala zpátky. Naštěstí se nikdo neptal na poznávači číslo mého kočárku.

O mnoho let později mi matka sdělila, že byla dokonce připravena mne v nejhorším případě ukrýt v lese a opatřit mi falešný úmrtní list. Představuji si, jak jsem úředně zemřel.

Taková smrt je rychlá a celkem bezbolestná, protože rány psacího stroje do papíru nebolí.

Vidím, jak úmrtní oznámení – Po krátké, ale závažné nemoci zemřel náš syn, ředitel firmy a podnikatel, ve věku čtyř let – přichází do rukou úředníků, kteří je studují a pak konečně vyřazují mé mladičké, sotva čtyřleté kartičky, ještě čisté a neposkvrněné poznámkami z desek, šanonů a přihrádek, a přenášejí je do zvláštní místnosti, kde ti, jimž úřad přestal posílat zelené obálky, odpočívají konečně v pokoji.

Na matku však tyto zážitky hluboce zapůsobily.

Pochopila, že nešlo o daně, ale daleko spíše o život, a přestala navždy úřadům věřit. Naučila se překládat řeč úřední do lidského jazyka a číst mezi řádky. Žádnou otázku dotazníku už nikdy v životě nebrala na lehkou váhu. Pochopila, že ani úřad se neptá lehkomyslně a že účelem dotazníků je dozvědět se o člověku víc, než si myslí, že řekl. Matčin boj s úřady tak nikdy neskončil. Jen občas, v období krátkého příměří, nabrala sil, aby se opět pustila do další bitvy. Kdykoli si na ni vzpomenu, vidím ji s nějakým dokladem v ruce.

Sedí u svého starého psacího stroje Underwood a říká si nahlas větu, kterou v zápětí píše: „Narodil jsem se prvého března...", neboť mi píše opět životopis....

Kdykoli jsem ve škole dostal nějaký dotazník, musel jsem ho matce odevzdat. Jednou jsem ho neprozřetelně vyplnil sám. Matka si ho opět vyžádala pod záminkou, že jsem spletl datum jejího narození. Sotva formulář prostudovala, vytkla mi, že jsem v něm uvedl dědu jako sedláka.

„Do dotazníku musíš přece napsat drobný rolník!"

Přiznal jsem, že mezi slovy nevidím rozdílu.

„Ale oni ano!" řekla matka a pak mi vysvětlila, že je nutno použít těch slov, která režim zavedl a očekává. Řekla, že by se jinak mohlo stát, že lidé, kteří dostanou doklad do ruky, by z dědy při troše neopatrnosti udělali kulaka. Později psala slovo drobný proloženě, a když měla pocit, že ani to nestačí, připisovala před ně slovo velmi.

Mám dojem, že kdyby byla doba ještě horší, udělala by matka z dědy preventivně bezzemka.

Ani otec nesměl samostatně vyplňovat své dotazníky a musel je matce vždy odevzdat. Matčino počínání ovšem nechápal a vytýkal jí, že nepíše pravdu. Matka si vždy povzdychla a pravila, že pravda se dala říkat pouze před válkou a jen krátkou dobu po ní.

Jednou se otec zlobil, že se matka dopustila podvodu, když o něm napsala, že je dělnického původu.

Matka mu připomněla, že kdysi v továrně pracoval, ale otec tvrdil, že to nemá co dělat s původem a že by nerad psal nepravdivé informace, protože by se mohlo stát, že by opět do továrny musel jít.

Matka pravila, že bude lepší, když se otec dotazníky vůbec nebude zabývat, a připomněla mu, že právě on jich spolu s poštou nejvíce ztratil. Pak ho požádala, aby šel raději na procházku a nerušil, protože mu musí ještě napsat novou verzi životopisu.

Otec řekl, že tuto činnost považuje za nebezpečnou.

Matka namítla, že byl vždy až neuvěřitelně naivní, a požádala ho, aby si konečně uvědomil, že má pět dětí.

Otec pravil, že si to uvědomuje a že právě proto nemíní v dotaznících lhát, protože nechce ohrozit naši existenci.

Matka se nervózně zasmála a řekla, že každý režim má své dotazníky, v kterých nelze říci plnou pravdu právě kvůli dětem, protože by z nich také mohli být samí metaři.

Otec proti metařům nic neměl už proto, že by to usnadnilo vyplňování dalších dotazníků.

Matka však řekla, že si ze svých dětí metaře nadělat nenechá. Otce ještě zajímalo, jak se celá věc srovnává s matčinou vírou, a chtěl vědět, zda matka nebude muset po vyplnění formuláře jít ke zpovědi.

„Ty se starej o své prověrky!" zlobila se matka, hrozíc otci ostře ořezanou tužkou.

A za trest mu odmítla půjčit kopii potvrzení o bývalém bydlišti.

Myslím si, že za nejnebezpečnější rubriku považovala matka odstavec Příbuzní v zahraničí. Celá léta otázku trpělivě proškrtávala. Protože tak činila v době, kdy jsme měli dva strýce v USA, jednoho v Jižní Americe a jednoho v Kanadě, bylo to velmi odvážné počínání.

„Zahraničím se myslí západ!" vysvětlovala nám.

Soudě podle toho, jak doklady vyplňovala, vypadalo to, jako bychom neměli nikoho nejen na západě, ale ani na východě, na severu, nebo na jihu.

„Pamatujte si, že žádné příbuzné na západě nemáte!" připomínala nám neustále. Občas kladla sourozencům kontrolní otázky.

Jednou tak zkoušela z příbuzných bratra Michaela, na kterého si počkala hned u dveří. Zeptala se ho, kde má strýce. Michael, který byl otázkou překvapen, chtěl vědět, kterého má matka na mysli.

„Toho, co utekl na západ," pravila matka hlasem, jakým patrně musel hovořit vlk ke kůzlátkům.

Bratr řekl, že o strýci nic neví, a matka nám ho dala za vzor, zejména pak otci, o němž byla přesvědčena, že by v podobné situaci selhal.

„Nikdy nemůžete vědět, kdy se vás někdo na něco takového zeptá!" připomínala nám a kladla na srdce, abychom v takové chvíli neztráceli hlavu. Myslím si, že si to Michael vzal k srdci, protože shodou okolností právě jeho jednu zastihli doma samotného dva páni v montgomerácích a položili mu stejnou otázku. Ptali se ho na strýce Jaroslava.

Michael zachoval duchapřítomnost a sdělil jim, že strýce nezná. Matka ho za to pochválila a odměnila ho žvýkačkou s ovocnou příchutí. Byla z posledního balíčku, který strýc právě z Ameriky poslal.

Někdy vidím matku, jak drží v náručí malou sestru, kterou však hned zas odloží, protože musí najít nějaké odvolání.

Nejčastěji přistihnu ve vzpomínkách matku v okamžiku, kdy prohledává šanony, desky a obálky a zlobí se, že nemůže najít to, co hledá. Často přitom nadává otci, že všechno zpřeházel. Pak najde doklad, který sice nehledala, ale hned se do něho začte, protože ji zajímá, jak ho vyplňovala před lety. Dočte, odloží papír a najednou se raduje, protože našla vysvědčení, které marně hledala. Prohlíží si je, pak vyhledá otcovo a porovnává známky. Pak mu zatelefonuje, aby si ověřila, zda měl skutečně v roce devatenáctset dvacet sedm trojku z němčiny.

Většina vzpomínek, promítaných v mém rodinném biografu pod přimhouřenýma očima, se odehrává v noci, kdy matka úřaduje a kdy se může, jak říká, soustředit.

Často ji vidím nevyspalou a unavenou, jak mezi prázdnými šálky od kávy šustí formuláři, životopisy a přihláškami. Šustění vzbudí otce, spícího mimo obraz, ve vedlejším pokoji, který matce vyčítá, že už má jít spát, protože bude ráno. Matka jen vzdychne nebo pokrčí rameny.

Na konci vzpomínkového filmu se matka náhle otočí do hlediště a zamává mi fotokopií otcova zatykače z roku devatenáctset čtyřicet.

Originály dokladů matka uchovává, jako by to byly vzácné obrazy. Tvrdí, že by se mohly snadno ztratit, a odmítá je vydat komukoli z nás.

Když bratr, který je profesorem v Americe, potřeboval maturitní vysvědčení, poslala mu kopii kopie. Ani mně se nepodařilo do mých třiačtyřiceti let získat křestní list. Matka mi napsala, že nemůže dát originál z ruky, a vysvětlila, že zná dobře německé úřady ještě z války, kdy jí nějaký úředník vrátil místo „Heiratsurkunde" honební list nějakého pána z Vinohrad. Proto se mi podařilo získat jen fotografii úředně ověřené fotokopie. Matka dokonce čekala u fotografa, aby si mohla doklad hned vzít s sebou, protože se obávala, že fotograf dokument omylem někam založí a vrátí jí místo toho nějaké diapozitivy zvířat.

Se stejnou péčí opatruje všechny rodinné rozsudky. Ve zvláštních deskách uchovává originály i kopie o soudních nebo policejních řízeních od roku devětatřicet. Každý z nás má v deskách vymezeno území, hranice tvoří barevné listy. V otcově oddělení jsou také zařazeny všechny pokuty za psa a výsledky jeho sporů s hlídači, průvodčími a spolupracovníky Bezpečnosti.

Krom toho, že nedůvěřuje úřadům, je matka přesvědčena, že zbytek dokladů ztratí buď pošta, nebo otec. Otci proto jednoduše žádný doklad nevydá, ani proti potvrzení, ale pošta jí dělá starosti. Proto posílá dopisy doporučeně a od každého si předem pořídí kopii. Někdy posílá v zalepených obálkách i pohledy, protože má dojem, že je poštovní úředníci sbírají. Když mi matka pošle dopis, označí ho jako originál a další kopie téhož dopisu pošle bratrovi a sestře, aby byli také informováni. Někdy mi pošle dopis ve všech vydáních a požádá mne, abych kopie poslal dál.

Vždy očekává, že došlý dopis potvrdím.

Její dopisy jsou často plny zpráv o jiných dopisech a připomínají oběžníky. Nedávno jsem například dostal tento list:

Drazí,

(originál Ivanovi, kopie: Elišce a Michaelovi) děkuji za dopis ze 14. 3. 82 (došel 17. 3. 82 v 11.30 dopoledne) a také za pohled (Eiffelova věž na jaře) z 16. 3. 82 (došel 20. 3. 82 odpoledne).

Michaelovi děkuji za jeho milý dopis z 21. 3. 82 (došel 26. 3. 82 v 10.00 hodin ráno) a šel tedy pět dní, na rozdíl od toho minulého, odeslaného 17. 1., který přišel až 27. 1., a který šel tedy deset dnů! Též díky za pohled (Central Park, New York), který došel téhož dne jako dopis, tedy 21. 3. t.r. Bohužel nevím, jak dlouho šel, protože je, Michaeli, bez data!! Díky Elišce za dopis odeslaný 4. 4. (který došel 12. 4.). Nepíšeš ale, zda Ti došlo potvrzení, které jsem dala dvakrát ověřit. Posílala jsem to 25. 3., a to doporučeně, protože vím, že se u vás pošta často ztrácí. Mám jak podací lístek, tak kopii podacího lístku. Prosím, potvrď mi příjem, jinak bych to musela urgovat na zdejší poště a Ty na vaší. Přikládám ještě fotokopii posledního Ivanova dopisu, protože zapomněl pro Vás dva udělat kopie.

Ivanovi jsem odeslala 10. 4. t.r. do Paříže 21 fotografií černobílých malého Davídka, (7 kusů je pro Elišku, 7 pro Michaela).

Z toho: 3 × fotografie s otcem, 2× s matkou (na jedné je vidět nový gauč), 1× s oběma rodiči (Jan má na sobě svetr od Elišky, došlý mimochodem současně s pončem s antilopami 22. 9. 81), 1× se mnou v parku. Já na té fotografii vypadám mizerně, protože jsem tu noc před tím psala Kateřině nové odvolání.

Drazí, musím už bohužel končit, protože bych to ráda poslala z hlavní pošty, a tak vám o nás napíšu až příště.

Líbá matka.

Přílohy: 3× 7 fotografií
2× fotokopie dopisu
1× fotokopie podacího lístku
1× fotokopie ověřeného potvrzení

Myslím si, že bych těžko nalezl kopii takové matky.

Kalendářový příběh

Pojďte a poslyšte příběh o životě, vyjádřený čísly. Vydejte se se mnou na cestu po kalendářích, zažloutlých už na povrchu, ale plných dat a čísel, kde gramy a kilogramy jako vždy uměřené a strohé, neříkají na první pohled nic zvláštního, ale ve skutečnosti ukrývají příběh, který bych do obyčejných čísel neřekl. Budu listovat kalendáři tak, abyste do nich mohli nahlédnout a aby povídka z čísel vznikla před vašima očima. Protože jsem přesvědčen, že bych psaním celou věc jen pokazil, že bych se dopustil určitého násilí na materiálu, který vytvořil kalendář ze života, stanu se pro tuto chvíli raději čtenářem. Pokud si tu a tam položím otázku, nemějte mi to za zlé. Nebude to proto, že bych vás chtěl nutit ke stejným úvahám. Je to jakýsi zvyk, kterého se dopouštím i při četbě knih. A budu-li chvíli přebíhat stránkami trochu rychleji, bude to jen proto, abychom příběhu dali nějaký rytmus.

Otvírám první zápisník, který se jmenuje Dítě-kojenec. Napsal ho profesor doktor Brdlík, přednosta kliniky pro nemoci dětské na Karlově universitě, v roce 1937. První část tvoří návod, jak pečovat zdravě o dítě, druhá je pak určena matkám k záznamům. První poznámka tvrdí, že jsem se narodil prvého března tisíc devět set třicet devět v deset čtyřicet večer v sanatoriu doktora Jerie na Vinohradech a že jsem vážil tři kilogramy a devadesát gramů. Křest se konal šestého března v přítomnosti kněze chrámu svaté Ludmily. Kmotrem byl strýc František; povoláním kavárník. Prvních šest týdnů nenapsala matka do tabulek, určených k záznamům, nic. V sedmém stojí, že jsem přibyl 105 gramů a vážil 4 kilogramy 60 gramů.

Osmý týden jsem měl už 5095 gramů. Matka připsala: plakal a zlobil z hladu, bylo to na něj málo!

Devátého týdne matka zapsala: Aby měl dost, nutno přikrmovat!
1. máj: *ozařován.*

Se svým prvním májem mohl jsem tedy být spokojen. Dvanáctého týdne jsem už jel na svou první životní dovolenou. Počasí mi zřejmě přálo, protože poznámka tvrdí, že jsem byl ozařován. Odpočal jsem si, což bylo dobře, protože mne po návratu čekalo víc práce. Třináctého týdne jsem byl měřen. Naměřili mi padesát devět centimetrů při 6270 gramech živé váhy.

12. 6. pršelo. Snědl jsem prý 960 gramů, jak o tom svědčí záznam v políčku denních dávek, ale už druhého dne jsem byl u doktora. Předpokládám, že to bylo mé první nachlazení.

Šestnáctý týden mi nejde z hlavy. Na první pohled bylo vše v pořádku, denní dávky, ozařování, pomerančová šťáva a pak je tu najednou napsáno: nevážen.

Zápis je podtržen červeně a matka ho doprovodila dvěma silnými vykřičníky. Co se stalo? Proč mne nepoložili na váhu jako každý týden předtím?

Umím si samozřejmě představit, že jsem byl o nějaký ten gram zase těžší, ale rád bych věděl, co způsobilo první stav beztíže v mém životě. První nepravidelnost. Kdyby se rozbila váha, opatřila by má pečlivá matka jistě jinou a krom toho by to do záznamů napsala. Čtvrtý měsíc mého života mne přivádí k otázce, která zůstane zřejmě nezodpověděna. Nebudu unavovat dalšími týdny svého stereotypního života, kdy jsem přibýval a byl vážen. Zastavím se jen u událostí o několik kilogramů později.

První zuby se mi objevily dvacátého září. Šlo o dva dolní řezáky. Pak je tu osmnáctý říjen. Zápis je celý červený a kolem se to hemží matčinými vykřičníky.

POPRVÉ U DOKTORA BRDLÍKA!!!

Navštívil jsem tedy autora knihy osobně.

Vzpomínám si na jeho ordinaci, která byla plná akvárií s rybičkami, terárií a klecí s pestrými papoušky a ptáky. Chodil jsem k panu doktorovi rád právě kvůli zvířatům. Ordinace na mne asi mocně zapůsobila, protože jsem se dožadoval papoušků a rybek, kdykoli jsem měl jít později k doktorovi. Lékařům bez zvířat jsem nedůvěřoval.

Myslím si, že od té doby dávám přednost prohlídce zoologické zahrady před svou vlastní.

Matčin zápisník končí prvním březnem roku čtyřicet, kdy mi byl jeden rok a kdy už jsem začínal chodit, ale ne sám (jak tvrdí záznam), a kdy jsem vážil dvanáct kilogramů a pětasedmdesát gramů.

Odkládám svou autobiografii v gramech a otvírám katolický kalendář z roku tisíc devět set čtyřicet jedna, který patřil mému dědovi.

Zápisy v kalendáři jsou z roku čtyřicet šest, neboť děda byl člověk šetřivý a chtěl využít čistých stránek ve starém kalendáři.

Na první straně si poznamenal vlnové délky a vysílací časy rozhlasových stanic Londýna, Ženevy a Moskvy. Na deskách stojí, že rádio Vatikán vysílá denně zprávy a aktuality na vlně 31,06, krom neděle, kdy je možno poslouchat bohoslužby od 11.30.

Hned pod hodinou rozhlasových bohoslužeb je recept na polevu: 14 dkg práškového cukru, 1 bílek, 20 kapek citrónové šťávy.

Poleva patří ke mši, protože ji děda patrně připravoval v neděli.

Listuji kalendářem a vidím, že v neděli dvaadvacátého dubna roku čtyřicet šest odečetl děda váhu hrnce 2,41 kg od váhy celkové, aby zjistil, že má 5,48kg sádla. Dvacátého pátého, na Božetěcha, přičetl děda sádlo prvé k jinému o váze 4,82 kg a dosáhl tak váhy celkové 10,30 kg. Pozoruji, že ještě dvacátého sedmého se děd nedokázal od sádla vzdálit a oddělil od něho početně škvarky, kterých měl 1,65 kg.

1. dubna si děda zapsal: dali jsme si kýtu o váze 12kg do chladírny. O den později pokračoval: přinesl jsem z kýty část – 4,50 kg a nožku mám ještě vážiti. Během dalších dnů se však děda k nožce nevrátil. Napadá mne, že zůstávala nezvážena, podobně jako já v šestnáctém týdnu. Místo nožky objevují se náhle v kalendáři slovíčka.

Řekla – gesagt, život – Leben, den – Tag, teploměr – Thermometer, vysvěcena – eingeweight. Převracím stránky, abych zjistil, kdo se učil slovíčkům, ale stopa mizí a já se jen dozvím, že mouky děda navážil 1 kg 60 dkg.

Teprve po několika nepopsaných stránkách naleznu velkým písmem přes celý list třikrát opakovanou otázku: Wo ist mein Heim??

Otázka zůstává nezodpovězena, neboť děda měl jiné starosti: Ve jménu Páně nasadil jsem dvaadvacátého května dvě slepice na kachní vejce – po dvaceti kusech. Jedna slepice vypůjčena od Kňoura.

Čtu si tu větu několikrát, jsem u vytržení nad její prostotou a krásou. Představuji si dědu, jak počítá kachní vejce a jak píše do kalendáře svým krásným vyrovnaným písmem toto sdělení.

Někdy si otevřu kalendář na tomto místě a přečtu si dědův záznam nahlas a pak se mi hlavou honí myšlenky i obrazy, které se nepokouším uspořádat. Vidím dědu i sebe u stolu před lety, jak bere chléb a žehná ho, zahlédnu ho, jak se po letech sklání nad některým z mých sourozenců a dělá jim opět na čele křížek. Jindy si větu přečtu – zamyslím se nad životem, který prožil děda, a pak nad sebou samým, a abych zahnal jakousi melancholii, které nejsem schopen se jinak ubránit, pokusím se formulovat větu do vlastního formátu tím, že si vypůjčím sloh a naplním ji vlastním obsahem.

Ve jménu Páně učinil jsem daňové přiznání. Ve jménu Páně jdu nakoupit. Je po melancholii, ale dědova věta zůstane stále krásnou.

Listuji kalendářem, abych se dozvěděl, že na svatou Andělu vařil děda bramborovou polévku (dva litry vody, čtvrt litru jáhel, 2 a půl litru mléka, dvě kostky cukru a špičku soli) a zkraje června opět vážil, aby zjistil, že kůzle vážilo dvanáct, prase osmdesát a Anna Schug padesát čtyři kilogramy.

Annu vážil děda ještě pětadvacátého, kdy měla padesát sedm, a pak zkraje července, kdy vážila padesát devět kilogramů.

Už vím, kdo si tu kladl otázku o domově, byla to Anna, o níž dokonce vím, že přibývala na váze rychleji než já. Na chvilku jí závidím, že snad byla vážena častěji než já.

Hned po Anně vážil děda housera, který měl 9,50 kg, a také husu, která přibývala vůbec nejrychleji, protože měla 7,70; 9,50 a deset kilogramů.

Na Cyrila a Metoděje napsal děda: Der Polizeimann trommelt. Věta je napsána jeho písmem a mne napadá, že se učil Annině řeči, a Anna zkoušela o pár listů později opsat česky recept na polevu, a podařilo se jí to až na docela malou, nepatrnou, ale krásnou chybičku, když napsala dva kroužky navíc a pozměnila tak práškový cukr ve vrkání hrdliček.

Cůkrů.

Když objevím Annin záznam o několik dnů později, vidím, že si poznamenala několik veršů.

Versage nicht, oh, du mein Herz, und so weiter, drueck dich der Schmerz noch so sehr, und so weiter. Tady začala pracovat má fantazie. Představil jsem si, že se Anna do našeho dědy určitě zamilovala. Prase se změnilo ve Schwein a váha ve Waage. Teď jsem zahlédl ve svých představách ty dva, jak kladou na decimálku prase, kůzle, husu, pak hrnce se sádlem a škvarky i Annu, která se nakonec staví na váhu sama, za vrkotu hrdliček z práškového cůkrů. Oslavy váhy pokračují, protože jalovice vážila čtyři sta osmdesát kilogramů v létě, kdy si děda už poznamenal, že perník je Lebkuchen a ovesné vločky jsou Haferflocken.

V mých představách by se dal rozvinout milostný, kalendářový příběh dědy Vincence a německé služebné Anny, měl bych sto chutí ty dva nechat tančit kolem váhy a přinášet další zvířata a závaží, nebýt toho, že jsem slíbil, že do příběhu nebudu tentokrát zasahovat, a tak mi nezbývá, než dodržet slovo a nechat čtenáře objevit v kalendáři koncept dědova dopisu.

Vážená paní, dočetl jsem se v inzerátu Lidové demokracie, že byste se ráda seznámila s hodným pánem do sedmdesáti roků. Dovoluji si Vám touto cestu učiniti nabídku. Kdo se sám chválí, není chvály hoden – tak zní staré přísloví. Na hodnost a charakter zeptejte se v naší obci u úřadu neb četnictva.

Jsem vdovec, měli jsme pět dítek, všechny jsou řádně zaopatřeny, všem se dobře daří, žádný domů nepřijde, všichni chtějí, abych já šel k nim. Pravdivé přísloví však praví, mladí k mladým, staří k starým.

Proto bych nejraději své stáří strávil s bytostí sobě rovnou. Měl jsem polní hospodářství a hostinec. Pole jsem pronajal a beru nájemné, hostinec již také nevedu, poněvadž chci žíti v klidu ze svých úspor. Hospodářství jsem zanechal, protože nemám k tomu pracující síly. Mám služebnou, mladou Němku, dvacet let starou (škrtnuto), ta bude co nejdříve odsunuta, takže musím hledat novou hospodyni.

Jste-li dobrá katolička a nejste-li nějakou těžkou nemocí zatížená, mohli bychom v klidném stáří šťastně spolu žíti.

Jen tam, kde je tělo zdravé, je i zdravý duch. Kde není zdraví, není radosti, toho bych se obával.

V případě, že by se Vám líbilo u mne, mohla byste ke mně jíti a svou vilu pronajmouti, to podle Vašeho uvážení.

Nejprve se vyptejte na moje poměry a charakter a podle toho se zařiďte a brzy mi odepište.

Se srdečným pozdravem se znamená Vincenc V.

Poznámky z podzimních dnů připadají mi najednou strohé.

4. listopadu – Ivanovi zaslána knížka na 20 492 Kčs.

8. listopadu – pan Škutil nám vozil hnůj – pět hodin.

16. listopadu – oral u stodoly – dvě hodiny.

17. prosince – 50 metráků řepy.

18. prosince – tele váží v poledne 72,5 kg, váženo v Holicích a vyplaceno 75 kg – à 14,50 Kčs; 1.087,50 Kčs.

Když zavřu a odložím dědův kalendář, sáhnu ještě po sbírce matčiných podacích lístků od balíčků, posílaných otci. Prohlížím ústřižky s nápisem Einlieferungsschein, obracím jeden za druhým a čtu, kolik kilogramů balíčky vážily a co obsahovaly. Vím, že matka musela vážit přesně kvůli tehdejším předpisům, které určovaly, kolik čeho smí balíček obsahovat, protože by jinak nebyl doručen.

Pak mne napadne bláznivá myšlenka.

Podívám se znovu do matčina zápisníku, vyhledám ten červencový týden, kdy jsem nebyl vážen, a čtu si poznámku, které jsem si předtím nevšiml: otec na dovolené.

Prohledám hromádku podacích lístků, až najdu ten z osmnáctého července.

Obrátím ho a čtu: chleba – 1 kg, salám – 0,50 kg, špek – 0,50 kg, vlněné prádlo a modlitby – 1,60 kg.

Adresát Ota Israel Kraus, Nummer 2281, Block 12, Konzentrationslager Neuengamme.

Otázka, proč jsem tenkrát nebyl vážen, zdá se být zodpovězena, i když se mi najednou zdá tak bezvýznamnou.

Na chvilku se zamyslím, vidím jalovici, kůzle, husy, housera, Annu i sebe. Vidím, jak všichni přibýváme, zatímco matka v noci pečlivě váží balíčky otci, který tou dobou jediný z nás na váze ztrácel.

Mám rád tyto kalendáře i příběh, který je v číslech ukryt. A pustím se do dalšího psaní se skepsí, protože vím, že na kalendářový příběh prostě nestačím.

Zem není

Toho srpnového dne roku šedesát osm ležel otec na chodníku na Václavském náměstí. Nelehl si tam, aby snad upoutal pozornost, ale proto, že zaslechl střelbu a viděl tanky.

Nebyl na chodníku sám.

Nedaleko něho klesl na zem nějaký profesor češtiny. Vedle profesora ležel pán, který byl ze Senohrab a který si dělal starosti o svou ženu. Otec ho uklidňoval a vysvětloval mu, že Senohraby jsou ze strategického hlediska bezvýznamné.

„Všechny okupace začínají na tomto náměstí. Dobře se tu fotografuje a vypadá to dobře v tisku," řekl nakonec.

„To je pravda," souhlasil profesor, který si vzpomněl na rok tisíc devět set třicet devět. Řekl, že tehdy byl na Můstku a *s t á l*.

Otec pravil, že každé osvobození vypadá jinak, hlavně podle toho, odkud přichází armáda. Řekl, že Němci jsou naprosto dochvilní, takže se jejich vojska dostaví vždy na minutu přesně.

Profesor souhlasil a připomněl slovanský původ Rusů, které označil za instinktivnější.

„Co tu chtějí?" ptal se muž ze Senohrab.

„Přišli na návštěvu," řekl otec a vysvětlil, že Československo je sice malá, ale zato velmi hezká země s příjemným podnebím, řadou památek a pěknou krajinou a že do takové země se přirozeně jezdí.

„Ale ne v tanku!" zlobil se muž, který si právě opatrně lehal vedle profesora na rozprostřené Rudé právo, aby se neušpinil.

Jeden z tanků, z něhož se kouřilo, se náhle otočil, zamířil hlavní na Muzeum a vystřelil. Ve zdi budovy se objevila díra. Z druhé strany náměstí se ozval kulomet. V tu chvíli se všichni pánové přikrčili.

Pak projevil muž, který ležel na novinách, obavu, aby nedošlo ke krveprolití.

Profesor prohlásil, že český národ neprolévá krev nikde jinde než v nemocnici.

Muž ze Senohrab pravil zvýšeným hlasem, že si Češi nic jiného nezaslouží a že všechno zavinil už Masaryk, bez něhož země mohla být dávno neutrální, a přiznal, že je vůl, protože měl už dávno odejít do Rakouska.

Profesor s neutralitou nesouhlasil. Pravil, že jde o mylný názor, který naprosto ignoruje historický vývoj, a chtěl ještě hovořit o dalších souvislostech, ale muže ze Senohrab to nezajímalo, protože hovořil o svém bratrovi, který už dvacet let ve Vídni žije.

„Já jsem pro socialismus s lidskou tváří, jak to chce Sáša!" ozval se člověk, ležící na denním tisku.

„A mne zase zajímá, jestli vůbec budou brambory," řekl muž ze Senohrab. Druhého pána to rozčililo. Pravil, že nechápe, jak může někdo v tak osudnou chvíli myslet na potraviny a doporučil mu, aby se styděl. Pak se oba pánové ležící na chodníku začali hádat.

„Hle – český národ! Ač sražen k zemi – pře se!" povzdechl si profesor a začal si vyčítat, že se něco takového musí stát zrovna jemu, který přeložil Puškina a Dostojevského.

Později, když se situace trochu uklidnila a kolem tanků se začaly shromažďovat hloučky lidí, rozhodl se muž s novinami, že půjde za sovětskými vojáky, aby jim celou věc rozmluvil. Pán ze Senohrab řekl, že jde shánět brambory, a profesor naznačil, že půjde do sebe. Také otec se zvedl a šel do úřadu.

Když zjistil, že budova je obsazena, a dozvěděl se, že má jít domů a zachovat klid, šel na Letnou.

Matka ho už očekávala.

„Co bude teď?" ptala se.

„Musíme se samozřejmě ještě pevněji přimknout ...," začal otec, ale matka ho požádala, aby byl tak laskav a nechal si svých hloupých poznámek, a on jí kupodivu vyhověl.

Za nějaký čas si otce zavolala strana. Soudruh, který ji zastupoval, položil otci jedinou otázku: zda uznává příchod bratrských armád jako pomoc zemi.

„Jistě," odpověděl otec a způsobil tím zjevně tomu člověku radost, protože si to chtěl hned zaznamenat do formuláře správných odpovědí.

Jenže otec pak ještě dodal, že si myslí, že jde o pomoc, jakou už kdysi poskytli zemi Němci.

Zástupce strany se zarazil a požádal otce, aby si odpověď ještě jednou rozmyslel, zejména dokud je ještě na půdě strany, ale ten to neudělal. Když si uvědomil, že už nebude muset platit příspěvky, měl radost ještě větší.

A když mu v úřadě oznámili, že už tam nemůže pracovat, protože ztratil důvěru, stal se penzistou, což bylo povolání, které mu docela vyhovovalo.

Koupil si psa a chodil do parku na procházky. Potkával tam řadu přátel a známých, kteří také neuspěli u zkoušky. Hovořili o psech, co který umí, co žere a jak se mu daří. Otec naučil svého psa nosit obojek v hubě. Tvrdil, že je to pravý český pes, který ví, co se patří.

A protože měl konečně dost času, mohl se opět věnovat pěstování květin. Jednou, když chtěl zrovna nějakou rostlinu přesadit, objevil se v obchodě nápis ZEM NENÍ.

Ta podivná zpráva ho vyvedla zmíry.

„Zem není… zem není…," opakoval si, kudy chodil. Možná, že si v tu chvíli uvědomil, kde žije. V zemi, kterou nikdy nedokázal opustit, protože se sám bál přesazení přesto, že se za ta léta proměnila v to, co strana nazývala svou půdou.

Pak ho matka přistihla, jak telefonuje.

Snažil se měnit hlas a hrál roli nějakého Ústředí.

Hovořil s vedoucí květinářství zostra a přikazoval jí, ať zboží, kterého je všude kolem dost, okamžitě opatří, nebo že ji nechá přeložit. Matka tvrdila, že na začátečníka podal otec slušný výkon. Pravila, že mu sice chybí třicetiletá praxe, jako má ona, a že bude muset ještě dbát víc na hlasový projev a na stylizaci, ale vcelku byla s jeho výkonem spokojena.

Myslím si, že šlo o významný okamžik, protože toho dne otec odešel do ilegality a naše rodina se zároveň politicky sjednotila.

Není divu, že matka byla na otcův čin pyšná.

Bylo to zároveň poprvé, co přistoupil k životu jako ona a stál konečně nohama na zemi.

X X X

Jednou jsme seděli s otcem v kavárně, která byla v nebi.

Otec vyhledal stůl u okna, odkud bylo vidět do zahrad, a hned si rychle sedl.

Vybídl mne, abych udělal totéž, a pravil, že je rád, že jsou u stolu jen dvě židle, takže si už nikdo nemůže přisednout.

Když viděl, že se divím tomu, jaké má starosti, ukázal ke dveřím.

Byl tam Stalin v bílém dvouřadovém obleku. Zdravil se s Hitlerem, který si svlékal pršiplášť. Goebbels byl v bundě, jako by šel z hub. Pak k nim přistoupil Chruščov ve slamáku a něco jim vykládal zrovna v okamžiku, kdy vešel ještě někdo, koho jsem kdysi určitě znal z novin a známek, ale jehož jméno jsem si už nepamatoval.

„Ježišmarjá!" lekl jsem se.

„To neříkej. Nedali by nám tu kafe," řekl otec.

V tu chvíli se objevil Brežněv v loveckém kloboučku a holínkách.

Husák mu nesl podběrák a Marchais židličku.

Všichni se začali objímat a líbat.

„Tady nemůžeme zůstat," řekl jsem.

„Kafe tu má být dobré," pravil otec, který se už na zemi dovedl vyhnout otázkám, na které neměl odpověď. Káva byla opravdu dobrá. Přinesl ji Winston. Vidím, že bych málem zapomněl říci, že Churchill tam byl vrchním a že dokonce nabídl otci doutník, ale otec ho odmítl a řekl: „Thank you, it's not healthy!"

Churchill se tomu smál a řekl, že je to nejlepší vtip, který v kavárně slyšel.

Přemýšleli jsme, zda si dáme zmrzlinu, když se ve dveřích kavárny objevila Golda Meierová, která tam byla šatnářkou, a volala: „Pan Kraus k telefonu!" Když se otec zvedl a šel k šatně, celá kavárna ztichla.

A když se za chvilku vrátil a řekl, že je vše v pořádku, nespouštěli z něho ostatní hosté oči. Viděli jsme, jak si ti známí pánové povídají a jak se o něčem dohadují.

Pak se zvedl pan Goebbels, upravil si bundu, přišel k nám a představil se. Řekl, že by velmi rád otce požádal o laskavost. Byl prý spolu s ostatními pány informován, že do nebe nelze telefonovat, ale teď právě viděl, že otce někdo volal, a proto by prosil, zda by mu laskavě nesdělil telefonní číslo.

„Aber selbstverstaendlich," řekl otec.

Vyhrnul si rukáv košile a nechal ho opsat číslo, které měl vytetované na ruce, na ubrousek. Pan Goebbels poděkoval, srazil paty a odporoučel se.

Řekl jsem otci, že mu číslo neměl dávat.

„Proč ne?" divil se otec, „stejně se nedovolají!"

A nám se v nebi konečně začalo líbit.

RODINNÝ SJEZD

/část/

Často se mne ptali čtenáři předešlých příběhů, kde je v nich hranice mezi skutečností a fantasií. Hledal jsem odpověď a vznikl Rodinný sjezd. Odpověď jsem nenašel, ale zato jsem poznal, že někdy je k pochopení skutečnosti zapotřebí hodně fantasie.

Rodinný sjezd

První jsme uspořádali deset let potom, co jsme se rozběhli do světa. Sešlo se nás deset.

Objevil se také matčin bratr, ten, který v roce 1948 prchal z domova na lyžích.

Když přijel se svou ženou z letiště, díval jsem se, jak vystupuje z taxíku a čekal jsem, že položí na chodník ke kufrům také lyže, v kterých se před lety procházel po koberci našeho pražského bytu, aby vyzkoušel, jak na nich na Šumavě pojede přes hranice.

Tenkrát vezl strýce na Šumavu český taxikář, teď ho přivezl francouzský ze Štrasburku.

Sotva zaplatil řidiči, vyběhl po schodech a vrhl se k matce, s níž se neviděl třicet let.

Díval jsem se na ty dva, jak se objímají, jak se drží v náručí, a na ostatní členy rodiny stojící kolem a přemýšlel jsem, kde asi strýc nechal lyže, které předevčírem, když jsem byl malý kluk, nakládal v Praze do auta. Nechtělo se mi věřit, že od té chvíle už uplynulo třicet let. Prohlížel jsem si strýcovy bílé vlasy, které čas zasněžil, i sestru, kterou jsem neviděl deset let a která už neseděla na saních, ale stála tu vedle Ignacia, kterého potkala na druhém konci světa.

Byl bych věřil, že strýc před chvíli nasedl do auta na Letné, projel se po světě, cestou se v Jižní Americe oženil a vrátil se k nám, do německého města, kam jsem si já jen tak zaskočil, když jsem se vrátil z pražského parku.

Podíval jsem se na Michaela, který také mlčky sledoval setkání, a když se mi zdálo, že jsem zahlédl v jeho ruce sněhovou kouli, maličko jsem se přikrčil. Uměl už jako malý bezvadně mířit.

Vedle Michaela stál otec.

Stačilo, abych přimhouřil oči, a už se na jeho zádech objevil obrovský ruksak, kterým jsem ještě nedávno nedokázal ani pohnout, protože býval před odjezdem na dovolenou ještě plný vlhkého prádla, a hned jsem zahlédl Honzu a Kateřinu, oba ještě malé, ve větrovkách a svetrech, které zdědili po nás, a zaslechl jsem matku, jak jim říká:

„To na vás doschne."

Zdá se mi, že paměť vnímá čas jako řadu okamžiků, a je-li vybíravá, jako má, vozí pěkné chvíle i uprostřed léta na neviditelných lyžích.

Na rodinných sjezdech se hovořilo často nejen česky, ale i anglicky, španělsky nebo německy. Někdo neustále překládal, abychom si rozuměli se svými příbuznými ze světa, a setkání se tak podobalo malé mezinárodní konferenci.

Na prvním sjezdu, o němž matka tvrdí, že byl nejkrásnější, sešli se delegáti čtyř států.

Otec s potěšením sledoval, jak to celé funguje. Tvrdil, že na rozdíl od OSN nepotřebujeme kanceláře ani sekretářky, a říkal, že by si z nás měli vzít příklad, protože to přijde levněji.

Má roztržitá paměť, která dává přednost některým chvílím před letopočty a daty, je vinna tím, že si nepamatuju, kdy jsme se během let všude sešli.

Zato pečlivě uchovává každé místo, které od chvíle setkání považuju za naše vlastní území.

Máme své kouty v Paříži, Badenu, Bogotě, Princetonu, Mentonu, Vermontu, Filadelfii i v New Yorku.

Také všude tam, kam někdo z nás přijel nebo kde přistál a odkud později odjel nebo odletěl.

Stolek v baru na letišti, u kterého jsme seděli s Eliškou, než odletěla přes moře, pamatuji si stejně dobře jako ten, u něhož jsme se loučili s Kateřinou, když odjížděla do Ameriky.

Vím, kde jsou skříňky na zavazadla, kde měli rodiče kufry, pamatuji si místa na nástupištích, kde jsme čekali s vozíky, i v nádražních čekárnách, a najdu hned naše židle v kavárnách řady měst.

Má paměť nepotřebuje víc než několik vteřin, aby si vybavila rodiče v pařížské tržnici, v americkém obchodním domě nebo na německém náměstí.

Stačí, abych zašel třeba do našich lázní, ponořil se do bazénu s minerální vodou, a už se vedle mne vynoří otec.

„Nedávno psal někdo do Rudého práva a ptal se, zda je u nás svoboda shromažďovací," řekne.

„Jak mu odpověděli?" ptám se.

„Že svoboda shromažďovací je zajištěna pro každého občana, ale ne pro antisocialistické živly."

Máme oba, jako všichni v rodině, neobvykle hlasitý smích, a tak není divu, že budíme pozornost.

Pod umělým vodopádem, kde voda teče ze skály a masíruje příjemně záda, otírá si otec oči.

Z vody stoupá pára a mění se v mlhu.

Zahlédnu otcovu ruku a uvědomím si, že jeho číslo má cosi společného s tím, které mám v pase.

„Obě začínají sedmičkou."

„To je šťastné číslo," řekne otec, „a proto tu teď spolu můžeme taky klidně ležet."

Kolem nás plavou lidé, kteří nerozumějí naší divné řeči.

Noří se z mlhy a páry, potápějí se a nadšeně si sdělují, že Wasser je wunderbar, fantastisch nebo sehr gesund.

V té mlze vypadají jako ponorky.

„To číslo bylo velmi praktické," řekne otec a vzpomíná, že tam, kde ho dostal, mizely denně spousty lidí, ale ani jeden člověk se nesměl jen tak ztratit.

„Aby nebyl nepořádek," napadne mne, a když to řeknu nahlas, dostaneme nový záchvat smíchu.

Na okamžik se nechám unášet proudem. Nese mne k bazénku s horkou vodou. Uvnitř je plno lidí.

Hlavy v čepičkách vypadají jako periskopy.

Za chvíli přistane vedle mne otec.

Vypráví, jak se mu mnoho let po válce v Praze zdálo, že byl opět u výslechu.

Naslouchám a pak mu povím o svém vlastním snu.

O tom, jak jsem léta přecházel tajně hranice a vracel se do Prahy a jak jsem se budil vyděšený, protože jsem nemohl zpátky.

Otec se potopí.

Když se znovu vynoří, vzpomene si na jiný sen, v němž ho znovu chytli.

„Kdo?" ptám se naivně.

„Němci," odpoví otec.

„A mě zas Češi."

Smějeme se jako blázni.

Lidé kolem se také usmívají, i když nevědí, o čem si ti dva, kteří mluví neznámou řečí, povídají.

Jenže to, o čem mluvíme, může stejně jen málokoho pobavit.

„Když to neprožiješ, není to k smíchu," řeknu tiše.

„Když to nepřežiješ," opraví mě otec.

Zvykl jsem si na svou nervózní paměť.

Nezazlívám jí, že zanedbává roky a měsíce. Zato mi umožní prožít znovu chvíle, které stojí za to.

Někdy se zastavím v modrém pokoji, stačí jen chvilka a už vidím Ignacia, profesora literatury a děkana university, jak leze po čtyřech po koberci a vybaluje z kufru dva páry nových, ručně šitých polobotek, které přivezl z Kolumbie.

Pak žádá seňora otce, aby se v zapatos neboli botech prošel, protože chce vědět, zda boty jsou justo a exacto, jestli sedí. Sestra to překládá seňoru otci, který zeťovi vyhoví a udělá po pokoji malou i paseo, neboli procházku, aby ohlásil tlumočnici, že boty mu jsou akorát, a tlumočnice to přeloží profesorovi, který září štěstím, že seňoru padre přivezl z daleké jižní Ameriky vhodný dárek.

Pak si otec sedne, zadívá se na nové kolumbijské boty a řekne toto:

„... to v táboře byla zvláštní četa vězňů, která po celé dny, od rána do večera běhala, protože jejím úkolem bylo rozběhat vojenské boty, aby později netlačily vojáky na frontě..."

Sestra překládá do španělštiny, co otec řekl, a bratr tlumočí otcovu vzpomínku do angličtiny.

Otec počká, jak je na mezinárodních konferencích zvykem, a když tlumočníci ztichnou, dodá, že té četě se říkalo Schuhläufer.

Pak se zadívá znovu na své boty a řekne, že už přes třicet let, kdykoli přijde do obchodu s obuví, uvidí pokaždé vězně, jak běhají celé dny kolem tábora.

Nevím o místě, kde by si otec na něco nevzpomněl.

V Paříži nedaleko náměstí Concorde se občas zastavím u obchodu se suvenýry.

Jednou tu otec koupil pohled Paříže a poslal ho příteli do Austrálie. „Zdravím Tě z Paříže z návštěvy syna. Omlouvám se za to maso ..." psal na barevné pohlednici.

Vzácné maso opatřil tenkrát přítel a otec slíbil, že je v dílně připraví. Začal ho vařit v plechovce, ale pak museli všichni neočekávaně na nástup, protože bylo vyhlášeno pátrání po nějakém vězni a protáhlo se na několik hodin.

„Nemohli se dopočítat," řekl otec, když jsme tenkrát odeslali pohled z pošty na Champs Élysées, „a to pěkné maso bylo na uhel."

Nalézám otcovy krátké příběhy všude tam, kde mi je řekl. Jako by tam zůstaly ležet, a objevují se, kdykoliv jdu kolem.

Někdy jdu v Paříži po nejkrásnějším náměstí a náhle zaslechnu sirénu houkající na poplach. Zároveň uvidím hledáčky reflektorů, pátrající po uprchlých vězních, a strážní věž.

Zastavím se na chodníku, strnu a nehnu se z místa.

Čekám tam bez hnutí, tak dlouho, dokud se z mužů v pruhovaných oblecích nestanou opět chodci, dokud se hledáčky nepromění v lampy a strážní věž opět v Oblouk vítězství.

Teprve pak si uvědomím, že siréna nehouká na poplach, ale patří sanitce, prodírající se zástupy aut.

Když se vzpamatuju, jdu dál.

Jak kráčím po chodníku, rozhlížím se zmateně kolem sebe a užasle se dívám na kolemjdoucí.

Mám chuť je zastavit a říci jim, jak nebezpečný je člověk.

Když míjím prodavače horkých kaštanů, balónů, křečovitě se pohybujících hraček poskakujících po chodníku, zatoužím na okamžik po vlastním stolku, na němž bych zdarma nabízel kousky pruhované látky s čísly a také prsteny nebo náramky z ostnatého drátu.

Uprostřed náměstí stojím okamžik u stánku s novinami. Prohlížím vystavené titulní stránky časopisů, dívám se na fotografie vyhublých lidí za dráty a čtu jméno země, kde byly snímky pořízeny teprve předevčírem.

Jdu dál a cítím, jak se zvolna ztrácím v čase, který jako by zůstal stát.

Otec se narodil v roce 1909, ale už delší čas považuje za rok svého narození rok 1945.

Když mu bylo sedmdesát pět, gratuloval jsem mu k devětatřicátým narozeninám, ačkoli jsem byl tím přepočtem jen o pouhých šest let starší než on.

Na sjezdu v New Yorku se američtí příbuzní rozhodli, že otcovo výročí oslaví. Strýcové a tety byli za války také v koncentráku a do Ameriky odešli už v roce čtyřicet osm.

„Máš narozeniny, Otíku," řekla teta Marta, „aj keď to nelajkuješ, budem to celibrejtovat."

„Někdy jsem velmi afraid, jestli naše kids mohou pochopit, co jsme prožili," povzdychla si teta Hana.

„Hanko, prosím tě..." zoufal si strýc Kurt nad češtinou své ženy.

Na oslavu otcových narozenin přišli také všichni američtí bratranci a sestřenice a také jejich manželé a děti.

Když se na zahradním stole objevil velký dort a rodinné pěvecké sdružení zazpívalo Happy Birthday, vyzval Michael otce, aby sfoukl svíčky.

Podařilo se mu to jedním dechem.

Potom přáli všichni otci vše nejlepší a hodně zdraví, a když strýc vyzval k přípitku, zvedli všichni sklenice a přiťukli si.

Někdo řekl „Cheers" a někdo „Na zdraví!".

„Na to, že jsme survajvovali," řekla teta Hana.

„Přežili," opravil ji Kurt.

„Na rodinu a na naše děti," řekla matka.

Pak jeden mladý muž z Izraele řekl La chaim.

Účastníkům sjezdu se přání zalíbilo natolik, že ho po něm opakovali. Ti, kteří věří, i ti, kteří považují slovo Bůh jen za jiný výraz pro slovo Nevím.

La chaim znamená Na život.

Zdá se mi, že vhodnější přání nemohl v tu chvíli nikdo vyslovit.

Ve chvíli, když je říkali, mysleli v duchu na totéž.

Na to, jak často jde v životě o život.

Hra

Jedno z prvních míst, které Ignacio v Praze navštívil, bylo Klementinum. Měl takové štěstí, že se několikrát setkal s mužem, který před padesáti lety napsal v Buenos Aires povídku, odehrávající se v Praze.

„Bůh je v jednom z písmen na jedné stránce v jednom ze čtyř set tisíc svazků uložených v Klementinu," říká v povídce starý knihovník.

„Moji rodiče a rodiče mých rodičů to písmeno hledali. Já jsem při tom hledání oslepl."

„Dios esta en una de las letras de una de las paginas de uno de los cuatrocientos mil tomos del Clementinum," opakoval si Ignacio slova velkého Borgese, když odjížděl z Prahy.

Sestra Eliška byla vždy pýchou rodičů.

Když se nevrátila z Kolumbie a zůstala v Bogotě, zanevřel otec na celou latinskou Ameriku.

„Proč jezdit z jedné vývojové země do druhé?" ptal se matky.

Byl přesvědčen, že si sestra spletla směr, a že pokud chtěla odejít, měla se usadit v Severní Americe.

Řekl bych, že otec byl zklamán tím, že jeho dcera neumí prchat.

Matka mu připomněla, že Eliška zůstala v Bogotě kvůli studiu španělštiny, ale nijak ho tím neuklidnila.

Když otec zjistil, že v Kolumbii žijí jen tři procenta Indiánů, řekl matce, že většinu původního obyvatelstva vyvraždili Španělé a že zavedení tohoto jazyka přišlo zemi velmi draho.

Matka namítla, že američtí přistěhovalci udělali něco podobného a navíc zavlékli do země černochy.

„Černochů je v Kolumbii pět procent," pravil otec, nahlížeje do atlasu, v němž se dočetl, že v zemi je dále dvacet pět procent mulatů a osmačtyřicet procent mesticů. O několik dnů později zjistil, že kolumbijské peso má jen sto centavos a oznámil to rovněž matce. Když Eliška napsala rodičům, že poznala Ignacia, bál se otec, že sestra chodí s toreadorem, který má v uchu náušnici a na prsou zlatý řetízek. Později, když v nějaké příručce zjistil, že v zemi je činná sopka Puracé, přestal sestře psát docela.

Matka, která pochopila, že otec trpí nejen odchodem dcery, ale zároveň také velice žárlí, snažila se mu pomoci.

Aby ho uklidnila, ukázala mu fotografii Ignacia stojícího před universitou, kde je profesorem.

Otci se budova zdála malá. Řekl, že ho to ovšem nepřekvapuje, protože v zemi je čtyřicetiprocentní analfabetismus a třetina obyvatel nemá dokonce elektrický proud.

„Nikdy jsi neviděl žádnou universitu zevnitř a nemáš právo kritizovat nejslavnější institut španělského jazyka na světě!" zlobila se matka.

„V zemi, kde polovina dětí musí pracovat a čtvrtina lidí nemá střechu nad hlavou, nemám chuť se na universitu dívat ani dalekohledem," odpověděl otec, nahlížeje opět do nějaké příručky.

Ani matčina informace o tom, že Ignacio také vydává knihy spisovatelů, včetně knih bývalých kolumbijských presidentů, kteří k němu chodí občas na snídani, na otce neudělala dojem.

„Presidenty, kteří píšou knihy a nedokážou odstranit takovou chudobu, bych na snídani nezval."

„Tvoje pozvání by stejně nepřijali, protože snídat s tebou není nijak zábavné," řekla matka.

„V civilizovaných zemích snídají presidenti doma a neobcházejí profesory, které mizerně platí," zlobil se otec.

Když si jeden čas otevřel Ignacio malý restaurant, aby si přivydělal, žádal otec matku, aby se sestry zeptala, čím si přivydělávají kolumbijští presidenti.

Matka vybízela otce, aby sestře napsal sám.

„Nikam psát nebudu," řekl otec, „uvalil jsem na Kolumbii poštovní embargo!"

Teprve pobyt v Kolumbii na něho zapůsobil.

Když Ignacio rodiče pozval na návštěvu, otec se sice nejprve zdráhal a tvrdil, že bude lepší, když pojede matka sama, ale nakonec pozvání přijal. Na letišti uvítala rodiče celá kolumbijská rodina i řada přátel. Ignacio objednal orchestr se zpěváky a celý dům nechal vyzdobit květinami.

V Bogotě také rodiče zažili fotbalový zápas, protože Ignacio je trenérem universitního mužstva. Soupeřem byla jedenáctka českého vyslanectví.

Když si otec všiml, že dva kolumbijští hráči přešli do soupeřova týmu, zeptal se sestry, co to má znamenat.

„České mužstvo je zjevně slabší," přeložila sestra odpověď.

Otec se díval s úžasem na kolumbijské hráče, kteří přišli posílit soupeře, aby síly obou mužstev byly vyrovnané, ale zápas ani nadšený křik fanoušků, kteří přišli muže na hřišti povzbudit, nevnímal.

Myslel na hru a její pravidla.

Přijel ze země, jejíž osud byl několikrát nemilosrdně odpískán. Z města, v jehož slavné knihovně měl být sice v jednom z písmen na jedné stránce v jednom ze čtyř set tisíc svazků ukryt Bůh, který však dvakrát za posledních čtyřicet let přihlížel beznadějným zápasům.

Dvakrát v životě zažil otec utkání, jimž přihlížel celý svět, ale byly to zápasy, které nebylo možno vyhrát, protože pravidla určovali nezvaní hosté a měnili je neustále v průběhu hry.

Tenkrát v Bogotě sledoval, co se děje na trávníku, ale viděl jiné hřiště, jiný zápas ve středu Evropy a myslel na chvíle, které by nejraději zapomněl.

Na nekonečnou řadu faulů, na soudce, kteří se usmívali a předstírali, že nic nevidí, a pak naopak nařídili pokutové kopy proti hráčům domácím, ačkoli ti byli neustále sráženi na zem.

Když sledoval fotbalový mač, viděl znovu ten podivný, neuvěřitelný přátelský zápas, jehož pravidla nedávala domácím ani tu nejmenší šanci, ani sebemenší naději, a znovu prožíval každý okamžik utkání, které se tak neslavně zapsalo do dějin.

Vzpomněl si na okamžik, kdy soupeř označil gól domácího mužstva za nepřátelské gesto, a neuznal ho.

Na neuvěřitelný moment, kdy hosté dosáhli branky druhým míčem, který se náhle z ničeho nic objevil ve hře, a kdy gól byl uznán, protože soudce rozhodl, že protest by byl urážkou, neboť druhý míč přivezli hosté darem.

Myslel na to, jak tehdy domácí hráči přešli náhle na stanu soupeře a začali nemilosrdně útočit na vlastní bránu, a zaslechl opět hlášení o tom, že se hosté po vítězném zápase domů už nevrátí, ale zůstanou ve městě i v zemi.

Na neurčito.

Aby učili národ své zvláštní hře, které říkají přátelská.

Na to všechno otec myslel, když se díval na Kolumbijce, kteří hráli v mužstvu soupeřů, a jak se díval na zápas, měl na okamžik pocit, že je-li nějaký Bůh, pak možná přesídlil, opustil Klementinum a je skryt v jednom stéblu trávy, v jednom z mnoha set tisíc trsů, rostoucích na jednom fotbalovém hřišti v Bogotě.

Když zápas skončil nerozhodným výsledkem, šel k Ignaciovi, podal mu ruku a požádal sestru, aby mu blahopřála.

„Ale vždyť nikdo nevyhrál," divila se sestra.

„Ba ne," řekl otec zamyšleně, „to se jen zdá."

Pan K.

Otec chodil odjakživa rád po Praze.

Jedna z jeho oblíbených cest vedla přes Staroměstské náměstí, kolem sochy Jana Husa, který kdysi tak trval na svém, až bylo nutno ho upálit. Občas se podíval do výkladu knihkupectví.

Jednou vešel dovnitř, aby se zeptal, proč není možno koupit knihu autora, jehož dům stojí nedaleko a který je slavný po celém světě. Žena v obchodě pokrčila rameny tak, jak to dělají většinou lidé, když mají pocit, že jim někdo klade zbytečné otázky.

Otec uspořádal v knihkupectví malou přednášku.

Vyprávěl, jak jako penzista navštívil své děti ve světě a jak všude nalezl řadu knih Franze Kafky.

Nezapomněl ani na Bogotu, kde napočítal víc knih pražského autora než Garcii Marquéze, který je v Kolumbii velmi oblíben, ani na velkou výstavu v Paříži, v Centre Pompidou, kde viděl Kafkovy knihy z celého světa a kde uprostřed velkého sálu, s fotografií pražského hradu, byla skleněná vitrína ozářená reflektory, s jediným vzácným exponátem z Prahy.

Nebyla to však kniha, ale dopis ředitele nakladatelství československých spisovatelů, v němž odpovídal vedení výstavy na dotaz, které knihy slavného autora budou v nejbližší době vydány v Praze.

Dopis byl přeložen do francouzštiny, němčiny a angličtiny, aby se návštěvníci z celého světa dozvěděli, že v městě, kde se spisovatel narodil a kde žil, nevyjde žádná z jeho knih.

„Není to mezinárodní ostuda?" zeptal se otec nakonec.

Když žena za pultem pokrčila opět ramena, opustil obchod a pokračoval v procházce.

Cestou přemýšlel, jaké by to bylo, kdyby Kafka žil.

Napadlo ho, že by spisovatel byl na černé listině a mohl by možná považovat za veliké štěstí, kdyby směl dále pracovat v pojišťovně. Možná, že by prodával noviny, myl okna nebo topil v kotelně.

Tenkrát se otci ztratilo pozvání k návštěvě Ameriky.

Bratr poslal doklad každému z rodičů zvlášť, jak to bylo předepsáno. Matka, která měla větší štěstí než otec, se vypravila na poštu, aby zjistila, jak je možné, že jeden doporučený dopis došel, a druhý ne. Poštovní úřednice nejprve krčila rameny, pak zavolala nadřízeného úředníka a matka ho požádala o vysvětlení.

Muž vyslechl příběh o dvou doporučených dopisech z Ameriky, prohlédl si matčin dopis, který byl odeslán ve stejný den jako otcův, který nebyl doručen, a řekl, že udělá, co bude moci. Pak odešel do vedlejší místnosti a někam telefonoval.

Zavřel za sebou dveře, aby zabránil vyzrazení nějakého poštovního tajemství.

„Dopis adresovaný vašemu manželovi se zřejmě ztratil," oznámil matce, když se vrátil, krče rameny.

Matku zajímalo kde.

Úředník řekl, že cestou.

Když se zeptala, co znamená „cestou", a dozvěděla se, že tím je míněno samozřejmě zahraničí, požádala úředníka, aby jí vystavil písemné potvrzení o tom, co jí právě sdělil.

Muž řekl, že to není možné. Byl to skromný člověk a nechtěl být nikde citován a už vůbec podepsán.

Bratr poslal znovu dva dopisy, otcův opět nedošel.

Zadrželi ho na zvláštním oddělení, kde pracovali velmi spolehliví úředníci, kteří zřejmě studovali seznamy těch občanů, jejichž dopisy neměly být doručeny.

Úkolem úřadu bylo sice ztrácet určité dopisy, ale ne tak, aby vznikl nepořádek nebo dokonce zmatek.

Ztratit dopis by dovedl každý, ale ztratit dopis řádně, tak, aby to odpovídalo předpisům, k tomu bylo zapotřebí odborné znalosti, protože každý úředně ztracený dopis musel být evidován.

Zaměstnanec úřadu, který by nesplnil předpis o registraci korespondence určené ke ztrátě, by měl potíže.

Kdyby se ztracený dopis nešťastnou náhodou doopravdy ztratil, muž zodpovědný za úřední ztrátu by mohl ztratit místo.

Otcův úředně ztracený dopis byl tedy uložen podle abecedy pod písmeno K.

Místo dopisu se pak neočekávaně objevil pan doktor.

Jistě se nejmenoval tak, jak se představil, měl ještě krycí jméno, tak jako mívají umělci pseudonym.

Pan Dr. řekl, že studoval psychologii, pozval otce na kávu a zeptal se ho, zda má rád Picassa.

Otec pana Dr. asi trochu zklamal, když přiznal, že ho moderní výtvarné umění nechává chladným.

Pan Dr. řekl, že to chápe, a zeptal se otce, jak na něho působí Janáček. Otec pravil, že na klasickou hudbu příliš není.

Pan Dr. přiznal, že ho hudba Leoše Janáčka nesmírně povznáší a občas ho dokonce uvádí do podivuhodných stavů.

Pak se rozloučil, protože zrovna spěchal na nějaký koncert.

Na příští schůzce se pan Dr. otce zeptal, zda má rád více Hemingwaye, nebo Steinbecka, a co říká americké literatuře an sich.

Otec si vzpomněl, že kdysi četl Starce a moře a že tu knihu ještě má. Pan Dr. se pak nenápadně zeptal, jak se daří synovi v Americe a otec řekl, že dobře, ale že se v poslední době ztrácejí jeho dopisy.

Pan Dr. se tomu velmi divil, tvrdil, že to musí být jistě nějaké nedopatření, které se v dohledné době vysvětlí, a přivedl řeč na indiánské umění, zejména prekolumbijské, které mu prý už dávno učarovalo. Zároveň ho zajímalo, jak se daří dceři v Kolumbii.

Otec řekl, že dobře, a dodal, že dopisy od dcery zatím většinou došly.

Neprozradil však, že je sestra čísluje.

Potom se pan Dr. rozhovořil o Paříži. Mluvil o Eiffelově věži, Montmartru, Seině a o Louvru.

Nakonec se dostal k impresionistům a přiznal se, že Manet v něm vyvolává pocity tak neuvěřitelné něhy, že má chuť obejmout celý svět. Od impresionistů se dostal k synovi v Paříži. Když zjistil, že i tomu se vede dobře, rozloučil se, protože spěchal do divadla.

Jakmile se matka dozvěděla o schůzkách s panem Dr., zlobila se na otce.

„S takovým člověkem nemáš do kavárny chodit," vyčítala mu, „a v žádném případě ho nemáš nechat platit!"

Otec řekl, že svou kávu zaplatit chtěl, ale že pan Dr. trval na svém, že rozhodně nenechá platit penzistu.

Matka řekla, že taková káva ho může přijít dost draho.

Otec pravil, že pan Dr. stejně neplatí ze svého, protože na to mají fondy.

Během schůzek v kavárně získal otec postupně dojem, že se práce Bezpečnosti, pokud jde o kvalitu personálu, rok od roku lepší a že lidé jako pan Dr. patří už k nové, vzdělané generaci, která má smysl pro vědy a umění.

„Umění těchto lidí spočívá v tom, dostat z člověka to, co potřebují vědět," řekla matka.

Otec tvrdil, že půjde-li to takhle dál, brzy budou pro bezpečnost země pracovat jen velmi vzdělaní lidé a česká policie bude určitě tou nejinteligentnější na světě.

„Ten čas už nastal," pravila suše matka a zakázala otci další schůzky. Pan Dr. se už stejně neozval.

Aby se pozvání znovu neztratilo, poslal ho bratr soukromou cestou. Matku potěšilo, že akce proběhla stejně hladce jako za války, kdy dostávala od otce motáky v zubní pastě.

Po čase potkal otec pana Dr. na Václavském náměstí.

Nevypadal dobře. Byl přepadlý, unavený a také mrzutý. O umění už nehovořil. Řekl, že byl přeložen a pracuje v dopravním oddělení.

„Já, který mám doktorát z psychologie, umím tři jazyky a jsem léta členem Klubu přátel poesie, musím pracovat s lidmi, kteří často neumějí ani pravopis," stěžoval si.

Otec vyjádřil naději, že se snad poměry časem zlepší, ale pan Dr. viděl budoucnost velmi černě.

„Je to všechno beznadějná kafkárna," řekl, když se loučili.

V Pařížské ulici uviděl otec Kafkův portrét.

Spisovatel byl na něm namalován uhlem a vypadal na bílém papíře jako černé písmeno.

Otec se chvíli díval na kresbu a myslel na pana Dr.

Cestou domů dostal dobrou náladu, protože pochopil, proč se spisovatel na obrázku usmívá.

Tajná znamení

Jsou chvíle, kdy člověk nemůže otevřeně říci, co si myslí.

Jsou země, kde takové chvíle trvají celou řadu let.

Někteří lidé v takových zemích prožili celý život.

První rodinnou šifru vytvořila matka za války.

Poslala otci do vězení kalhoty s páskem, do kterého vložila peníze.

Zároveň odeslala zprávu: Pan Pásek už odjel.

Když otec napsal, že se s panem Páskem nesetkal, matka pochopila, že peníze nedostal. Později se otci podařilo poslat další zprávu, v níž sděloval, že pan Pásek sice dorazil, ale stýká se s někým jiným.

Matce bylo jasné, že se stalo něco nepředvídaného a že se zásilka s penězi zřejmě dostala do rukou někoho jiného.

Uklidnila se, až když dostala zprávu, že pan Pásek je na místě.

Teprve po válce mohl otec matce vysvětlit, co se stalo. Kalhoty s páskem ukradl vězeň, který měl službu u balíků. Když to otec zjistil, nabídl mu, ať si kalhoty nechá, ale požádal ho, ať mu vrátí pásek, který je rodinnou památkou.

Nikdo v rodině nevytvořil tolik tajných šifer jako matka.

Když po únoru 1948 někteří prozíraví příbuzní utekli na západ, působila jako informační centrála.

Na dotaz příbuzných z New Yorku, kde je strýc Josef, odpověděla, že Josef má rád med, jako teta Eli.

Američtí příbuzní prostudovali mapu Jižní Ameriky a usoudili, že strýc je v Medelinu.

Útěk sestřenice do kanadské Ottavy zašifrovala pohotově do informace René seká otavu. Odchod strýce Petra oznámila příbuzným zprávou o tom, že si Pedro dal opravit kolo a ona že ho má stále ráda.

Brzy bylo všem jasné, že strýc prchl do Colorada.

Když utekl bratranec Petr, který se chtěl stát knězem, do Vatikánu, napsala matka, že se řízla a krvácení zastavila chomáčem vaty a že byla na venkově, kde viděla káně. Pak ukázala zprávu otci, protože si chtěla ověřit, zda je srozumitelná.

Otec se nejprve podivil tomu, že se matka řízla.

Matka mu vysvětlila, že se jí nic nestalo, ale potřebuje nějak dostat do dopisu slovo vata, kvůli bratranci.

Otec řekl, že už chápe, ale když ho matka požádala, aby zprávu rozluštil, nevěděl si s úkolem rady. Po delším zkoumání dopisu se jí zeptal, proč píše v dopise o káněti.

Matka se zlobila, jak je nechápavý, a tvrdila, že je velké štěstí, že neutekl on, protože by se s ním nikdy nedomluvila.

Otec namítl, že se nedomluví s matkou stejně, ani když je jí nablízku, a že by bylo tedy zbytečné, aby kvůli tomu někam utíkal.

Matka mu dala najevo, že s ním není možno nikdy o ničem rozumně hovořit a že život s ním je jako šifra.

Otec řekl, že by s ním matka mohla dobře vyjít, kdyby použila správného kódu.

Později ho matka požádala, aby nikde o uprchlých příbuzných nemluvil, a dlouze mu vysvětlovala, jak má odpovědět na případné dotazy policie.

„Pamatuj si, že synovec je na studijní cestě, Josef na dovolené a Petr na léčení."

Otci se však informace pletly, a tak nemluvil o příbuzných raději vůbec. Situace se znovu zkomplikovala o dvacet let později, když jsem odešel já a tři další sourozenci. Matka si okamžitě vymyslela krycí jména pro každého z nás. Protože měla zkušenosti z války, nedělalo jí to ani nejmenší potíže. Zato nám, kterým válečná praxe chyběla, nastaly těžké časy.

Jednou, když matka napsala, že právě odeslala blahopřání Mickey Mousovi, který má narozeniny, měli jsme o ni všichni obavy.

Ukázalo se, že jde o Michaela, který měl zpočátku krycí jméno Student.

Ve stejném dopise matka psala, že je třeba počkat, až se vyjasní, zatím že je doma mlha. Současně psal otec bratrovi do Ameriky a sděloval mu, že v Praze svítí slunce. Matka otcův dopis zadržela a oznámila mu, že nemůže psát, co ho napadne, protože právě odeslala důležitou šifru, kde mlhou je míněna politická situace doma v Čechách.

Otec se zlobil a tvrdil, že matka svou činnost přehání tak, že už není možno poslat z Prahy ani normální pozdrav.

Matka mu připomněla, jak za války přijímala tajně jeho motáky a že při tom šlo o život.

Otec si povzdychl, že to snad nikdy neskončí.

„Bohužel," řekla matka a šla psát další tajnou zprávu.

Občas se rozhodla bez bližšího varování adresátů ztížit stopu pronásledovatelům a změnila náhle krycí jména.

V takových chvílích docházelo v naší ilegální rodině k velkým nedorozuměním.

„Poslala jsem Maře španělský slovník, díl prvý a druhý," psala matka v dopise, jehož kopie nám všem jako vždy rozeslala, „prosím, potvrď příjem, než pojedeš s toreadorem do Argentiny."

Ukázalo se, že toreador je nové krycí jméno pro Eliščina manžela.

„Kdo je Carmen krucifix?" ptal se bratr na pohledu z Ameriky o pár týdnů později.

„Eliška až do podzima," odpovídali jsme z Paříže.

„Co má znamenat má vypáčená kabelka?" dotazoval se telegramem znervóznělý strýc Petr z Colorada.

„Tvůj byt v Praze," odpověděli jsme hned potom, co jsme si u matky ověřili nový kód.

Jednou, když jsme zase nemohli nějakou zprávu rozluštit, napsala sestra matce, že by neměla svou „poesii" psát tak složitě.

„Zdejší život je próza," odpověděla matka suše.

Nejhůř nesl celou tajnou korespondenci otec. Brzy ztratil přehled a nikdy nevěděl, kdo je kdo.

Když se o mne a sourozence začala zajímat policie, stala se matka ještě opatrnější a zavedla řadu bezpečnostních opatření. Jedním z nich bylo to, že jí otec musel předkládat všechny své dopisy, aby náhodou něco neprozradil.

Byl z toho brzy tak nesvůj, že psal jen o psovi.

Nevím, zdali měl otec větší strach z policie, nebo z matky.

Jeho dopisy však náhle velmi připomínaly ty, které psal před lety z koncentráku.

„Jsme zdrávi a daří se nám dobře," sděloval nám často.

Zpočátku jsme se domnívali, že je to nějaká nová matčina šifra, ale když nám pražský bratr napsal, že rodiče jsou skutečně zdrávi, uklidnili jsme se.

Jednou se otec rozhodl, že napíše podrobněji, a zmínil se o dovolené. Matka však dopis znovu zadržela, neboť by to mohlo být nebezpečné.

„Jak to?" divil se otec.

„Mohli by si myslet, že je to nějaká nová šifra," vysvětlovala matka.

„Kdo? Policie?"

„Ne, děti."

Otec usoudil, že patrně brzy přijde o rozum.

„Už se stalo," řekla matka.

Jednou si otec dodal odvahy a rozhodl se, že ji obelstí. Poslal nám tajně dopis, který neprošel matčinou kontrolou. Léta cenzury a šifer však na něm zanechala zjevně stopy. V dopise nám sděloval, že byl na čtrnáct d. na lé. v K.V., že měl také die. a že jeho žluč. je už zcel. v poř. V K.V. že potkal pana Bí. a paní Bí. a že nás oba pozdr. Jinak že sit. je stál. stej.

Na konci dopisu, zřejmě ve stavu velkého rozrušení, napsal: zdr. Vás srd. Váš tá.

V té době došla také velmi zašifrovaná zpráva od matky.

Když jsme ji rozluštili, pochopili jsme, že nás varuje, abychom neopatrnou korespondencí neohrožovali bratra v Praze, a když se mu narodily děti, žádala nás, abychom byli ještě opatrnější kvůli trpaslíčkům.

Uvědomili jsme si, že i trpaslíčci jednou dospějí, vyrostou, ožení se a budou mít potomky a že socialismus nikdy neskončí, a to vědomí nás posilovalo při luštění poselství z domova a při luštění nových tajenek. Brzy jsme překonali počáteční potíže a zdokonalili jsme se v tajných zprávách tak, že nás časem ani nenapadlo, že bychom se mohli domluvit normálně.

Snad proto nás nová doba poněkud zaskočila.

A tak i když se radujeme z konce starých časů a víme, že už lze o všem otevřeně hovořit, je švagr dodnes Toreadorem a bratr se podepisuje stejně jako za dob temna: Mickey Mouse.

Jak jsem se vrátil

Kdo opustí dům, ze kterého se nedá odejít, a přivykne tomu, že sám v sobě léta klusá, má před sebou dlouhou cestu zpátky.

Mnohokrát jsem se vracel domů a procházel jsem se po Praze, zahalen do dlouhého kabátu s ohrnutým límcem a přikrčen pod čepicí s kšiltem. Jindy jsem měl tmavé brýle a chodil jsem postranními uličkami města. Pokaždé jsem sledoval lidi na chodnících, díval jsem se do výkladních skříní, abych si prohlédl toho, kdo šel za mnou, a vždy jsem si dával pozor na to, abych náhle nepotkal někoho, kdo by mne poznal a neopatrně vyslovil mé jméno nahlas.

Kdykoli jsem se vrátil, bylo město neuvěřitelně tiché, jen mé kroky bylo slyšet. Byly tak hlasité, že jsem se jich sám lekal, nepomohlo ani to, že jsem se zul a šel bos. Má chůze byla jediným nápadným zvukem v celém městě, prozrazovala směr, kterým jsem šel, a každý krok, i když jsem našlapoval tiše jako kočka, mi naháněl strach.

Léta jsem se takhle vracel domů a pokaždé jsem se bál, že mne někdo zadrží a že už se z města nikdy nedostanu.

Probouzel jsem se po těch návštěvách celý zpocený a vyděšený, v Paříži, v Německu, v Miláně, v Madridu, na břehu Ženevského jezera, ale také u moře v Acapulcu, na Bahamách nebo v Monte Carlu a všude tam, odkud jsem podnikal noční výlety domů, a uklidnil jsem se pokaždé, až když jsem se přesvědčil, že jsem vzhůru.

Často jsem zůstal po takových cestách ležet v posteli, díval jsem se na obrázky Prahy na zdi, na mosty, kostely a uličky, na město, které v rámu, za sklem, nebo narychlo přišpendleno v některém z mnoha bytů působilo bezpečně a klidně, jako ve chvíli, kdy jsem je opustil. Léta jsme převáželi město v kufru, jezdilo s námi autem po dálnicích, létalo letadlem, někdy se zdrželo jen pár týdnů v hotelu, jindy procházelo celnicí, odpočívalo nějaký čas ve skladu, nebo viselo měsíce v divadelní šatně.

Zvykl jsem si na stín, který na Karlův most vrhala palma, rostoucí pod oknem, nebo na Eiffelovu věž, odrážející se v řece, nedaleko Hradčan. Když jsme po víc jak dvaceti letech jeli domů, bál jsem se, že je to opět jedna z těch výprav, která skončí nepříjemným probuzením.

Nevěřil jsem, že to je skutečný návrat, a na hranicích jsem se neustále otáčel zpátky, směrem, odkud jsme přijeli. Později, když jsme dorazili na Letnou a z domu vyběhl otec, bratr a nakonec s maličkým zpožděním matka s kyticí, a když jsme se na chodníku objímali, díval jsem se jim trochu zahanbeně přes rameno na dům opřený o dřevěné berly lešení a čekal jsem stále ještě, že ten sen skončí.

O chvíli později, cestou po schodech, když jsem ucítil zvláštní navlhlou vůni průjezdu a chodby, kterou jsem necítil v žádném z měst, udělal jsem pro jistotu několik dlohých kroků, abych se ujistil, že nepůsobí hluk. Byly tiché.

Pak jsem vešel do míst, o kterých se mi tolikrát zdálo, a díval jsem se opatrně kolem sebe. Sedl jsem si na gauč a zkusil jsem se do něho znovu opřít, ale lampa nepřestala svítit, jako před lety.

Kaktusy sahaly až ke stropu a přeplněné knihovny stále odolávaly nesmírné váze jako kdysi.

Také piáno drželo na svém povrchu hromady otcových desek se strojopisy a výstřižky a vypadalo jako černý vzpěrač.

Psací stoly se přitiskly k sobě, zato veliká skříň, o níž vím, že skrývá dva tucty otcových levých rukavic, zůstala tam, kde byla vždycky, mohutná a nehybná jako loď.

Některé předměty byly jinde, než jsem je vídal, a začal jsem je proto pomalu stěhovat ve své paměti.

Přesouval jsem je se zpožděním těch let kus za kusem a radoval jsem se, když jsem objevil starou prasklinu na zdi, odřené dveře, které dosud nesly stopy našich klukovských fotbalových zápasů. A kohoutek, který se tolik let nedal utáhnout a kapal si svobodně dál, mne doslova nadchl.

O chvíli později jsem se podíval z okna, abych jen přehodil několik stromů v protějším parku a přivezl ze skladiště paměti staré houpačky, a pak jsem šel znovu pokojem a zaslechl známý zvuk.

Parkety vrzaly na navyklých místech, jako před lety.

Kráčel jsem dál jako náměsíčný a myslel jsem na to, jak opatrně jsem tudy chodil pozdě v noci, když jsem se vracel kdysi z města z prvních schůzek a snažil se nepozorovaně zmizet v posteli.

Tenkrát jsem se každého vrznutí lekal, každé zaskřípění mne děsilo, protože hrozilo, že vzbudím spící rodiče.

Teď, když jsem se nezpozdil o několik hodin, ale o celou řadu let, naslouchal jsem zvukům s nesmírnou radostí, vychutnával jsem kaž-

dý naprasklý tón a celou tu symfonii starého dřeva a radoval jsem se,
že místa v podlaze mne poznávají a zdraví mne jako nějaká čestná
stráž. Šel jsem po paměti, krok za krokem, starou známou cestou,
a věděl jsem, že jsem doma opravdu doma.

Bibliografie autorových prací

1976	TO NA TOBĚ DOSCHNE	Konfrontace Curych, 1. čes. vyd.
1991		Rozmluvy Praha, 2. čes. vyd.
1978	PROSÍM TĚ, NEBLÁZNI!	Konfrontace Curych, 1. čes. vyd.
1992		Rozmluvy Praha, 2. čes. vyd.
1994	BITTE, SEI NICHT	
	VERRUECKT SCHAETZCHEN	Frieling V.Berlin 1. něm. vyd.
1979	TŘÍSKY	Konfrontace Curych, 1. čes. vyd.
1984	ČÍSLO DO NEBE	Konfrontace Curych, 1. čes. vyd.
1993		Marsyas Praha, 2. čes. vyd.
1994		Academia Praha 3. čes. vyd.
1992	VÝHODNÉ NABÍDKY	Marsyas Praha, 1. čes. vyd.
1994	NEJCHYTŘEJŠÍ NÁROD	
	NA SVĚTĚ	Marsyas Praha, 1. čes. vyd.
1996	RODINNÝ SJEZD	Marsyas Praha, 1. čes. vyd.
1997	KŮŇ NEŽERE	
	OKURKOVÝ SALÁT	

(antologie)

1976 PARDON VOM BESTEN německy – výběr lit. humoru, autoři: S.J. Lec, S. Mrožek, S. Alejchem atd – pardon, Verlag Frankfurt 1976, edit. J. Taussig. (povídky „Nepřítel z mládí" a „Matka a čas" z knih „Třísky" a „To na tobě doschne") překl. A. Baumrucker.

1983 NIMMS MIT EINEM LAECHELN německy – antologie světového humoru, autoři: J. Klapka Jerome, E. Kishon, E. Kaestner, K. Tucholsky, Roda Roda, B. Brecht atd – Herder Verlag Freiburg, Basel, Wien, 1983 edit. C. Ruhm, (povídky „Než přijdou", „Co mám dělat" a „Jak jsem se odnaučoval kouřit" z knihy „Prosím tě, neblázni!") překl. J. Strnad.

1984 THEY SHOOT WRITERS, DON'T THEY? anglicky – mezinárodní antologie, edit. G. Theiner, autoři: M. Vargas Llosa, M. Kundera, V. Někrasov, K. Vonnegut, T. Stoppard atd – Faber and Faber, Londýn 1984, /text „Censor" z knihy „Třísky"/ překl. G. Theiner.

1991	ZUR POETIK UND REZEPTION VON v. NĚMCOVÁS BA-BIČKA – německy – edit. S. Roth, odpovědi čs. autorů, Verlag Harrassowitz, Wiesbaden 1991.
1992	FROM THE REPUBLIC OF CONSCIENCE – anglicky – mezinárodní antologie, autoři: O. Mandelstam, A. Achmatova, C. Milosz, E. Cardenal, D.H. Lawrence, P. Neruda atd – Aird Books, Flemington, Australia (White Pine Press New York, USA 1992, ve spolupráci s Amnesty International). (Text Censor z knihy „Třísky"), překl. G. Theiner.
1995	PICKANTERIE, česky, monografie věnovaná čs. satirikovi J.R. Pickovi, edit. E. Světlík, Marsyas Praha, 1995.
1996	CROQUANT, francouzsky, výběr čs. literatury, předmluva: V. Havel, autoři: J. Seifert, J. Deml, E. Bondy, D. Hodrová atd, edit. M. Cornaton a V. Jamek, Croquant, Lyon 1996, (povídky „Generální úklid" a „Pan K" z knihy „Rodinný sjezd"), překl. M. Braud.
1997	AN EMBARRASSMENT OF TYRANNIES – anglicky, mezin. antologie, autoři: A. Solženicyn, A. Miller, V. Havel, J. Cortazar, S. Rushdie atd, edit. W.L. Web a R. Bell, Victor Gollancz, London, 1997 (text „Dopis prvnímu tajemníkovi" z knihy „Třísky") překl. G. Theiner
1997	KABINET SMÍCHU – česky, antologie součas. čes. humoru, autoři: M. Macourek, I. Vyskočil, J. Suchý, M. Horníček atd, edit. J. Just a Z. Blažek, nakl. Vera, Praha 1997 (povídky „Deník spisovatele" a „Věčný koloběh").

(kabarety)
(jako spoluautor)

1963	ZAHRAJTE SI KABARET, č. 2; Dilia Praha
1964	ZAHRAJTE SI KABARET, č. 3; Dilia Praha
1965	TEXTBEAT; Dilia Praha
1967	TOULAVÝ KABARET; Dilia Praha

(film)

1967	Povídka „Nepřítel z mládí", podkladem pro film „Zahrada", režie Jan Švankmajer.
1973–92	spoluautorem scénářů pro TV seriály pro mládež, SWF TV Baden--Baden.

| 1979–92 | spoluautorem série pro TV A 2 Paris: „Puffi et Fuki". |
| 1985 | Text „Censor", podkladem pro stejnojmenný film Amnesty International, režie Nick Levin, hl. role A. Hopkins, úvod. slovo: Tom Stoppard, Londýn. |

(divadlo)

1970	Chlubil, hra pro mládež.
1971	Kontrasty (spoluautor), státní divadlo Wiesbaden.
1975	Komedie z rance a Blackouts (spoluautor), Státní divadlo Wiesbaden, Městské divadlo Mainz
1975–dosud	Jarní intermezzo a Rocking in the alley (spoluautor), kabaretní výstupy pod jménem Blackwits, např. kabaret Crazy Horse, Olympia atd.
1984	Censor, v pořadu Dancing two-gether, divadelní festival Middlebury, Vermont, USA
1986	Gala musical, text a texty písní, Cantus Publishing Toronto, Canada
1996	Poker bez esa – hra

Ceny udělené za literární tvorbu

1961	Haškova Lipnice, za kabaret *Třináctý pokus* (spoluautor).
1967	Zlatá kotva za písňový text *Líný proud* (hudba M. Kymlička).
1968	Cena za scénář k filmu *Zahrada*, mezin. film. festival Philadelphia, USA, (režie J. Švankmajer).
1976	Georg Mackensen Preis, za nejlepší povídku v němčině („Co mám dělat").
1980	Aleko, stříbrná medaile za satirickou povídku („Nepřítel z mládí").
1993	Golden Mandrake Award, Paris, s N. Munzarovou, za loutkoherecký kabaretní výstup.

Obsah

ČÍSLO DO NEBE

RODINNÝ SJEZD

EDICE SCARABEUS

sv. 7

IVAN KRAUS

Má rodina
a jiná zemětřesení

povídky

Vydala Academia, nakladatelství
Akademie věd České republiky,
Legerova 61, Praha 2

Ilustroval Adolf Born
Redaktorka publikace Pavla Landová
Technická redaktorka Jarmila Sojková

Vydání 1. (v tomto souboru, jednotlivá vydání
uvedena v bibliografii) 1998, dotisk 2001
Ediční číslo 0769
Sazba a litografie **SERIFA**®, s. r. o., Jinonická 80, Praha 5
Tisk ₲ Těšínská tiskárna, a. s., Český Těšín

ISBN 80-200-0678-8